O Anel

Esta obra foi finalista do Prêmio de Romance Histórico Alfonso X, o Sábio, em 2004, promovido por Caja Castilla La Mancha e mr ediciones, Grupo Planeta.

Jorge Molist

O Anel

A Herança do Último Templário

tradução
Márcia Frazão e Ronaldo Periassu

2ª reimpressão

Título original: El Anillo

Capa: Compañía
Imagem da capa: San Jorge (detalhe), de Pere Nisard, Museo Catedralicio de Palma de Mallorca, Archivo Oronoz

Dados Internacionais de Catalogação na Publicação (CIP)
(Câmara Brasileira do Livro, SP, Brasil)

Molist, Jorge
O anel : a herança do último templário / Jorge Molist ; tradução Márcia Frazão e Ronaldo Periassu. — São Paulo : Editora Planeta do Brasil, 2005.

Título original: El anillo.
ISBN 85-89885-51-8

1. Ficção histórica espanhola 2. Romance espanhol 3. Templários – Ficção I. Título.

05-3717 CDD-863.081

Índices para catálogo sistemático:

1. Romances históricos : Literatura espanhola 863.081

2005

EDITORA PLANETA DO BRASIL LTDA.
Alameda Ministro Rocha Azevedo, 346 – 8º andar
01410-000 – São Paulo-SP
vendas@editoraplaneta.com.br

Para Jordi, David e Gloria

In memoriam Enric Caum

Oculto no seu anel papal, habita um demônio.

Acusação de Felipe IV, da França, verdugo dos templários, contra o papa Bonifácio VIII.

UM

Não é comum uma mulher ganhar dois anéis tão significativos no mesmo dia. Por isso o aniversário dos meus vinte e sete anos foi tão especial.

O primeiro anel era um esplêndido solitário e me foi presenteado por Mike, o rapaz com quem eu estava saindo há mais de um ano. Um verdadeiro ganho.

Mike é o homem ideal, este com quem toda mocinha casadoura sonha. Ou pelo menos deveria sonhar; se não o faz, certamente o desejo de sua mãe é tornar-se parente de alguém assim. Corretor da bolsa, ou melhor, filho do proprietário de uma corretora de valores, com um futuro mais do que promissor, desde o berço ele possuía um porvir dourado: a fortuna do papai e da mamãe.

Bem, talvez você já esteja perguntando pelo outro anel. O outro, surpresa! O outro também me exigia um dever, embora não conjugal. Ou talvez, sim! Na realidade, este segundo anel me deixava comprometida, não com um homem, e sim com uma aventura. Com uma insólita aventura.

Claro que quando o recebi eu não sabia que se tratava disso, nem sequer suspeitava quem o havia enviado. E se me tivessem dito o nome do remetente, eu não teria acreditado. Aquele aro que encerrava um compromisso era presente de um morto.

Na ocasião eu também não desconfiava de que ambos os anéis, ou melhor, de que ambas as obrigações eram incompatíveis. Assim, fiquei com as duas jóias, achando que nelas havia uma proposta de casamento e que o meu sobrenome mudaria para Harding, embora intrigada com o outro estranho anel. Sou muito curiosa e os mistérios me deixam frenética. Mas é melhor contar como aconteceu tudo...

Quando chamaram à porta, a festa já estava em pleno apogeu. Jennifer, com seu vestido longo de decote profundo, e Susan, com sua calça justa de cintura baixa, tinham começado a dançar, desafiando a concorrência masculina. Os rapazes, alguns com vários copos na cabeça, já estavam com os olhos saltados. As mais joviais! Como elas gostam de provocar! O fato é que elas atraíram um par de bobos, com copos nas mãos, e assim começou a dança.

Não me importava que os caras já estivessem babando por causa dessas duas; nesse momento eu já era uma mulher comprometida e Mike, meu noivo garboso, tinha-me agarrado pela cintura e nos beijávamos entre risos e tragos, e tragos e risos. A minha mão irradiava o brilho de uma formosa argola com um grosso brilhante solitário de muitíssimos quilates. Mike tinha me presenteado, algumas horas antes, no luxuoso restaurante perto do meu apartamento de solteira em Manhattan onde almoçamos e celebramos meu aniversário.

— Hoje quem escolhe a sobremesa sou eu — ele disse.

E me serviram um magnífico suflê de chocolate. Sou louca por chocolate e, no meu terceiro ou quarto ataque àquela delícia, a colher esbarrou em algo duro.

— A vida é como um suflê de chocolate — Mike imitava a voz de Tom Hanks no filme *Forrest Gump*. — Nunca se sabe o que se pode encontrar dentro — talvez ele estivesse me avisando, ou talvez temesse que, no meu entusiasmo pantagruélico, eu pudesse devorá-lo.

Uma cintilação naquele saboroso negror me deslumbrou. Já estava com um pressentimento de que num daqueles dias o meu gênio da Bolsa se apresentaria com uma pequena fortuna em forma de aro com diamante, que me seria oferecida envolta em promessas de amor eterno. De amor e riqueza, pois aceitar seria assegurar para mim um futuro onde o trabalho deixaria de ser uma necessidade relativa para converter-se em passatempo absoluto.

— Feliz aniversário, Cristina — ele disse muito sério.

— Mas isto é...! — soprei e comecei a lamber o chocolate para limpar o anel.

— Você quer casar comigo? — ele estava com um dos joelhos no chão. E pensei, que romântico!

Alertados pela minha exclamação, os garçons e comensais das mesas vizinhas nos observavam curiosos. Eu fiquei séria e desfrutei o *show* olhando ao redor, o tapete persa, a suntuosa aranha de cristal que pendia do teto, os cortinados... E o fiz como se estivesse pensando. Mike me olhava com inquietude.

— Claro que sim! — exclamei quando o suspense estava no seu clímax. E, levantando-me de um salto, dei-lhe um beijo. Ele sorriu feliz e a elegante afluência daquele lugar celebrou a cena com um aplauso entusiasta.

Mas voltemos à festa...

Com o alvoroço da música e com os convidados competindo para ver quem falava mais alto, acabei não ouvindo a campainha que soava; John e Linda, em vez de me chamarem para ajudar, resolveram que um tipo tão interessante como aquele devia ser visto pelo público. Assim, fizeram-no passar e de repente me encontrei diante de um indivíduo alto, vestido de preto e de motorista, que não teve a dignidade de tirar o chapéu para entrar no apartamento.

— Senhorita Cristina Wilson? — ele indagou. Senti um calafrio, o sujeito tinha um aspecto sinistro e parecia que havia trazido consigo toda a obscuridade da noite lá de fora. Alguém abaixou a música e todos ficaram atentos às palavras daquele homem.

— Sou eu — me recompus sorrindo. É claro, aquele rapaz estava lá para cantar a canção de parabéns de aniversário! E certamente faria um *striptease* para nos mostrar os músculos pretos que escondia debaixo de sua pele preta! Um *presentinho* surpresa de alguma de minhas amigas, talvez Linda ou Jennifer. Seria divertido. O sujeito fez uma pausa, abriu o zíper de sua jaqueta e, quando eu já estava achando que ia tirá-la, ele retirou um pequeno pacote do bolso de dentro. Os convidados fizeram uma roda em torno de nós, com as faces eufóricas e os olhos alcoolizados.

— Isto é para você — ele disse ao me entregar o pacote. Fiquei olhando para ele, na expectativa. Quando é que começaria o *show*? Mas, em vez de cantar, abriu um outro zíper e, em vez de tirar as calças de couro, retirou papel e caneta.

— Posso ver algum documento que a identifique? — voltou a perguntar com um tom seco.

Aquilo me pareceu excessivo, mas era preciso seguir com a brincadeira. Então, peguei minha carteira de motorista para o que desse e viesse. Ele anotou os dados no papel com trejeitos tranqüilos. Era um ator consumado; todos ficaram na pendência de suas palavras e movimentos. Será que ia começar?

— Assine aqui.

— Está bem, o que você vai fazer? — disse-lhe depois de mostrar a minha assinatura; todo aquele preâmbulo era excessivo.

Ele me olhou de um modo estranho enquanto me passava uma cópia do documento, e com um "até logo" dirigiu-se para a porta.

Eu não estava esperando por aquilo e meu olhar interrogativo voltou-se para Mike, que deu de ombros sem respostas para me dar. Olhei o papel que o sujeito havia deixado, a cópia era pouco legível e só pude ver meu nome. Não havia remetente.

— Espera! — gritei e saí correndo atrás dele. Não consegui encontrá-lo no patamar da escada, ele já havia tomado o elevador.

Voltei para onde Mike estava, pensativa. Então, ele não era um ator surpresa de aniversário; era de verdade. Eu estava intrigada. Que tipo tão misterioso! Quem tinha me mandado aquilo?

— Você não vai abrir o presente? — disse Ruth.

— Queremos ver o que é! — a voz de um menino pediu.

Dei-me conta de que tinha aquele objeto em minhas mãos; eu o tinha esquecido completamente por causa daquele estranho homem de negro.

Sentei-me num sofá e, apoiando o pequeno embrulho na mesa de centro de cristal, tentei desamarrar a linha que atava o invólucro, sem êxito. Todos me rodeavam indagando o que seria e quem o tinha mandado. Alguém me entregou a faca da torta e ao abri-lo me vi diante de uma obscura caixinha de madeira com um rudimentar lacre metálico. Era visivelmente velha.

Lá dentro, alojado numa almofadinha de veludo verde, havia um anel de ouro com um vidro vermelho engastado nele. Parecia bastante antigo.

— Um anel! — exclamei. Provando-o, vi que se encaixava no meu dedo médio, embora ficasse um pouco largo. E ali o deixei, ao lado de meu anel de noivado que brilhava no dedo anular.

Todos queriam vê-lo e isto acabou sendo uma desculpa para que se repetissem os elogios sobre o tamanho do diamante do primeiro anel.

— É um rubi — Ruth falou referindo-se ao outro anel. Ela é uma especialista em jóias antigas, trabalhava na Sotheby's e adquiriu bons conhecimentos sobre gemologia.

— Que aspecto tão raro — comentou Mike.

— É que antigamente, há séculos, não cortavam as pedras como agora — Ruth explicou. — O talhe era rudimentar e poliam as gemas na forma arredondada, tal como se vê neste rubi.

— Que misterioso! — Jennifer exclamou antes de abandonar o assunto. Aumentou o volume da música e começou a dançar. E a festa seguiu em frente no ritmo do seu rebolado.

Enquanto Mike preparava uns drinques, fiquei examinando a caixa e o anel. E, por fim, reparei no recibo de entrega. Estava ali, sobre a mesa de centro. Ao repassá-lo cuidadosamente, acabei lendo com dificuldade porque quase não estava legível: "Barcelona, Espanha".

O meu coração deu um tranco.

— Barcelona! — exclamei. Este nome me trazia tantas recordações!...

DOIS

~

Ferida de fogo, a torre desabou a sua massa colossal sobre os pobres infelizes que estavam embaixo com um ruído assustador. Aquela gente toda fugia. Como um vento do deserto carregado de areia, uma nuvem de poeira e cinzas avançava e penetrava pelas ruas, cobrindo tudo com uma capa embranquecida.

Virei-me na cama. Deus, que angústia! Novamente a recordação daquela manhã nefasta na qual as torres mais altas caíram...

Não é nada, disse para mim mesma, já faz alguns meses que isso aconteceu; estou na minha cama. Tranqüila, tranqüila. Depois da festa do meu aniversário, Mike ficou para dormir comigo e eu sentia seu calor junto a mim; respirando pausado, satisfeito, relaxado. Acariciei suas costas largas, fortes. E sosseguei ao abraçá-lo. Os nossos corpos descansavam nus sob os lençóis; mesmo com a intensidade da paixão, ele teve forças de sobra para dizer que continuava me amando depois de ter feito amor comigo, e ainda foi capaz de soltar mais uns galanteios antes de cair dormindo como uma pedra. E eu também, mesmo rendida pela intensidade do dia, tive um sonho doce, acredito, até que apareceram essas imagens angustiantes.

Olhei o despertador. Eram quatro e meia da madrugada do domingo; ainda tinha muito tempo para dormir.

Já tranqüila, fechei os olhos, mas de novo encontrei-me diante da trágica visão do desmoronamento, dos escombros, do pânico das pessoas.

O sonho havia mudado. Já não ocorria em Nova York. Não era mais o desabamento das Torres Gêmeas. Era algo distinto e as imagens e os sons daquilo chegavam a mim sem que eu pudesse evitá-los.

As pessoas gritavam. A derrubada das torres abrira uma brecha e homens portando espadas, lanças e bestas, protegidos com elmos de ferro, cotas de malha e escudos, apressavam-se através da poeirada na direção do furo da muralha, animando-se uns aos outros. Eles se fundiram na sujeira da fuligem e no estrondo, e jamais regressaram. Aos poucos a neblina vomitou uma horda de guerreiros uivantes. Eram muçulmanos e brandiam sabres sangrentos. Ainda com a espada na cintura, eu era incapaz de lutar; observava minhas forças esvaindo-se com o sangue de minhas feridas abertas. Não conseguia erguer minhas armas, nem mesmo levantar meus braços, e já estava em busca de proteção. Olhei para minha mão e lá estava, neste meu sonho, o anel de rubi com seu vermelho profundo.

Mulheres, crianças e velhos transportando cargas, alguns com cavalos, outros com cabras e ovelhas, corriam em direção ao mar. As crianças menores choravam aterrorizadas e as lágrimas deslizavam e formavam canais em suas carinhas sujas de poeira. As maiores seguiam suas mães, que levavam pelas mãos ou nos braços os pequenininhos. Com a investida dos assaltantes, que golpeavam os fugitivos, instaurou-se o pânico. A turba gania, deixava de lado seus pertences, alguns abandonavam seus filhos, querendo apenas escapar. Sem saber para onde. Foi terrível. Senti muita pena deles, mas não podia socorrê-los. O que seria daquelas crianças sem as mães? Talvez se salvassem como escravos. Alguns portões enormes de madeira, reforçados com metal, começavam a se fechar. O refúgio estava atrás desses portões, mas as espadas desembainhadas da tropa mantinham a multidão nos seus limites, franqueando a entrada somente para alguns. Os que se amontoavam no lado de fora passaram a implorar aos gritos. Houve empurrões, prantos, súplicas, insultos. Os guardiões gritavam para que se afastassem, se mandassem, se dirigissem até o porto. E quando a multidão amontoada quis forçar a passagem, o batalhão postado na entrada começou a cortar com suas lâminas os que estavam mais próximos. Pobres infelizes, como esganiçavam suas dores e seus medos! Abriu-se uma clareira e avistei o acesso já quase fechado. Eu sangrava e tive medo de morrer ali, entre a multidão desesperada. Cambaleando, lancei-me contra as espadas dos soldados. Tinha de atravessar essa porta!

Com um salto, sentei-me na cama. Ofegava e tinha os olhos cheios de lágrimas. Que angústia! Bem maior que aquela que senti durante o atentado das Torres Gêmeas. Para mim, o sonho era mais real, mais até do que o que havia ocorrido em 11 de setembro. Não acredito que você possa entender isso, pois até hoje ainda não entendo.

Mas uma última imagem ficou gravada em mim. O homem que dava ordens aos assassinos mercenários na porta de entrada estava vestido de branco e no seu peito luzia a mesma cruz vermelha também pintada na parede da fortaleza. Essa cruz... me fazia lembrar de alguma coisa.

Girei para o lado de Mike em busca de amparo. Agora ele estava de barriga para cima, mas continuava dormindo feliz, com um rosto angelical estampando o esboço de um sorriso. Certamente os nossos sonhos eram bem distintos. Eu não compartilhava sua paz; aquele anel me deixava inquieta, não o dele e sim o outro.

Eu disse há pouco que estava nua. Não de todo. Os dois anéis resplandeciam em minha mão. Nunca tive o hábito de dormir com jóias, mas ao deitar-me não tirei o anel do diamante puro, símbolo do nosso amor, de minha promessa, de minha nova vida. E ainda não sei por que eu também estava com o outro anel na cama. Aquele mesmo, o do meu pesadelo. Esse anel tinha-me obcecado tanto a ponto de surgir nesse meu sonho trágico?

Eu quis vê-lo melhor e, retirando-o, coloquei-o debaixo do abajur.

E aconteceu uma coisa que me deixou boquiaberta.

Ao incidir na pedra enganchada de forma a fazer com que o metal só a prendesse pelos lados, a luz projetava uma cruz vermelha sobre a brancura dos lençóis.

Era belo, mas inquietante. Uma cruz singular; com os quatro braços iguais que se abriam nos seus extremos formando dois pequenos arcos que se alargavam no final.

Naquele momento percebi tudo: era a mesma cruz do sonho! Aquela cruz no uniforme dos soldados que investiam contra a multidão, a mesma que estava pintada na parede da fortaleza.

Fechei os olhos e respirei fundo. Não podia ser, será que eu ainda estava sonhando? Apaguei a luz para me tranqüilizar e procurei refúgio junto a Mike, que continuava dormindo, mas tinha virado de costas. Abracei-o. Isto me acalmou um pouco, no entanto, meus pensamentos continuavam a toda.

Tudo o que se referia àquele anel era misterioso: a maneira como chegou a mim, sua aparição em meu sonho, minha visão dessa cruz antes de também encontrá-la no anel...

Pensei comigo mesma que aquela jóia tinha uma história para contar, não era um presente qualquer, ocultava algo...

E senti ainda mais curiosidade. E medo. Algo me dizia que aquele inesperado presente não havia chegado por acaso, que ele era um desígnio do destino, uma vida paralela à vida que eu vivia, e que de repente revelava-se como uma porta secreta, abrindo-se aos meus passos e instigando-me a cruzar um umbral obscuro...

Minha intuição dizia que aquele aro ia revolucionar a vida confortável, previsível e cheia de promessas de felicidade que eu estava começando a viver. Era uma ameaça, uma tentação. Maldito anel! Acabara de chegar e já não me deixava dormir numa noite que deveria ser feliz.

Acendi de novo a luz e prestei atenção na pedra vermelha; exibia um fulgor estranho, interior, e formava uma estrela de seis pontas que parecia mover-se por debaixo da superfície conforme eu girava o anel, de modo que o seu brilho de luzeiro sempre estava à frente dos meus olhos.

Examinei sua parte interna. Havia uma incrustação de marfim na base, talhada de maneira a formar um desenho vazio no reverso do rubi, fazendo com que a luz, ao atravessar o cristal, projetasse atrás aquela formosa cruz vermelha de sangue.

Bem, eu já tinha entendido como funcionava fisicamente aquela pequena maravilha, mas por um momento crescia a minha curiosidade para saber de onde vinha e por que motivo havia sido mandada para mim.

De repente meus olhos se abriram como pratos com um pensamento que estalou em minha mente:

O anel! O do rubi vermelho! Eu o havia visto antes!

Era como uma imagem que regressava das brumas das recordações da infância; não havia dúvida, minha certeza era absoluta. Eu o podia ver em algum lugar do meu passado, luzindo na mão de alguém.

Inquieta, me revolvi na cama. Aconteceu na minha época de criança, em Barcelona. Quanto a isso não havia dúvidas. Mas quem o usava?

Esforcei-me, mas não era capaz de lembrar.

Já estava segura de que procedia da minha infância, e talvez de um passado muito mais remoto, mas quem o tinha enviado? Por que razão? Quando se quer presentear alguém pelo seu aniversário, não se faz tantos mistérios, e logo se deixa conhecer. Não é assim?

Então me veio outra vez esta pergunta que eu sempre quis

fazer para minha mãe e nunca cheguei a formular em voz alta. Era um pequeno enigma, uma dessas curiosidades às quais não se dá importância, mas que permanecem zumbindo, baixinho, em algum recanto de sua mente e um dia se transformam em uma grande incógnita.

Por que jamais retornamos à cidade onde nasci?

Nós mudamos de Barcelona para Nova York quando eu tinha treze anos. Meu pai é de Michigan e durante muitos anos foi responsável pela subsidiária espanhola de uma empresa americana. Minha mãe é filha única de uma "boa" família da antiga burguesia catalã. Meus avós maternos morreram e todos os meus parentes na Espanha são distantes, de modo que não há um relacionamento entre nós.

Meus pais se conheceram em Barcelona, foram flechados, casaram-se e depois nasceu esta que está narrando.

Meu pai falou comigo em inglês durante toda a vida e o chamo de Daddy, que quer dizer papai, assim como ele chama a minha mãe, Maria del Mar, de Mary. Pois bem, eu sempre tentei perguntar para Mary por que nunca voltamos, e ela sempre evitou o tema. E eu pensava comigo: existe algum motivo para isso?

Daddy integrou-se com facilidade no grupo de amigos de minha mãe, a Espanha o encanta, e parece que quem insistia em viver nos Estados Unidos era ela. Por fim o seu empenho foi recompensado; meu pai ganhou um posto na matriz da corporação, em Long Island, Nova York. E nos mudamos. Maria del Mar deixou sua família, seus amigos, sua cidade e se foi com muita alegria para a América. Nunca mais regressamos, nem de visita. Estranho, não?

Virei-me na cama e olhei de novo o despertador. Já era madrugada de domingo, e nesse dia íamos visitar meus pais na sua casa em Long Island para celebrar meu aniversário. Disse para mim mesma que minha mãe e eu tínhamos muito que falar. Se ela quisesse, é claro.

TRÊS

— Gosto de você — Mike me disse, desviando o olhar da estrada por um instante; ele acariciava o meu joelho.

— Eu também gosto de você, amorzinho — rebati e peguei sua mão para beijá-la.

Era uma linda manhã de inverno e Mike dirigia relaxado e feliz. O sol fazia brilhar os troncos e os galhos desnudos das velhas árvores e perdia-se no verde dos abetos. A transparência e a luminosidade do dia enganavam; ninguém adivinharia, do interior do automóvel, temperado pelo astro rei, o frio que fazia lá fora.

— Vamos ter de escolher uma data — ele me dissc.

— Uma data?

— Claro que sim. Uma data para o casamento. — ele me olhava surpreso por meu alheamento.

— Sim, é claro — repliquei pensativa. Onde é que eu estava com a cabeça? "Depois de prometer, é preciso casar", refleti. "E se

Mike me deu o anel é porque quer se casar. E se eu disse que sim é porque também quero."

Eu devia estar ansiosa para celebrar o casamento. Mas, em vez de ocupar meus neurônios fazendo planos cheios de ilusão sobre meu vestido branco, a roupa das damas de honra, o bolo e tudo que fosse necessário para o dia mais feliz de minha vida, eu tinha sido flagrada por Mike pensando no meu anel. E não precisamente no dele. Eu pensava no outro, no anel misterioso. Mas, é claro, isso eu não ia confessar.

— E, quando decidirmos a data — eu acrescentei —, vamos ter de preparar os convites, os trajes, o banquete, a igreja...

— Naturalmente.

— Que bom! — afirmei risonha. "Que embrulhada", pensei comigo. "Como é que cheguei até aqui?" E lembrei do dia em que tudo começou...

Pela manhã chegaram os pássaros da morte tripulados pelos mortos, e com seu fogo ceifaram milhares de vidas, arruinaram os símbolos de nossa cidade, puseram nosso coração de luto.

Vinham da noite sombria, distante mil anos, onde somente uma meia-lua de sangue concede luz aos iluminados. E agora dói. Essas torres destroçadas nos doem. Da mesma forma que doem os membros amputados que já estão ausentes. Deles resta apenas a sua dor.

O imenso buraco continua ali e seus fantasmas parecem povoar a noite da cidade. Que já não é a mesma. Jamais voltará a ser a mesma. Mas ainda é Nova York. Isto ela será sempre.

Esse dia e sua noite mudaram a minha cidade, mudaram o mundo, transformando a mim e a minha vida.

Naquela manhã eu tinha de ir ao tribunal para um caso intrincado de divórcio e cruzava a recepção da minha firma, perto do Rockefeller Center, quando notei algo. Um impacto, uma sacudidela sem importância. Estranho, pensei, não há terremotos em Nova York. Subi ao escritório, acabara de cumprimentar meus colegas e estava começando a trabalhar quando a notícia chegou. Uma secretária ao telefone berrou: "Oh, meu Deus!". Formou-se uma roda de incrédulos ao redor da moça e subimos para comprovar tudo do terraço do edifício, de onde, como de tantos outros prédios de Nova York, as torres podiam ser avistadas. Olhamos a fumaça e gritamos horrorizados com a chegada do segundo avião e seu fogo; a partir desse momento tudo foi loucura. Não era um acidente, era um ataque, qualquer coisa podia acontecer. As notícias foram confusas no início, logo trágicas e depois houve a ordem de abandonar o prédio e a recomendação de sair de Manhattan. O zumbido das hélices dos helicópteros golpeando o céu fazia um contraponto com o ulular angustiante das sirenes dos bombeiros, das ambulâncias e da polícia que atravessavam as ruas como formigas em formigueiros alvoroçados, na inútil tentativa de fazer alguma coisa.

Fiquei pensando em sair da ilha andando por uma das pontes para pegar um táxi e ir até a casa dos meus pais, em Long Beach, mas no fim optei pelo meu apartamento, onde assistiria o que estava acontecendo pela televisão.

Eu me sentia debaixo de um peso insuportável. E comecei a ligar para todos os conhecidos que tinham escritórios nas Gêmeas ou em suas cercanias. Muitos telefones ainda funcionavam, mas estava sendo difícil falar com as pessoas e, quando entrei em contato com Mike, o seu abatimento era visível. Ele trabalha em Wall Street, tinha muitos amigos nas Torres e passou a manhã tentando localizá-los com pouco êxito. Fazia meses que nos conhecíamos e eu sabia que gostava dele. Muito. Para mim ele era bonito e simpático, mas a coisa não passava daí. Os ingredientes estavam presentes, mas faltava um catalisador que os fizesse coalhar. Ele queria que nos víssemos mais, que nos tornássemos mais íntimos, mas eu freava. Às vezes saíamos sozinhos, outras, em grupos; precisamente no sábado anterior tínhamos nos juntado a vários amigos.

— Você é muito exigente com os homens — minha mãe repetia. — Está sempre encontrando defeitos em todos — insistia. — Tomara que consiga ficar com algum por mais de seis meses... — e era assim uma vez e outra. Há ocasiões em que ela me tira do sério...

— Mary, calma — Daddy intervinha. — Qualquer dia desses vai aparecer o homem ideal. Ela não precisa se conformar com o primeiro que encontrar. Não é verdade? — e piscava o olho para mim como um cúmplice.

Minha mãe estava certa. Eu gosto de desfrutar da companhia masculina, mas me sinto sufocada quando eles começam a estabelecer limites para mim, sempre pedindo mais e mais; então me canso e corto a relação. Por sorte, tenho facilidade para fazer novos amigos e meu Daddy tinha razão: eu ainda não havia encontrado o meu homem. Ou então já tinha feito isso, mas ainda não percebera.

Não sei o que senti naquela manhã ao falar com Mike, talvez tenha notado nele a mesma angústia que oprimia o meu coração, mas o convidei para ir a minha casa, onde compartilharíamos o que fosse encontrado na geladeira. Eu sabia que ele aceitaria, e aceitou.

Fiquei à espera de Mike com uma garrafa aberta de *cabernet-sauvignon* californiano e ao entrar ele me contou que seu melhor amigo trabalhava num dos andares da segunda torre, acima do ponto de impacto. Estava desaparecido. Sentamos em frente da televisão tomando vinho e sussurrando o nosso espanto. Nesse dia, sem intervalos publicitários, a tevê repetia os mesmos impactos, por vezes com tomadas novas, as pessoas pulando pelas janelas, a tensão da espera, o desmoronamento... a tragédia. Estávamos hipnotizados, sem conseguir desviar os olhos da tela. Ao ver essas imagens de pavor, ele logo começou a chorar. Fiquei aliviada porque pouco antes quem tinha desejado fazer isso tinha sido eu, e me uni a ele. Chorando, acariciei sua face, e ele também me acariciou chorando. E me beijou. Suavemente, somente nos lábios. Correspondi seu beijo com sofreguidão. Era a primeira vez que íamos tão fundo.

Não sei se você já fez isso com alguém em plena choradeira; não passa de uma porcaria de baba com muco lacrimal. Mas eu precisava esquecer de tudo em seus braços. Embora às vezes eu me diga, com remorso, que talvez tivesse feito o mesmo com qualquer outro. No entanto, o que era estranho em mim é que naquela tarde eu precisava da proteção de um homem, não como nas vezes em que eu me divertia fingindo isso, e sim de verdade. Ou talvez também tivesse aceitado o mesmo de uma mulher. Não sei. Acontece que ele também precisava de amparo. Pôs a mão dentro da minha blusa e terminou achando o meu seio desnudo e submisso. Abri os botões da sua camisa e a minha mão foi deslizando pelo seu peito até chegar embaixo. Depois resolvi abaixar um pouco mais e acabei tocando o seu membro que tentava romper a calça. Em meio aos suspiros de quem acabara de chorar, ele começou a beijar os meus mamilos. Fizemos amor no sofá com desespero, como *junkies* drogando-se para esquecer o mundo. Não tivemos tempo de desligar a televisão, a janela da cena que não queríamos mais assistir, e assim o nosso murmúrio erótico mesclou-se com as exclamações de assombro e terror das pessoas. Ele estava chegando no seu clímax quando algo me distraiu e me fez abrir os olhos e avistar um grupo de infelizes projetando-se no vazio. Fechei os olhos imediatamente e comecei a rezar.

Logo depois tivemos um bis no quarto, sem o horror daquelas imagens e sons apocalípticos. E de repente, por trás da paixão, o carinho irrompeu dentro de mim. Eu lhe estava agradecida. Quando ele chegou no meu apartamento, meu coração estava tão encolhido dentro do peito que chegava a doer, mas, fazendo amor, voltou ao tamanho normal e até se dilatou um pouco mais.

Passamos uma noite horrível, o que eu sentia era uma Nova York povoada de milhares de almas sem corpo, procurando confusas, aterrorizadas, desesperadas, o seu caminho na obscuridade, enquanto nós dois, bem vivos, chorávamos sua ausência, abraçados na minha cama, reconfortados com a felicidade que se sente quando se deixa de ser muito infeliz. As trevas e o horror estavam lá fora, distantes. E eu pensei que podia ser assim para sempre.

Antes de ir embora na manhã seguinte, Mike me pediu para que ficássemos juntos à tarde e eu disse que sim. E o nosso caso passou a ficar mais sério. E, é claro, a minha vida de mulher sem homem fixo mudou para sempre. Naquele dia.

QUATRO

A casa dos meus pais está situada na zona distinta de Long Island. Não é uma dessas mansões caríssimas de frente para a praia, mas é uma bela construção em estilo colonial inglês, com dois pavimentos e um amplo jardim.

Soei a buzina logo que o carro entrou no caminho de pedra batida do portão principal; eu fico encantada quando saem para me receber.

Foi Daddy, com o jornal do domingo nas mãos, quem apareceu primeiro.

— Feliz aniversário, Cristina! — disse ao abraçar-me, e nos demos dois beijos. Depois mamãe saiu; seu avental mostrava que a tínhamos surpreendido fazendo um de seus guisados.

Minha mãe é uma excelente cozinheira e durante algum tempo sonhou em abrir um restaurante no estilo mediterrâneo, em Manhattan. Ela quase nunca deixa a empregada cozinhar e, pelo odor que entrou pelo meu nariz, estava preparando um dos tão deliciosos guisados de peixe que ela costuma chamar de *suquet de l'Empordà*.

Depois dos beijos e cumprimentos, meu pai e Mike foram para a sala e acompanhei mamãe até a cozinha. Devo reconhecer que não é um lugar que recebe a minha visita com freqüência, mas eu queria lhe dar a notícia.

— Um anel de noiva! — exclamou ao vê-lo e bateu palmas, saltando de alegria. — Que bonito! Felicidades! — e me deu outro beijo e um grande abraço. Estava encantada; a seus olhos, Mike era o rapaz ideal. — Isso é maravilhoso! E o casamento é para quando?

— Ainda não decidimos, mamãe — repliquei um pouco incomodada pela pressão. — Na verdade, não estou com pressa; nossa vida está maravilhosa, estou muito bem no trabalho e não quero ter filhos por enquanto. Tenho pensado em lhe propor vivermos juntos antes de nos casar.

— Mas primeiro você precisa marcar a data do casamento!

— Vou tratar disso — a boa mulher começava a me sufocar. Era bom ter um noivo bonito e rico. Talvez fosse até melhor tê-lo como prometido e por certo ele ficaria igualmente bem como marido, mas eu não precisava me apressar. Procurei então desviar sua atenção do casamento para o anel, antes que o ditoso casório se convertesse em motivo de polêmica.

— Você reparou no tamanho e na beleza deste solitário? — e levei o brilhante para perto do seu rosto. A sua vista andava um pouco curta ultimamente. Ela olhou a minha mão com atenção e logo notei que resmungava e estremecia. Chegou até a me parecer que dava um passo para trás. Olhava alternadamente para minha mão e depois para mim, assustada.

— O que está havendo?

— Nada — mentiu.

— Você parece surpreendida.

— Estou encantada com o anel que Mike lhe deu. É magnífico

— disse na mesma hora. — Mas, e este outro? Eu nunca o vi com você.

— Ele apareceu de uma forma tão misteriosa — repliquei com entusiasmo. — Mas vou contar a história durante a refeição com papai.

Fazendo uma pausa, completei:

— Mas estou sentindo alguma coisa estranha, como se já o tivesse visto. Você não sente o mesmo?

— Não, não lembro dele — respondeu, pensativa. Mas eu a conhecia o bastante para saber que não dizia a verdade; ela me ocultava algo. E minha curiosidade multiplicou-se.

Durante o almoço os meus pais tiveram o bom gosto de dissimular a felicidade que lhes causava o aspecto caríssimo do diamante, embora a minha mãe — às vezes sou malvada com ela — fosse capaz de fazer uma dieta durante uma semana inteira só para conhecer o seu preço naquele mesmo momento. O tema do outro anel surgiu quando a conversação que girava em torno do primeiro arrefeceu, depois que se esgotaram os elogios sobre a beleza da jóia.

Nesse momento Mike começou a falar sobre a aparição do misterioso motorista na minha festa de aniversário. Mike é exagerado e gosta de adicionar bastante molho nos seus relatos. Com isso, o mensageiro já media dois metros e era a versão nova-iorquina de Darth Vader, o vilão de *Guerra nas estrelas*, esse mesmo que se veste todo de negro, inclusive o capacete.

Só lhe faltava adornar a história com música e efeitos especiais: tchan-tchan-tchan-tchan! Como fazem as crianças. Mas o fato é que meus velhos o escutavam interessadíssimos. O rapaz conta boas histórias, mas acredito que para meus pais o casamento da filha com o ardente proprietário de inúmeros cartões de crédito de ouro, até de platina e diamante se estes existissem, todos em perfeito funcionamento, tornava-os especialmente crédulos a qualquer de seus relatos.

— Que misterioso! — meu pai exclamou, mostrando-se bastante motivado com a história. — Mas não será uma brincadeira?

— Se for, esta brincadeira vai sair caro ao engraçadinho — falei. — Uma de minhas amigas trabalha na Sotheby's e é especialista em jóias. Ela afirma que o anel é antigo e a pedra é um rubi de excelente qualidade, embora o polimento seja de centenas de anos atrás.

— Deixe-me vê-lo — Daddy pediu interessado. Enquanto ele pegava o anel, fiquei observando minha mãe. Ela não havia dito uma só palavra, dissimulava, mas o seu aspecto era de quem escutava um relato conhecido.

— O curioso é que o recibo de entrega indica que o pacote vem de Barcelona.

— Barcelona! — meu pai exclamou, observando a jóia em suas mãos. — Eu já vi este anel antes. Claro, deve ter sido em Barcelona.

— Eu tenho a mesma impressão! — rebati. — E você, mamãe, não sente a mesma coisa?

Ela ficou um pouco sobressaltada ao responder:

— Talvez sim, mas não lembro de nada — eu tinha certeza de que ela conhecia exatamente a procedência do anel. Por que então se negava a falar? Por que tanta dissimulação?

— Já sei! — exclamou meu pai. Eu estava em suspensão. — Claro que me lembro!

— Diz logo — pedi com impaciência.

— Este anel era de Enric. Lembra, Mary? — ele disse.

— Talvez, é possível — minha mãe retrucou, exprimindo dúvida. Sim, com toda certeza; pensei. Ela sabia mais, escondia alguma coisa.

— Que Enric? — eu quis saber. — O meu padrinho?

— Sim.

— Mas ele está morto!

— Realmente, está morto — o meu pai reafirmou.

— Mas como um morto pode enviar um presente? — Mike interveio, cada vez mais interessado. Ele já devia estar imaginando o fabuloso relato que contaria a seus amigos de Wall Street.

— Enric era o meu padrinho. Já falei dele para você várias

vezes. Você já sabe — expliquei-lhe —, quando um católico é batizado, dois familiares ou amigos, um homem e uma mulher, aceitam a responsabilidade de cuidar dele física e espiritualmente em caso de desaparecimento dos progenitores. Ele era o meu padrinho e morreu num acidente de automóvel no ano em que chegamos aqui. Não é verdade? — perguntei para meus pais.

Minha mãe trocou um olhar estranho com Daddy antes de responder:

— Sim, morreu... — ela disse. Então tive certeza de que eles encobriam algo sobre Enric. Assim é Maria del Mar; para ela o fim justifica a mentira. Porque é socialmente correto, porque tem medo de ofender as pessoas, ou talvez porque odeia a confrontação direta e foge dela.

— Você está escondendo alguma coisa — afirmei. De repente me ocorreu. — Claro! Não morreu, deve estar vivo em algum lugar; por isso me mandou o anel.

Daddy olhou para minha mãe e disse:

— Cristina já é maior de idade — sua expressão era grave. — Nós temos de lhe dizer a verdade — ela assentiu com a cabeça.

Observei ambos e depois Mike, cuja expectativa era igual ou maior que a minha. Intrigada, me dispus a ouvir.

— Enric está morto — meu pai me olhava triste. — Disso não há qualquer dúvida, mas ele não morreu num acidente de tráfego como lhe dissemos. Suicidou-se. Com um tiro boca.

Fiquei pasma. Eu adorava Enric. Quando menina, em Barcelona, ele era como um tio para mim; depois dos meus pais, ele era o adulto de quem eu mais gostava. Lembro dele sempre amável, carinhoso, sorridente, e inventando jogos para que seu filho, Oriol, seu sobrinho, Luis, e eu nos divertíssemos.

Ainda lembro das suas gargalhadas e de como ele nos fazia rir... Eu nunca podia imaginar que alguém tão cheio de vida e com uma personalidade tão positiva resolvesse se matar.

— Não, não pode ser — falei.

— É verdade, foi assim, com toda a certeza — afirmou minha

mãe. Agora ela me olhava com mais serenidade, havia perdido aquele ar de culpa que deixou transparecer na cozinha. — Sabíamos que você ia sofrer muito com o suicídio. Por isso escondemos de você.

— Mas não posso acreditar! — murmurei. Minha mãe tinha razão. Mesmo depois de tantos anos, aquilo me fazia sofrer e me deixava uma grande tristeza. E não creio que fosse por ele. Não por ele.

Eles me observaram em silêncio, sem me responder, aflitos.

— Mas por quê? — abri os braços, acrescentando dramatismo no meu lamento. — Por que ele se suicidou?

— Não sabemos — respondeu minha mãe. — A família dele não me disse nada. Nem eu quis perguntar, seria o mais correto. O melhor é lembrar como ele era: cheio de vida, culto, positivo. Eu ainda rezo pela sua alma — ela parecia triste, muito triste, como se gostasse dele como um irmão.

Larguei os talheres no prato. Havia perdido o apetite, nem sequer desejava comer a torta de aniversário. Seria melhor deixá-la para o lanche.

O silêncio se fez na mesa e todos me olharam.

— Mas, e o anel? — inquiri na hora. — Como é que fica o anel? Como é que agora alguém me manda o anel dele como presente de aniversário?

Olhei para minha mãe e meu pai, e ambos fizeram gestos de quem ignorava. Quando meu olhar se fixou em Mike, ele também encolheu os ombros, perplexo, como se a pergunta tivesse sido dirigida a ele.

— Enric sempre teve esse anel no dedo desde que o conseguiu, jamais o tirou — minha mãe disse por fim.

Arrá!, estive a ponto de exclamar, agora você lembra, não é? Fiquei com vontade de dizer: "Você ficou dissimulando desde que o viu na cozinha", mas calei. Guardaria censuras e perguntas para quando estivesse a sós com ela. Naquele momento ela negaria tudo.

— Jamais o vi com outro anel — ela continuou —, e estou convencida de que estava com ele ao morrer.

Não pude evitar um estremecimento ante essa afirmação.

— E não é costume enterrar as pessoas com suas jóias mais queridas? — eu já havia me arrependido da pergunta antes mesmo de terminá-la.

Os três me olharam e ninguém respondeu. Olhei o sinete. A pedra exibia o seu brilho de estrela através de transparências encarnadas. Vermelho sangue; pensei.

Eu estava confusa. Que embrulhada! Tentei aclarar minhas idéias e fazer um resumo dos mistérios que esse anel trazia consigo. Por que alguém tão amante da vida como o meu padrinho havia cometido suicídio? Quem teria me mandado sua jóia tão querida? Por que para mim e com que propósito? Por que Enric, contrariando o costume, não foi enterrado com seu anel? Por um momento passou pela minha mente que talvez tivesse sido; esse pensamento me deixou toda arrepiada.

Eles continuavam me olhando.

— Bonito mistério, não é? — falei com um sorriso forçado.

Eu tentava ser positiva. E os observei um a um. Mike me devolveu um sorriso largo; ele estava encantado. Daddy fez uma careta graciosa como se estivesse dizendo, que embrulho! Mas minha mãe estava muito séria. Parecia atemorizada.

Ela continua me ocultando algo, pensei comigo, e este anel a preocupa. Mais do que isso: a assusta.

Já estávamos saindo quando de repente lembrei do quadro.

— Você reparou nesta pintura? — perguntei a Mike.

Ela sempre esteve dependurada numa das paredes da sala de jantar, nunca chamou a atenção de Mike nas suas visitas anteriores e eu ainda não a tinha mostrado para ele. Aproximamo-nos para vê-la. É um quadro pequeno, de uns trinta centímetros de largura por quarenta de altura, pintado a têmpera sobre uma madeira carcomida nos lados do acabamento de escaiola e que sem dúvida foi tratada de alguma forma para eliminar a praga e evitar que se arruíne. No entanto, a superfície pintada conserva-se ainda quase intacta.

mater

Representa uma Madona sentada com a criança em seu colo. A Virgem está com uma touca e olha de frente, em posição majestosa e imóvel; seu rosto é doce, mas sério, e sua cabeça é rodeada por uma formosa auréola dourado com desenhos florais gravados nele. Ela abraça o infante, talvez já com dois anos, que se encontra ligeiramente inclinado, sentado sobre a perna direita de sua mãe, bendizendo o espectador. O Menino emana uma auréola menor, menos elaborada, e tem um leve sorriso nos lábios.

Sempre me surpreendeu este contraste entre o aspecto estático dela e o movimento do garoto. Eu ainda não havia pensado nessa ocasião, mas o Menino, a nova geração, possui esse impulso do gótico frente à quietude da mãe, que continua tendo algo de românica.

Na parte superior do quadro há dois arcos ogivais, superpostos, formados por alguns pequenos relevos, dourados como o fundo da pintura, que parecem encerrar as imagens dentro de uma capela antiga. É outra vez o gótico que, embora mais tardio na pintura do que na arquitetura, impõe-se no quadro. E na parte inferior, aos pés da Virgem, aparece uma inscrição latina: *Mater*.

Bem, eu disse antes que o quadro sempre esteve ali, o que não é a verdade inteira. Mas quase. Chegamos em Nova York em janeiro de 1988. Moramos num hotel por alguns meses, até que meus pais encontraram essa casa e, depois de fazer algumas reformas, nos mudamos, em março. Pois bem, exatamente numa segunda-feira de Páscoa, o meu padrinho me deu o quadro de presente. Como tínhamos poucos quadros para dependurar, ele teve seu lugar garantido na hora. Eu esperava o presente de Enric. Ele jamais havia faltado com sua obrigação; mas, é claro, devido à grande distância não podia mais me enviar a *mona* de Páscoa como sempre havia feito. Em seu lugar mandou-me aquela bela pintura.

Algumas semanas depois recebíamos a notícia de sua morte.

Para mim foi trágico, e entendo por que meus pais me enganaram ocultando o suicídio. Eu adorava Enric.

— É um quadro bonito — comentou Mike, tirando-me dos meus pensamentos. — Parece muito antigo.

— Enric me deu de presente pouco antes de morrer.

— Você reparou nisso? — ele disse. — A Virgem está com o seu anel.

— O quê? — olhei para a mão esquerda da Virgem, a que sustenta o Menino. Com efeito, lá estava, pintado no dedo médio, um anel. Tinha uma pedra vermelha. Era o meu anel!

Por alguns segundos me senti aturdida, com vertigem.

Um pressentimento terrível me golpeou quase fisicamente.

— Meu Deus! — disse para mim mesma. — Tudo está relacionado. O anel, o quadro e o suicídio de Enric.

CINCO

Apesar do sobressalto por ter descoberto, de repente, que aquele anel tantas vezes visto no quadro era de Enric e da minha convicção de que a jóia ocultava uma história estranha, deixei-o luzindo junto ao solitário, ambos em minha mão, um ao lado do outro. Acabei desenvolvendo uma afeição especial por estes anéis; um representava o amor do meu noivo, e o outro, do meu padrinho. Eu já não os tirava para nada, nem sequer para dormir.

Mas não consegui evitar que o mistério me assaltasse em forma de perguntas nos momentos mais inesperados, quando eu devia estar pensando em outras coisas. Às vezes, até mesmo no trabalho, em plena atividade jurídica, defendendo os meus clientes, eu tinha uma estranha sensação na mão, olhava para essa pedra de brilho oculto de sangue e me vinha este pensamento: por que me mandaram o anel? Por que Enric se matou com um tiro?

Ah, sim, eu tinha esquecido de contar que sou advogada!

Talvez você já tenha adivinhado. Acontece que sou muito boa no que faço e espero chegar a ser muito melhor. E os advogados precisam prestar muita atenção nos casos em que trabalham; os pequenos detalhes são bastante importantes, é necessário refletir continuamente sobre todas as voltas e implicações possíveis do seu assunto, pesquisar os precedentes que se encontram em sentenças anteriores... tudo isso. Nesta profissão não é bom ocupar a mente com enigmas góticos.

Mas eu não podia resistir ao mistério.

Pensei em fazer contato com alguém em Barcelona. Com meus amigos de infância, com Oriol, com Luis, mas eu havia perdido a pista deles desde que saímos da Espanha. Quando pedi a minha mãe para me ajudar a encontrar meus primos Bonaplata e Casajoana, ela me disse que já não tinha a sua agenda velha, e que não falava com essas famílias desde a morte de Enric e não sabia como encontrá-los.

Não acreditei nela. Mas tampouco quis pressioná-la. Algo me dizia que ela desejava guardar o passado oculto, esquecido.

Assim, um dia tentei localizá-los consultando o serviço de informações telefônicas da Espanha. Não consegui encontrar nem Oriol nem Luis em toda Barcelona.

Achei então melhor me tranqüilizar e esperar. Se alguém tinha se dado ao trabalho de localizar meu paradeiro para me mandar o anel, esse alguém acabaria se fazendo conhecer. Pelo menos isso era o que eu desejava.

Lembro daquele verão, da tormenta e do beijo.

Lembro do mar enfurecido e da areia, das rochas, da chuva, do vento e do beijo.

Lembro do último verão, uma tormenta e o primeiro beijo.

E lembro dele, do seu calor, do seu pudor, das ondas e do gosto de sal na sua boca.

Lembro dele no meu último verão na Espanha e lembro dele no meu primeiro beijo apaixonado.

Não esqueci o meu primeiro amor, não esqueci de nada, e ainda lembro dele. De Oriol.

Fiquei alterada com a descoberta do meu anel no quadro. Completamente. Eu me surpreendia pensando em Oriol, aquele menino que foi o meu primeiro amor ainda na infância, em Enric e nos enigmas a que até então eu não havia prestado muita atenção.

Por que nunca regressamos à Espanha? Por que não voltamos para Barcelona? Estas e outras indagações me acossavam com insistência, me pressionavam. Não foram poucas as vezes em que pedi à minha mãe para viajar, mas sempre havia um "este não é o momento, será no próximo ano; Daddy e eu já decidimos que vamos de férias para o Havaí, para o México ou para Cayos, na Flórida". Mas nunca para a Espanha.

Nem sequer para os Jogos Olímpicos de 92. Eu já estava com quase dezessete anos quando minha mãe disse que não ficava bem fazer celebrações naquele momento em que nossos amigos de Barcelona ainda deviam estar de luto pela morte de Enric no "acidente de trânsito". Nessa ocasião já fazia três anos que ele tinha falecido, e fui convidada pela família de Sharon para ir aos Jogos. O rosto de minha mãe mudou de cor quando eu lhe disse. E ela começou a urdir justificativas. No final, conseguiu convencer-me. Carteira de habilitação e carro. Acabei aceitando a troca.

Mas compreendi que ela havia tecido uma teia de aranha que me impedia de atravessar o oceano e regressar para Barcelona. Maria del Mar é filha única, como eu. Meu avô morreu nos anos sessenta, e minha avó quando eu estava com dez anos. Portanto, não havia pressa para voltar.

"Você precisa se adaptar bem ao país do seu pai", ela dizia, "esta terra agora é sua e não há lugar para nostalgias".

E assim comecei a encapsular minhas recordações e a armazená-las nessa biblioteca de nostalgias em que por vezes a nossa mente se transforma. Memórias da vovó, dos meus amigos, do meu padrinho Enric e também muitas recordações dele, do meu primeiro amor, Oriol. Eram evocações perfeitas de um mundo maravilhoso que eu usava ao deitar para imaginar aventuras que me acompanhavam até que o sono me vencia. E ele chegava em meus sonhos, junto com o mar, o sol, a tormenta, o sal, sua boca e o beijo.

Daddy sempre conversou comigo com seu inglês americano de Michigan, minha escola em Barcelona era tetralíngüe e eu era a primeira do meu grupo em inglês. Além disso, estou convencida de que a média das mulheres supera os homens em expressão verbal. Não tive problemas.

A verdade é que acabei me adaptando muito bem em Nova York. A cada ano tornava-me mais popular na escola e fazia mais amigos. Acabei diluindo este meu desejo de voltar para Barcelona e aceitando o jogo de minha mãe de deixar para depois. Terminei o *college*, graduei-me em advocacia e comecei uma carreira profissional... não vou ocultar, brilhante, pelo menos até agora.

Tive, entretanto, amigos, noivos, amantes... Minhas recordações catalãs ficaram lá, nas estantes de minha biblioteca de nostalgias, de onde às vezes escapavam, cada vez com menos freqüência.

Eu já disse que me conformei com o fato de minha mãe não querer voltar para Barcelona ou de que eu viajasse para lá. Isso era um mistério e também a segunda razão para que eu desejasse ir. A primeira era Oriol. Não porque eu ainda fosse apaixonada por ele; já saí com um bom número de rapazes e agora gosto de Mike. Mas a doce lembrança daqueles momentos, do início do amor, instigava o meu desejo de vê-lo outra vez. Que aspecto ele teria agora?

Tudo isso ficou sob controle, guardadinho nas estantes da memória, mas esse anel de sangue desbaratou tudo e deixou minha biblioteca de recordações de ponta-cabeça. Agora me vinham à mente as imagens da tormenta no fim do verão, logo o sorriso tímido e irônico de Oriol, e depois minhas amigas do colégio na ladeira de Collcerola, e mais isso e mais aquilo...

Esse anel era uma chamada para o meu regresso. Sim, definitivamente, agradando ou não mamãe, minhas próximas férias seriam em Barcelona.

Com muita rapidez, como uma sacudidela imprevista, o desejo de voltar tornou-se determinante. E a lembrança, repetitiva, insistente.

Era uma das últimas tardes de agosto ou do início de setembro. As famílias começavam a voltar para a cidade grande e isto era um rosário de despedidas "até o próximo verão", com os otimistas dizendo "temos de nos ver em Barcelona".

Sempre ficávamos até o final, retornando no tempo justo de preparar tudo antes do início das aulas. Aqueles últimos dias tinham um sabor agridoce. Éramos tomados pelo sentimento de que alguma coisa bela acaba e a nostalgia prematura do que ainda não havia terminado nos detinha.

Nossa casa de verão, e também as dos amigos mais freqüentes, ficava na Costa Brava. O povo é hospitaleiro e a praia é ampla, quase uma pequena baía, limitada nos seus extremos por alguns montes cobertos de pinheiros que se fundem no mar em forma de rochas e recifes. Em um dos extremos da praia, algumas muralhas balizadas por sólidas torres redondas empoleiram-se nas rochas, protegendo ainda o antigo burgo cristão dos ataques dos piratas sarracenos, e por vezes de outras regiões, que vinham atrás de saques e de moças para escravizar.

Os penhascos sobre os quais a fortificação se assenta são escarpados, mas dão acesso, mais ao sul, a um pequeno banco de areia e rochas que é uma beleza! Ali, o verde dos pinheiros, o cinzento das rochas, o azul do céu brilhante de verão e os verdes índigos e brancos da água oferecem uma imagem idílica de cartão-postal.

Para nós era o paraíso e tínhamos o hábito de quase sempre descer até esse banco de areia com Oriol, seu primo Luis e um monte dos mesmos amigos e amigas de todos os verões. Apenas com óculos

los, um tubo de mergulho e sapatilhas de plástico para não ferir os pés, explorávamos a natureza submarina em meio a jogos mais ou menos inocentes. Digo isso porque, lembrando agora, nós, as meninas, devíamos ter naquele último verão de doze a treze anos de idade, e os meninos, de quatorze a quinze. No entanto, embora com mais idade, não resta dúvida de que eles ficavam com menos e nós com mais na partilha das malícias.

Naquele dia as mães estavam ocupadas preparando o fechamento das casas para o inverno e arrumando as bagagens para o regresso. Fazia tempo que os pais, terminadas suas férias, estavam em Barcelona e só apareciam no vilarejo nos fins de semana. A tarde apresentou-se com um calor abafado e pegajoso que pressagiava o que estava por vir.

O que ocorreu é que estávamos nadando, perseguindo os peixes entre os recifes, quando o mar se pôs sombrio, o vento passou a empurrar cada vez mais forte até a costa e o rumor dos trovões acabou superando o bater das ondas contra as rochas. Em poucos minutos as nuvens de chumbo carregadas de noite povoaram o céu; a água tomou um aspecto tenebroso e começou a pingar.

— Vamos, depressa — disse-me Oriol. Pude ver na praia a moça que tomava conta de todos nós gritando para que saíssemos imediatamente da água. Luis e os outros já estavam alcançando as toalhas e as recolhiam com toda pressa para subir correndo as escadas até a muralha e buscar refúgio no vilarejo.

— Me espera, não me deixe — supliquei para ele. Agitado, negrejante e ameaçador, o mar refletia as nuvens pesadas, em trevas. Todos nós sabíamos por que tínhamos de chegar na praia o mais rápido possível: um raio sobre o mar é capaz de matar qualquer ser vivente a muitos metros de distância.

Eu estava com medo, mas alguma coisa me dizia para não me apressar, de modo que simulei dificuldade para avançar. Oriol veio em meu auxílio e, quando já estávamos na beira da praia, a típica tormenta mediterrânea de verão desabou, com tanta fúria que parecia que as nuvens queriam se esvaziar naquele mesmo instante. Não restava ninguém na praia; os outros já tinham recolhido toda a roupa e na confusão talvez nem sequer sentissem nossa falta. As cortinas de chuva nos impediam de ver mais além de uns poucos metros.

Eu disse que estava esgotada e me dirigi para um pequeno abrigo aberto entre as rochas. A água nos molhava e o pouco espaço fez com que ficássemos apertados.

Eu já estava a fim dele. Desde que me entendo por gente gostei de Oriol e nas últimas semanas já estava enlouquecendo por ele.

Mas o menino não tomava a iniciativa. Talvez porque fosse tímido, ou porque me considerasse muito jovem para ele, ou então porque não gostasse de mim. Ou simplesmente porque não era suficientemente maduro e tal idéia ainda não tivesse passado por sua mente.

— Estou sentindo frio — murmurei, espremendo-me contra ele.

Ele abriu os braços para me acolher e notei como tremia. Através das roupas de banho e de nossas peles molhadas usufruímos o calor do outro corpo e, mesmo que o mundo ao redor tivesse submergido, em meio à tormenta e às sucessivas vagas, todos os meus sentidos estariam voltados para ele. Girei para ver seus olhos que, apesar da luz cinzenta, estavam mais azuis, e então aconteceu. Sua boca, o beijo, o abraço. O sabor da sua saliva e do sal. O mar rugia, o céu partia-se em trovões, a chuva caía... ainda estremeço só em pensar.

Lembro do meu último verão na Espanha, da tormenta e do beijo.

Lembro do mar enfurecido, da areia, das rochas, da chuva, do vento e do meu primeiro beijo de amor.

Não esqueci de nada, e lembro dele.

SEIS

E assim se passaram algumas semanas. Eu exibia os dois anéis, minha relação com Mike estava perfeita e, no entanto... lá estava esse estranho anel com sua pedra de sangue. Eu me divertia projetando a cruz vermelha sobre papéis, guardanapos e lençóis. Tudo sobre aquele anel era misterioso. Como e por que havia chegado até mim? A minha intuição dizia que esse enigma escondia um mistério mais profundo; que não se tratava de um simples presente de aniversário.

Cada vez que o olhava, as imagens da minha infância apareciam: meu padrinho, Enric, seu filho, Oriol, Luis e muitas evocações de pequenos detalhes e anedotas guardadas na minha memória, cujas presenças eu havia ignorado durante tanto tempo.

Eu sabia que alguma coisa estava para vir, que o anel era apenas o início, mas me impacientava; a curiosidade tomava conta de mim. E o que eu esperava que ocorresse, o que pressentia que era para acontecer, aconteceu.

— Miss Wilson — era o porteiro do edifício chamando-me pelo interfone. — Esta manhã chegou uma carta registrada em seu nome.

Minha primeira impressão foi a de que talvez fosse algo relacionado com um dos assuntos que estavam sendo tratados no meu escritório de advocacia, mas logo me dei conta de que isso era um absurdo. Eu nunca havia recebido uma citação na minha residência. Depois pensei comigo que eu deveria ser cautelosa, já que podia ser uma dessas cartas assassinas com antraz ou outras pragas em moda naqueles dias.

— Quer recebê-la agora? — continuou o homem. — Vem da Espanha.

— Sim, por favor — uma emoção súbita apertou meu peito. Ali estava! Tinha de ser isso!

Minhas mãos tremiam quando peguei a carta; com um sorriso que queria ser amável me despedi sem muita cordialidade do senhor Lee, que pretendia aproveitar a ocasião para comentar coisas de grande importância sobre a comunidade dos proprietários.

O remetente era um tabelião de Barcelona e não encontrei tempo para achar um abridor de cartas, nem sequer uma faca, e então rasguei o envelope com as mãos.

> Senhora dona Cristina Wilson.
>
> Estimada senhora:
>
> Pela presente tenho a honra de convocá-la para a leitura do segundo testamento de dom Enric Bonaplata, de quem a senhora é um dos beneficiários.
> A leitura ocorrerá em nosso escritório às doze horas do sábado, 1º de junho de 2002. Rogamos que confirme sua presença.
>
> E a assinatura do tabelião.

"Agora, sim", disse para mim mesma. "Desta vez mamãe não poderá me deter. Irei a Barcelona."

Mas ela quis me deter. No domingo, quando fui outra vez para sua casa com Mike, e comuniquei na mesa minha decisão. Ela não comentou nada, mas papai mostrou-se surpreendido Testamento? A leitura e a partilha deveriam ter sido feitas pouco depois da morte de Enric. Ele havia deixado dois testamentos? E o segundo para ser aberto depois de um intervalo de quatorze anos? Que estranho!

Sim, era estranho, tudo era muito estranho. E misterioso.

— Não vá, Cristina — minha mãe me disse quando pôde falar comigo a sós. — Este assunto me dá medo. Tem alguma coisa diferente aí, alguma coisa sinistra.

— Mas, por quê? Por que não devo ir?

— Não sei, Cristina. Esse negócio de segundo testamento é absurdo. Alguém deve ter algum motivo para atraí-la até Barcelona.

— Mamãe, você está me ocultando alguma coisa. O que é? Por que tanto temor? Por que nunca voltamos, nem sequer de visita? Por que você deixou de fazer contato com seus amigos?

— Não sei. É um sentimento, uma impressão. Mas alguma coisa ruim está à sua espera por lá.

— Pois eu penso em ir.

— Não vá, Cristina — havia angústia em sua voz. — Esquece essa história. Não vá. Por favor.

As ondas batiam furiosamente contra uma praia de cantos arredondados, ao pé de um escarpado. Arrastavam pedras que, ao retornarem com a maré, produziam o ruído profundo de um entrechoque de ossos. O céu estava coalhado de pequenas nuvens que no seu movimento projetavam jogos de sol e sombra sobre uma cena terrível.

Na praia, um grupo de homens, com seus corpos acorrentados e presos a uma viga, vestidos de farrapos, sujos, lamentando-se com gritos, suplicando, insultando, debatiam-se para escapar ou defender-se. Outros rezavam, à espera da sua hora, olhando passivamente seus companheiros serem degolados. Havia sangue nas pedras, no chão, nos corpos que jaziam, nos que se debatiam desesperados... e nas minhas mãos. E o sol chegava iluminando o brilho assassino das lâminas e ocultava-se nas nuvens, deixando a morte estendida nos cadáveres como sombra sobre a terra. O meu coração encolhia de tanta pena, mas eu me encontrava entre aqueles que vestiam túnicas cinzentas e trabalhavam velozes como peritos, puxando os cabelos das vítimas para trás da cabeça e cortando as gargantas com um ou dois talhos até alcançar a jugular. Mais sangue. Um de meus companheiros, o mais jovem, matava chorando. Na túnica escura de um dos verdugos, bordada no lado direito, luzia a mesma cruz vermelha de meu anel. O homem do anel estava ali, dando ordem aos carniceiros, e tudo o que eu via era através dos seus olhos também cheios de lágrimas. Os gritos foram diminuindo e de repente o movimento acabou. Quando o último dos prisioneiros expirou, esse homem ajoelhou-se sobre as pedras para rezar e eu senti sua dor. Comecei a chorar desconsoladamente, sem conseguir deter os soluços. Era uma pena profunda e interminável que surgia de meu peito, de minhas entranhas.

Despertei sentada na cama, o pranto era verdadeiro e a sensação, a dor, tão real que não consegui mais conciliar o sono. Por sorte, só faltava meia hora para me levantar e passei esse tempo em vigília, especulando sobre a procedência daquele pesadelo. O que é que estava acontecendo comigo? O presente póstumo de Enric me afetara tanto assim? O anel teria a ver com essas visões antigas carregadas de dor? Ao olhar os dois anéis na minha mão, eu achei que a pedra rubi de sangue brilhava muito mais que o diamante do amor. Quando finalmente o despertador soou, senti um grande alívio. Eu queria tanto voltar para a realidade!

SETE

Eu não tinha percebido nada até que terminou o expediente da manhã no tribunal. Na minha bolsa faltavam o telefone e as chaves, mas a carteira de dinheiro e todo o resto ainda estavam nela.

Como é que fui perder essas coisas? Fiquei sem entender. Logo me veio uma idéia.

— Ray — disse para um colega —, me empresta o seu celular?

— Senhor Lee, o meu chaveiro desapareceu. Estou ligando por garantia. Para o senhor ficar sabendo.

Um silêncio de surpresa foi sua resposta e me alarmei.

— O que está havendo? — inquiri.

— Mas foi a senhora mesma que emprestou suas chaves aos técnicos que vieram esta manhã.

— Que técnicos? — minha voz saiu estridente. — O que é que o senhor está falando?

— Aqueles que deviam consertar o seu aparelho de som.

— Mas o que é que o senhor está dizendo!

— Senhorita Wilson — ele rebateu com estranhamento —, não lembra? A senhora telefonou pela manhã para me avisar que viriam alguns técnicos para arrumar seu aparelho de som. E me disse que havia deixado suas chaves com eles.

Senti um calafrio.

— Não fui eu, não fiz nenhuma ligação.

— A senhora me disse para ligar para o seu celular se surgisse alguma coisa. E fiz isso quando esses homens se foram, e sua resposta foi tudo bem e obrigado.

— Não era eu. Também roubaram meu telefone.

Bob Lee guardava uma cópia de minhas chaves e me acompanhou na revista do apartamento. Tinham revirado os armários, moveram espelhos e quadros em busca de um possível cofre. Mas nada faltava. O que queriam?

Reconstruí o ocorrido. Aquilo fora planejado com cuidado. Alguém sabia que eu estaria no tribunal por toda a manhã. Alguém que tinha me ouvido em algum julgamento, uma mulher que era capaz de imitar minha voz. Alguém que sabia que costumo desligar o telefone quando estou em juízo. Alguém que roubou o telefone e as chaves de minha bolsa num momento em que eu devia estar me preparando para uma intervenção, ou revisando papéis, e foi capaz de fazer isso sem que eu percebesse.

Depois enganaram Bob simulando minha voz e maneira de falar. A mulher ficara com o telefone para o caso de uma chamada do zelador. Dois homens foram ao meu apartamento. Um deles levava uma maleta e isso deixou Bob desconfiado, no entanto, achando que eu estava ciente, acabou se tranqüilizando.

Toda essa complicada trama para não levar nada? Era uma gente bastante profissional. E não encontraram o que queriam. Foram-se com a maleta vazia. Mas o que estavam procurando?

Minha vida estava mudando. E muito rapidamente. Primeiro esse mistério, o do outro anel. Depois fico sabendo que é o mesmo que brilhava na mão de meu padrinho, de quem eu gostava quase tanto quanto de meus pais. Depois recebo a noticia de que ele não morreu num acidente de carro, como eu pensava, mas que se suicidara. Em seguida Mike descobre esse anel igual ao meu na mão da Virgem, numa pintura antiga que Enric me dera de presente pouco antes de morrer. Ato contínuo, chega-me uma intimação para esse seu estranho testamento quatorze anos depois de seu falecimento. E agora alguém, que não é um ladrão qualquer, entra e revira minha casa.

Não sou nada medrosa, e às vezes chego a ser imprudente, talvez porque tenho tido a sorte de nunca nada de mal ter me acontecido. Mas o assalto a minha casa, com alguém entrando nela com tanta facilidade, ou ficando ao meu lado e me roubando sem que eu percebesse, e imitar a minha voz... tudo isso me intranqüilizava. Eu sentia uma inquietude, um temor que antes desconhecia. E me dei conta de que eu era bastante vulnerável. Repetia-se então, só que na minha vida pessoal, a sensação de perigo que se experimentou depois da tragédia de 11 de setembro.

Mas, ao mesmo tempo, aquilo me intrigava, era excitante. Que mistério! O assalto ao meu apartamento estaria relacionado com o anel?

Eu estava saindo do banho, secando-me com a toalha, quando soou o telefone. Quem chamaria às sete e meia da manhã?

— Cristina?

— Sim, sou eu — respondi automaticamente em espanhol. O meu nome não fora pronunciado em inglês. É surpreendente a forma como nossa mente seleciona as línguas. Às vezes, você nem chega a perceber se está falando num idioma ou noutro. Mas imediatamente localizei essa voz no outro lado do oceano.

— Olá, Cristina! Sou eu, Luis. Luis Casajoana. Lembra?

"Luis?" O meu depósito de memórias funcionou e no mesmo

instante a imagem de um menino atarracado, bochechudo e sorridente apareceu à minha frente como se fosse uma videoconferência sobre o passado. Luis é o primo de Oriol.

— Luis! Claro que me lembro! — Eu estava feliz por ouvi-lo. — Que surpresa! Como é que você conseguiu meu telefone? Que alegria! Você está aqui em Nova York?

— Não. Estou falando de Barcelona. Desculpe pela hora, mas eu queria achá-la em casa antes de você sair para o trabalho.

— Então, aqui estou.

— O tabelião lhe enviou uma comunicação para a leitura do testamento do meu tio, não é?

— Sim. E que surpresa!

— Você virá, espero.

— Irei, sim.

— Maravilha! Avise-me quando chegar. Pego você no aeroporto.

— Obrigada. É muita gentileza, Luis. E o Oriol? Tenho pensado muito em vocês desde que recebi a carta do tabelião.

— Oriol está bem. Depois lhe conto. Mas estou ligando para você para lhe prevenir de uma coisa.

— Do quê? — fiquei alarmada.

— Antes de morrer o Enric mandou um quadro para você?

— Sim.

— Pois guarde-o bem guardado. Tem gente muito interessada nele.

— O que é que você está falando!

— Esse quadro tem a ver com o testamento de Enric.

— Como?

— Por enquanto é somente um rumor, uma suspeita minha. Só terei certeza quando fizerem a leitura do testamento.

— Mas me diz alguma coisa — a curiosidade já me matava.

— Eu acredito que esse quadro contém algo que o associa à herança. Isso é tudo.

Fiquei em silêncio. Estavam à procura do quadro! As pessoas

que assaltaram o meu apartamento estavam procurando o quadro. E sabiam que ele cabe numa maleta. Meu Deus! O que é que havia por trás de todo esse mistério?

— Mas você já me disse isso. Do que se trata?

— Não sei ao certo. Venha para Barcelona e espero que a gente consiga saber de tudo em primeiro de junho — fiquei em silêncio, pensando. E Luis voltou a falar.

— Sabe? Existem rumores...

— Não, eu não sei de nada! Como é que vou saber se estou aqui?

— Dizem que meu tio estava procurando um tesouro antes de morrer — Luis abaixou a voz ao nível de um sussurro.

— Um tesouro! — eu não podia acreditar. Parecia um daqueles contos que Enric gostava de inventar e que deixava as crianças fascinadas. Ele chegava até a organizar aventuras de caça a tesouros para nós três, com pistas, planos e correrias excitadas no seu casarão da avenida Tibidabo. A lembrança que tenho do meu padrinho é de alguém maravilhosamente criativo. Um tesouro! Bem próprio de Enric.

— Sim, um tesouro. Mas este é de verdade — afirmou, convencido; falava tão baixo que eu quase não o ouvia. — Embora a gente não saiba de mais nada, até primeiro de junho.

Pensei por um instante. Ao enquadrar meu interlocutor com a ficha que minha memória guardava dele, descartei imediatamente essa história do tesouro. Ele sempre foi um menino crédulo e fantasioso. Mas me dei conta de que ainda não havia respondido algo que me intrigava.

— Luis.

— O quê? — sua voz recuperara a normalidade.

— Como é que você achou o número do meu telefone?

— Fácil — ele retrucou, sorrindo. — O tabelião é amigo da família. E seu endereço não é um assunto confidencial que não pudesse ser revelado. Contratou-se então um investigador para encontrá-la em Nova York. Até parecia que a família Wilson tinha sido tragada pela terra...

Tão logo terminei a conversa com Luis, chamei imediatamente o meu pai.

— Daddy, desculpe por acordá-lo... sim, o quadro que Enric me mandou de presente de Páscoa. Isso mesmo, o da Virgem gótica. Por favor, a primeira coisa que você deve fazer hoje... Leve-o para o banco. E que ele seja guardado num cofre de segurança...

"Um tesouro", fiquei pensando, ainda despida, frente ao telefone. Diabos, um tesouro de verdade! Depois sacudi a cabeça, incrédula. Bah! Já somos adultos... pelo menos aparentemente Luis não tenha mudado muito. Sempre imaturo para a idade dele. Mas que bobagem!

Enfiados em nossas vestimentas desportivas, as dele, varonis, e as minhas, coquetes, já estávamos correndo há mais de meia hora e eu me esforçava para seguir o ritmo marcado por Mike. Ou lhe pedia logo para afrouxar, ou então ficaria para trás. Mas eu não queria suplicar por uma trégua; ele gosta de demonstrar que é o mais forte, estufando o peito e me olhando com auto-suficiência. Eu gosto de repetir que sou mais veloz, e de vez em quando me divirto atrapalhando sua exibição armando uma cena.

A do tornozelo torcido é clássica. Faço uma cara de dor e a dele fica preocupada. Fico me lamentando e ele dá meia-volta como se dissesse "fica para outra", mas acode solícito e vem me socorrer. Faz massagens em mim enquanto me apoio nele, e às vezes não consigo evitar o riso quando ele esfrega meu tornozelo sem ver minha cara.

— Está doendo? —pergunta inquieto, sem saber que é um riso mal contido.

— Sim, um pouco — respondo com uma voz que clama por compaixão. — Mas sua massagem está me aliviando. Você é incrível.

Quando não resisto e deixo escapar um riso aberto, digo que ele está me fazendo cócegas. Por vezes, ao recuperar o alento, saio em disparada e ele é que fica para trás.

Então, em meio ao divertimento, sou acusada de o estar enganando, mas nego tudo. Em outras ocasiões finjo palpitações que me impedem de respirar.

Esse dia foi diferente.

— Mike —gritei quando ele já conseguia vários metros de vantagem sem qualquer consideração por mim. Ele se desculpou dizendo que precisava de mais ritmo do que aquele que consegue ao meu lado.

— O quê? — respondeu sem se deter.

— Vou embora.

— Como vai embora? — agora se deteve e me esperou, olhando o seu relógio. — Só estamos correndo há pouco mais de meia hora. Só deu para me aquecer um pouco.

— Vou para Barcelona.

— É claro, Barcelona! — ele replicou. — Nós vamos para Barcelona, mas ainda faltam algumas semanas.

— Não, Mike. Eu é que vou para Barcelona. Sozinha.

— Sozinha? — ele se escandalizou. — O combinado foi que eu te acompanharia!

— Mudei de opinião.

— Mas se estamos preparando tudo para ir juntos! Devia ser uma antecipação da nossa lua-de-mel. E agora você me diz que quer ir sozinha!

— Escute — supliquei. — Você tem de me entender. Tenho dado muitas voltas com este assunto. É uma viagem ao meu passado, um reencontro comigo mesma. Preciso fazer isso sozinha. Existem coisas que não entendo: a atitude de mamãe, como o meu padrinho morreu. E posso me ver de frente com surpresas desagradáveis.

— Uma razão a mais para que você vá comigo.

— Não, absolutamente, eu preciso assumir isso por mim mesma — cortei-o com energia. — Já pensei muito e está decidido — depois regressei à ternura. — Escute, Mike, é maravilhoso quando estamos juntos e geralmente não há nada que eu mais deseje, mas, para que nosso amor funcione para sempre, devemos respeitar os momentos de intimidade do outro. Tem vezes que tudo o que precisamos é ficar sozinhos.

— Não consigo entendê-la — ele franzia a testa e cruzava os braços, erguendo-se na minha frente como uma parede. — Não existe uma forma de fazer com que você encontre uma data adequada para o nosso casamento. E agora, de repente, você vem com essa história de que quer ir sozinha para Barcelona, quando combinamos outra coisa. O que está havendo? Você ainda gosta de mim?

— Claro que sim, amorzinho. Não seja bobo — passei meus braços pelo seu pescoço para beijá-lo. Ele estava tenso, não tinha gostado da notícia. — Gostar de você? Eu te adoro. Mas preciso fazer essa viagem sozinha... — dei outro beijo nele. E já notava que ele começava a afrouxar sua rigidez. —Prometo que no mesmo dia da minha volta nós combinamos a data! Fica valendo assim?

Mike grunhiu zangado e eu soube que tinha vencido mais uma vez.

OITO

— É um lindo anel, senhorita — foi assim que o meu companheiro de poltrona, na primeira classe, iniciou a conversa. — Parece muito antigo.

Eu já havia reparado nele antes; era um tipo atraente que devia ter passado dos trinta e cinco anos. Suas mãos estavam sem anéis, um sinal de que não estava comprometido ou de que isto era ocultado, mas sua camisa branca aberta no pescoço exibia discretas abotoaduras de ouro e no seu pulso havia um relógio clássico. Uma combinação curiosa de austeridade e luxo.

Percebi que ele aguardava o momento oportuno para entabular uma conversa e não quis facilitar as coisas para ele, primeiro olhando pela janela e depois me concentrando numa revista. Fiz uma aposta comigo mesma de que ele começaria a falar durante a refeição e acertei. Achei que devia terminar de comer, mastigando calmamente o que tinha na boca, antes de responder séria e em inglês:

— Perdão? — apesar de tê-lo entendido perfeitamente.

— Você fala espanhol? — o homem insistiu em castelhano.

Tive de admitir que sim.

— Eu disse que os seus anéis são lindos — notei que ele tinha mudado ligeiramente sua frase. — E que o de rubi parece muito antigo.

— Muito obrigada. É antigo, sim.

— Medieval — ele afirmou.

— Como você sabe? — de repente minha curiosidade sobrepujou o desejo de exibir a indiferença própria de uma mulher muito, muito comprometida, tal como o meu primeiro anel proclamava.

O homem abriu um sorriso cativante.

— É meu trabalho, senhorita. Sou antiquário e especialista em jóias.

— Este anel me chegou de forma estranha — minhas barreiras haviam caído de repente e eu me sentia como se estivesse contando minhas intimidades ao médico, sonhando com um diagnóstico benigno. — Quer dizer que sua opinião é que ele é realmente antigo?

O homem pegou uma pequena e elegante maleta de couro que tinha aos pés e retirou de uma caixinha uma dessas lentes de aumento que os relojoeiros usam.

— Com licença? — e estendeu sua mão. Eu me apressei em tirar o anel para mostrá-lo. Ele o olhou minuciosamente por todos os lados, e começou a murmurar para si mesmo. Eu estava em suspense. Ele pôs então a pedra contra a luz e, depois de observá-la, projetou a cruz vermelha sobre um guardanapo.

— Assombroso! — disse em seguida, contemplando a imagem, absorto. — É uma peça única.

— É mesmo?

— Tenho certeza de que esta jóia é realmente antiga. Acredito que ela tenha pelo menos setecentos anos. Se for bem vendida, pode valer uma fortuna. E se você for capaz de reconstruir sua história, seu valor se multiplicará.

— Não conheço a história deste anel, mas talvez fique sabendo mais quando eu chegar a Barcelona — lembrei do quadro e do anel na mão da Virgem, mas uma prudência repentina me fez omitir este detalhe.

— Você sabe o que torna este anel único?

— O quê? — indaguei, já suspeitando da resposta.

— A cruz que se projeta através do rubi.

— É um efeito bonito, não é?

— É muito mais que isso. É uma cruz pátea.

— O quê? — inquiri surpreendida.

— Eu disse uma cruz pátea — ele sorria e ficou me olhando. Era bonito e me dei conta de que era a segunda ou terceira vez que o fazia repetir algo. Já devia estar começando a suspeitar que eu era dura de ouvido ou uma tonta.

— Chama-se cruz pátea — ele continuou ante meu silêncio de surpresa —aquela que tem a mesma forma do seu anel. É a cruz templária.

— Ah, uma cruz templária! — falei enquanto revisava meus arquivos mentais, na busca desesperada de qualquer lembrança que me desse uma pista do que era essa coisa de "templário". Eu estava certa de que já tinha ouvido essa palavra, e a associei imediatamente com minha infância em Barcelona e com Enric, mas me deu um branco e resisti em admitir mais ignorância.

— Como você deve saber, os templários eram os monges guerreiros que apareceram no final do século XII, durante as cruzadas na Terra Santa, e se extinguiram nos começos do século XIV, em virtude de uma infame conspiração de Estado.

— Sim, sei algo a respeito —meu amor-próprio me fazia dissimular, e ele parecia bastante cavalheiro para dar-me as informações necessárias, fingindo que eu era uma conhecedora do tema. — Mas não lembro o bastante. Conte-me mais sobre os templários.

— Apareceram depois que a primeira cruzada teve êxito na conquista de Jerusalém. O rei Balduíno lhes concedeu como sede uma parte do antigo templo de Salomão e por isso eles foram chamados de cavaleiros do Templo, ou da Têmpera. Preferiam chamar-se, pelo menos no início, de os Pobres Cavaleiros de Cristo. Sua missão era proteger os peregrinos que visitavam Jerusalém e, assim, eles terminaram sendo uma imponente máquina militar, a mais rica e disciplinada de seu tempo, sobre a qual se sustentaram os reinos cristãos do Oriente frente ao avanço implacável dos sarracenos e dos turcos. No início de sua existência eles viraram moda, e com isso tanto reis, nobres e plebeus faziam grandes donativos em prol da sua excelsa missão e também para comprar o céu. Esse entusiasmo chegou a tal ponto que o rei de Aragão deixou seu reino como herança aos templários e a duas outras ordens militares: os Cavaleiros do Santo Sepulcro e os hospitalários. Depois de árduas negociações, o sucessor legítimo do trono conseguiu recuperá-lo em troca de grandes concessões territoriais. Desse modo, esses monges que haviam feito votos de pobreza, castidade e obediência, e de lutar até a morte na defesa da Terra Santa, converteram-se na maior potência econômica européia de seu tempo, gozando ainda de um prestígio de honradez que nenhum banqueiro da época foi capaz de igualar. Eles inventaram a letra de câmbio, transformando-se numa organização financeira que chegou até a custodiar tesouros de reis, concedendo-lhes empréstimos quando estes, sempre tendentes a gastar em luxos e guerras mais do que possuíam, necessitavam. Todo esse esforço econômico se realizava para custear a presença cristã no Oriente; construíram uma imponente frota que transportava cavalos, armas, guerreiros e dinheiro através do Mediterrâneo, contratavam milhares de turcomanos, mercenários muçulmanos que lutavam contra seus próprios correligionários, edificaram grandes fortalezas... Eram pobres individualmente, devido a seus votos, mas riquíssimos como organização, e forçosamente este anel deve ter pertencido a um templário de alta hierarquia como símbolo de sua posição, já que um simples frade, pouco importa se sargento, capelão ou cavaleiro, jamais teria uma jóia suntuosa como esta.

Depois de projetar novamente a cruz sobre o guardanapo, lançou mais um olhar fascinado para o anel e me devolveu.

— Parabéns, senhorita, este anel é único.

Eu o coloquei no dedo enquanto digeria a história que o homem acabara de me contar.

— Meu nome é Cristina Wilson — falei sorrindo para ele, ao mesmo tempo que estendia minha mão.

— Artur Boix — ele replicou, estreitando-a. — Encantado em conhecê-la — sua pele tinha era cálida e agradável ao contato. — Você disse que ia para Barcelona?

— Sim.

— É onde vivo. O que a leva para minha cidade?

Expliquei-lhe a história da herança inesperada.

— Que mistério! — comentou ao final do meu relato. — Mas se esse anel é uma antecipação do que essa herança oculta, creio que posso ser de grande utilidade para você — e me deu um cartão. — Os meus sócios e eu temos negócios tanto nos Estados Unidos como na Europa. Não lidamos apenas com antigüidades e joalheria, mas nos consideram principalmente como *marchands* de arte antiga. Aqui existe uma grande diferença. Uma jóia pode ser taxada de três maneiras: a primeira pelo valor de seus componentes, tais como ouro e pedras preciosas, a segunda pelo trabalho que contém e por sua qualidade artística, e a terceira como peça histórica. Passar de um nível de valoração ao seguinte pode representar a multiplicação do preço em dez vezes. Em outras palavras, por uma jóia que na Espanha você normalmente só pode vender pelo valor de um, eu sou capaz de obter nos Estados Unidos o valor de cem. Não fique em dúvida em me chamar, será um prazer ajudá-la. Não importa se o seu desejo não é vender as jóias, eu posso autenticá-las e agregar valor a elas — abaixou a voz e seu olhar se fez mais intenso. — Mas, se você quiser retirar do país alguma obra de arte catalogada ou precisar de autorização com economia nos trâmites, posso garantir a entrega em Nova York — fiquei surpresa ao inteirar-me de que existia a possibilidade de me impedirem de viajar de volta com a herança que Enric havia deixado em testamento para mim. A verdade é que não me havia ocorrido que o legado pudesse ser de obras de arte e naquele momento me dava conta de que era o mais provável. Até então, eu só tinha pensado na parte aventureira da história, mas Artur Boix estava me fazendo ver que talvez houvesse muito dinheiro em jogo.

— Em todo caso, para qualquer coisa que você precisar, mesmo que seja apenas uma consulta ou até para me contar como vão as coisas, pode me ligar.

Ao ouvir que ele ampliava a sua oferta, passei a vê-lo com mais cuidado. Estava sendo demasiadamente amável. Não havia reparado no meu anel de noiva? O homem sorria e era atraente. Pensando bem, nunca é demais ter um amigo num lugar em que você não sabe o que poderá acontecer. Bem, e se é bonito, elegante e agradável, melhor ainda.

— Obrigada — repliquei, devolvendo-lhe o sorriso. — Terei isso em mente. Mas conte-me o que ocorreu no fim com os templários. Você disse que eles desapareceram por causa de uma conspiração infame. E que eram muito ricos, não é?

— Sim — Boix retrucou. — E isso foi o que originou a desgraça deles.

Fiquei em silêncio à espera de que ele retomasse seu relato.

— No ano de 1291, o sultão do Egito tomou os últimos redutos cristãos na Terra Santa. Nessa ofensiva morreram muitos templários, entre eles a sua autoridade máxima, o Mestre Marechal, mas o pior para os Pobres Cavaleiros de Cristo foi abandonar a linha de frente, a primeira linha de luta contra os muçulmanos. De alguma forma, quando houve a queda de São João de Arce, também chamado de Acre, sua razão de ser desapareceu. Somente nos reinos ibéricos, onde o combate contra os mouros continuava, eles eram necessários. Mesmo aí, sua presença já não era primordial, como tinha sido duzentos anos antes, quando os territórios cristãos estavam em perigo permanente. No século XIV, Aragão, Castela e Portugal eram monarquias poderosas que tomavam a iniciativa na sua guerra contra os árabes, fazendo incursões freqüentes no norte da África, enquanto na península só havia restado o reino muçulmano nazari de Granada, e tão debilitado que era obrigado a pagar tributo aos cristãos.

O sonho da ordem da Têmpera era regressar para a Terra Santa, mas o espírito das cruzadas morrera e os reis cristãos não estavam dispostos a este trabalho. Assim, Felipe IV da França, chamado O Belo, sempre carente de dinheiro, depois de ter aprisionado, torturado e despojado, primeiro aos comerciantes lombardos e em seguida aos judeus de seu reino, pôs seus olhos sobre os Pobres Cavaleiros de Cristo, que na ocasião eram riquíssimos.

A história é muito longa, mas o resultado final é que ele encarcerou os templários, acusando-os falsamente de múltiplos crimes e, por meio de torturas, os fez confessar o que ele quis, apropriando-se da maior parte de suas riquezas na França. Para terminar, assou na fogueira os de maior hierarquia na ordem, como se fossem hereges. O papa, que também era francês, praticamente convertido em refém pelo rei Belo, quis resistir e o fez de maneira débil, mas se intimidou e terminou dando razão ao sem-vergonha do monarca. Os demais reis europeus foram mais suaves, mas, ante a insistência do pontífice, apoiaram a supressão da ordem. É claro que, em troca de sua ajuda, todos eles, um pouco mais ou um pouco menos, enfiaram a mão no baú e apropriaram-se dos bens dos templários. Mas alguns jamais conseguiram levar tudo o que queriam... Porque nunca o encontraram.

— Não encontraram o quê? — perguntei.

— Os grandes tesouros que aparentemente os Pobres Cavaleiros de Cristo de fora da França, com mais tempo para reagir que seus colegas gauleses, foram capazes de esconder.

— Ah!

— Esta é uma das lendas sobre os templários. Uma outra diz que o seu Mestre Marechal, nas chamas da fogueira, fez uma intimação ao rei Bonito e ao papa Medroso perante o tribunal de Deus. E o certo é que ambos morreram antes de terminar aquele ano.

— É mesmo?

— De verdade — replicou muito sério. — Mas existem coisas que se diz deles sem nenhuma base histórica e que são muito mais fantasiosas.

— O que, por exemplo?

— Que eles procuravam a Arca da Aliança que Deus fez Moisés construir, que tinham a posse do Santo Graal, que protegiam a humanidade das portas do inferno, e outras coisas assim.

— E você acredita nessas coisas?

— Não dou muito crédito — replicou, convencido.

Talvez eu não soubesse muito sobre os templários, mas sabia alguma coisa sobre gente e acreditei adivinhar os pensamentos do antiquário.

— Mas você acredita que eles ocultaram os tesouros. Não é?

— Isto é indubitável.

— E ficaria encantado se encontrasse algum deles. Não é certo?

Artur Boix me olhou com atenção.

— Sem dúvida — disse muito sério. — Nada poderia me dar mais prazer. O meu trabalho é minha grande vocação, além de me permitir viver bem. Desfruto dele. Achar um tesouro templário? Eu daria alguns anos de minha vida em troca disso! Além do mais, quem melhor que eu? Eu saberia avaliá-lo artisticamente, situá-lo em seu contexto histórico e, se fosse necessário, acredite porque muitas vezes o é, saberia extrair o maior rendimento econômico das peças que se decidisse vender. Se algum dia você tropeçar com algo semelhante, por exemplo na sua herança, por favor, conte comigo. Mesmo que seja apenas para mostrar-me as peças, para que eu possa contemplá-las — sua mão apoiou-se na minha. O contato continuava cálido, prazeroso. — Por favor, Cristina, conte comigo. Você vai fazer isso?

— Sim, é claro.

Trocamos de avião em Madri e de novo coincidimos como vizinhos. Cochilei um pouco até que Artur Boix sacudiu meu braço, despertando-me para contemplar a vista. Sonolenta, olhei para baixo. O avião tinha girado sobre o mar, preparando-se para a aterrissagem, e oferecia uma vista esplêndida da cidade. Era uma manhã diáfana.

— Eis a cidade — ele disse enquanto apontava. — Barcelona é uma velha dama sempre jovem. Vive entre a montanha e o mar e mostra uma criatividade prodigiosa. Está cheia de arte, está cheia de vida.

Via-se o porto e a parte antiga, com as edificações das igrejas sobressaindo, e uma avenida serpenteante que a cruzava .

— São as Ramblas — disse Artur.

E mais além estavam aqueles blocos uniformes em tamanho, embora todos distintos, cortados por ruas e avenidas arborizadas, que o sol ressaltava ao flutuar sobre o mar a caminho de seu zênite, dando luz às fachadas do sul e criando sombras até o norte.

— É a Expansão, museu vivo do modernismo urbano — informou-me. — Esta é a dama, uma velha de mais de dois mil anos que parece fazer a sesta com toda a tranqüilidade, debaixo do calor do sol, insensível ao formigueiro de sua gente, acomodada na sua encruzilhada entre o Mediterrâneo e as montanhas, entre o passado e o futuro. Mas, na realidade, ela pulsa por dentro.

Fez um gesto amplo com a mão, como quem apresenta duas pessoas:

— Barcelona, esta é a senhorita Cristina Wilson. Cristina, Barcelona a seus pés. Desejo-lhe uma feliz estadia, desfrute-a.

Perdi Artur de vista na alfândega e voltamos a nos encontrar na esteira das bagagens. Uma de minhas malas estava demorando e gentilmente ele disse que aguardaria comigo.

— Obrigada. Não vai haver problema — assegurei. — Sou advogada e falo perfeitamente o castelhano e o catalão. Se eles perderem uma de minhas malas, saberei tratá-los como merecem.

O homem sorriu e ao despedir-se insistiu que o chamasse para qualquer coisa que eu precisasse.

Pensei comigo que não me importaria se me encontrasse de novo com esse encantador Artur, ignorando que chegaria a hora em que eu desejaria nunca tê-lo conhecido.

NOVE

Detesto esperar pelas bagagens, sobretudo quando demoram a chegar, ou são danificadas ou se extraviam. Mas às vezes não tem remédio e, depois de alguns minutos, a minha última maleta apareceu na esteira mecânica. Coloquei-a em meu carrinho de bagagem e fui até a porta.

"Cristina Wilson", estampava um cartaz. Fui tomada pelo estranhamento ao ver meu nome tão longe de casa entre as pessoas que nos esperavam. Olhei para cima, para o rosto. Custei a reconhecê-lo. Era Luis Casajoana Bonaplata. Suas feições estavam mais largas e ele já não era mais o menino gorduchinho de cara vermelha de que eu lembrava, embora ainda fosse corpulento. Quando nossos olhares se cruzaram, brotou de sua face um sorriso que era só dele.

— Cristina! — exclamou. Não sei se ele foi capaz de identificar em mim aquela adolescente de treze anos que deixou Barcelona há quatorze, ou se foi alertado pela expressão do meu rosto ao ver o cartaz.

Deu-me um abraço, dois beijos e pegou meu carrinho.

— Como você cresceu! — disse no caminho da saída, com olhar de quem me apreciava. — E ficou muito bonita!

— Obrigada — lembrava dele um tanto pegajoso e quis cortar o excesso de entusiasmo. — Pelo que vejo, você já não está tão gordinho.

Ele soltou um muxoxo e depois uma gargalhada.

— E você continua maldosa.

"Sim, talvez", pensei, "mas espero ter reduzido as suas aspirações." Francamente, eu não queria tê-lo em cima todos aqueles dias.

Então, ao sair do prédio, avistei pela segunda vez aquele homem estranho. Atrevido, ele não tirava os olhos de cima de mim. Eu tinha ficado atenta nele, nos seus olhos, no momento em que a porta automática abriu, em meio às pessoas que esperavam, um minuto antes de ter visto Luis e seu cartaz. Seu aspecto me chamou a atenção, embora não lhe tenha dado grande importância. Mas, nesse segundo momento, ao surpreendê-lo a me observar, sustentei o olhar a fim de castigar sua impertinência. No entanto, ele fez o mesmo até que, bastante incomodada, eu é que acabei abaixando meu rosto.

O sujeito causou-me um calafrio de alerta. Era um homem velho e sua cabeça devia ter sido raspada um mês antes. Tinha cabelo e barba brancos, com meio centímetro de comprimento. Vestia uma jaqueta negra e o resto de sua roupa, também, escuro contrastava com a alvura dos seus cabelos. Mas o mais significativo eram os olhos: azuis desvanecidos, perscrutadores, frios, agressivos.

"Que pinta de louco esse sujeito tem!", pensei, arrependida de tê-lo encarado. Eu já disse antes que não sou medrosa, mas definitivamente não era o tipo de indivíduo para se encontrar a sós.

Enquanto isso, Luis fazia perguntas sobre a minha viagem, se eu estava cansada, se havia dormido... Ao chegar o carro, um lindo conversível esportivo prateado, ele já se interessava pela saúde de minha família e me explicava que os pais dele haviam deixado a cidade para viver num lugarejo encantador do norte da Costa Brava.

A caminho do hotel, ele se interessou pela minha vida pessoal.

— Ah! Você está noiva.

— Não, estou prometida para casar — esclareci.

— Pois eu sou empresário e me formei em administração, e tenho mestrado em *marketing*.

— O seu tempo rendeu muito — comentei, irônica.

— Não é? Além disso, sou divorciado.

— Sei, sei — disse sorrindo —, é claro que isso eu posso imaginar.

Ele também começou a rir. A verdade é que o bom Luis continuava desfrutando de um excelente caráter.

— Você é maldosa — repetiu.

— Isso você já me dizia quatorze anos atrás.

Ele riu de novo.

— Era gordinho, mas sábio.

Quando Luis começava a falar de si mesmo, era capaz de estender-se indefinidamente, de modo que mudei de assunto.

— O que você me conta de Oriol?

— Oriol? — parecia incomodado com a pergunta sobre seu primo e notei que sem, perceber, estava acelerando seu BMW.

— Sim, Oriol. Lembra? O seu primo.

— É claro que lembro — retrucou carrancudo. — E não me pressione, maria mandona.

Ele me fez rir de novo. Por causa de seu tom e desta expressão que eu não ouvia há quatorze anos.

— Bem — continuou —, o superdotado da família... no sentido intelectual, é claro, porque no outro o superdotado sou eu... — e me olhou sorrindo, com auto-suficiência. — Pois o superdotado da família virou *hippie*, anarquista e *okupa*.

— O quê? — fiquei petrificada. Oriol, o brilhante Oriol. O cavalo ganhador de todas as apostas: um inadaptado?

— Você vê, acabou virando um marginal.

— Ele não se graduou na universidade? — eu estava atônita.

— Sim, isso sim. Ele se graduou e se doutorou em três ou quatro coisas. É um cérebro.

— E ele se dedica a quê?

— Ensina História na universidade. Junto com outros pirados de bermudões e cabelos *rasta*, monta centros de cultura popular e assistência social em casarões desabitados. Até que chega a polícia e os desaloja.

— Não consigo imaginá-lo assim.

— Bem... Já esteve em muitas batalhas. Claro, você não teve notícia da investida da polícia ao cine Princesa, não é? Trocando em miúdos, o meu priminho estava lá.

— Aconteceu alguma coisa com ele?

— Uma noite na delegacia. Nossa família ainda tem influência nesta cidade e ele não é dos mais violentos... — Luis fez um gesto equívoco com sua mão.

Já tínhamos chegado ao hotel, e um jovem porteiro sorridente abria a porta para mim. Um outro ajudava com as malas, enquanto Luis entregava as chaves do seu conversível a um terceiro.

O que será que aquele gesto de Luis queria dizer? Ele me deixou pensativa. Que diabos estava insinuando de Oriol?

— Vem, a recepção fica no primeiro andar — e pegando-me pelo cotovelo, levou-me ao elevador.

— Reservei um aposento na ala sul do vigésimo oitavo andar para você. Uma vista incrível. E olha que normalmente eles não aceitam reservas nos andares mais altos. Sei muito bem que para Nova York este prédio é baixo, mas aqui é fora de série — e se deteve, olhando-me. — Será que a altura passou a ser um problema depois de...?

— Não. — rebati. — Tenho estado em escritórios muito mais altos desde que ocorreu aquilo.

E, efetivamente, o gerente me cedeu um aposento no vigésimo oitavo andar.

— Vou subir um instante com você para ver a vista e verificar se tudo está bem.

— Não, obrigada — disse-lhe sorrindo. — Eu te conheço. Você sempre espiava as meninas quando nos trocávamos no vestiário.

— Está bem. De acordo — replicou com cara de menino amuado. — Mas eu mudei. Você também... agora deve estar bem melhor de ser olhada — e deu uma olhadela no meu seio.

Se fosse outro homem, eu me ofenderia. Mas ele me fez rir outra vez.

— Adeus. Obrigada por ter me buscado.

— Vamos lá, deixe-me ver se tudo está bem — olhava como um malandro.

— Tudo está bem. Muito bem — assegurei-lhe. — Pode crer. E agora, tchau — eu falei, aumentando o volume da voz, e o som estendeu-se pelo salão entre os elevadores e a parede de vidro. Algumas pessoas sentadas nas mesinhas de vime perto da vidraça voltaram-se para me olhar.

— Bem. Pelo menos me dá um beijinho de despedida... maria mandona — negociou.

Luis estava certo. O aposento dava de frente para o sul e a vista era esplêndida. À esquerda, o mar e as praias que chegavam até o porto antigo da cidade, agora convertido em zona de lazer. Eu podia ver as amarras dos veleiros do clube náutico, uma ampla área de lojas e de entretenimento e, mais ao longe, dois grandes navios que pareciam transatlânticos à espera de turistas para um cruzeiro turístico.

Ao fundo, erguia-se a montanha de Montjuïc, com seu castelo à margem de um escarpado sobre o mar e jardins arborizados no restante do seu cume alargado; no outro extremo, o grande conjunto da empolada arquitetura do princípio do século passado do palácio Nacional. O passeio marítimo e a estátua de Colombo marcavam o início de uma grande cidade que se estendia até alguns morros cheios de vegetação.

Barcelona, esta era a cidade onde nasci. Olhei para a zona de Bonanova, onde vivia com minha família, mas fui incapaz de distingui-la, sem sequer adivinhar sua presença na distância daquele oceano de habitações com diferentes formas e tamanhos que, em sua desordem, parecia possuir uma estranha harmonia.

Mas um pensamento me assediava. Qual foi a insinuação que Luis fez a respeito de Oriol?

Os empregados subiram com a bagagem e comecei a desfazê-la pensando nele. "Bem", decidi, "terei de aceitar uma refeição com Luis". Eu tinha muitas perguntas a fazer e esperava que ele tivesse as respostas. Mas quem eu desejava ver era Oriol, o garoto que me fez descobrir o amor. "Hoje é quarta-feira", pensei. "Farei um lanche e vou descansar. É mais provável que eu veja Oriol no sábado, na leitura do testamento." Será que vou agüentar até lá sem tentar localizá-lo? Minha esperança era que ele entrasse em contato comigo. O que será que Luis quis dizer de Oriol? Será que Oriol sabia que eu estava na cidade? E se fosse eu que o chamasse? Não tinha o telefone dele. Como consegui-lo aqui se não o conseguira em Nova York? Eu devia ter pedido a Luis.

Liguei para meus pais e para Mike a fim de lhes dizer que tudo estava bem, e apesar do sono me entretive folheando alguns livros com grandes fotografias da cidade que encontrei em cima de uma mesinha. Não queria me deitar antes das dez, para que meu corpo se adaptasse ao novo fuso horário.

Depois pedi um lanche ligeiro e, enquanto o comia, pude ver como a cidade se povoava de luzes, sombras e obscuridades ao cair da noite. À medida que a escuridão avançava, a sensação de mistério me invadia. A minha intuição dizia que, entre aqueles edifícios apinhados lá embaixo, ao longe, escondiam-se as respostas de minhas perguntas. Que estranha herança era essa? Por que Enric se suicidou? Por que mamãe não queria que eu voltasse para Barcelona? Que segredo ela ocultava? O que escondia esse anel que fulgurava em minha mão? Olhei o rubi. O seu brilho enigmático formava aquela surpreendente estrela de seis pontas no interior da pedra. Achei que ali, naquela cidade, a sua cintilação tinha-se tornado mais intensa; vinha mais de dentro, mostrava-se mais misteriosa. Eram muitas perguntas. Eu morria de curiosidade e devaneios sobre o muito que Luis podia me contar.

Disquei seu número e sua voz atendeu na secretária eletrônica do outro lado.

— Luis — disse-lhe —, sou eu, Cristina. Quero convidá-lo para almoçar amanhã. Você pode?

Coloquei o pijama e apaguei a luz. Resolvi não fechar a cortina. A luz da cidade não conseguia chegar até um ponto tão alto e apenas as luzes da parte externa do edifício clareavam suavemente meu quarto. Não pedi para que me chamassem pela manhã, o sol seria o meu despertador.

Deitei e deixei meus pensamentos a vagarem... de novo em Barcelona, depois de tanto tempo... que sentimento tão estranho...

Então soou o telefone.

— Cristina!

— Oi, Luis.

— Sabia que você não poderia viver sem mim...

Estive a ponto de mudar de idéia e desligar. Esse cara me importunava. Sorrindo, é verdade, mas era um inconveniente.

— Você quer almoçar comigo amanhã? — disse-lhe, ignorando sua sandice.

— Não. Mas te convido a jantar.

— Ah, não! — repliquei cortante. — Sinto muito, não janto sozinha com nenhum homem que não seja aquele que está comprometido comigo. Nem sequer por trabalho, é uma questão de princípios — e completei enfática. — Somente com quem está comprometido comigo.

Ouvi um ruído curioso que saía de sua boca, algo assim como Tsc!!... Tsc!... Tsc!... Soava como uma negação jocosa.

— Bem. Você ganhou — disse por fim. — O que tenho de prometer?

Tapei a minha boca para não rir. A verdade é que às vezes Luis é engraçado.

— O almoço ou nada — falei com energia.

— Tenho uma reunião com os acionistas de uma das minhas empresas precisamente amanhã, ao meio-dia.

— Está bem, má sorte minha — disse em tom resignado. — Então nos veremos na leitura do testamento. Obrigada por ter me ligado.

Era só farol. Eu não acreditava em sua história e achava que ele cederia. Caso contrário, minha curiosidade, minhas perguntas ainda sem respostas, me obrigariam a aceitar o jantar.

— Vamos jantar! — repetiu, pesadamente.

— Isso não! — gritei ao telefone.

Houve um silêncio do outro lado da linha.

— Está bem, você ganhou — disse no final. — Que se danem os acionistas. A empresa está quebrada e mandarei um telegrama dizendo que fugi com o dinheiro para o Brasil. Pego você no hotel às duas.

— Tão tarde assim?

— Isto é a Espanha, não se lembra, maria mandona?

DEZ

— Sempre houve segredos demais na minha família com relação a Enric — Luis encheu sua boca com a salada de lagosta e me contemplou tranqüilamente enquanto mastigava. Sabia que eu estava muito atenta a suas palavras e desfrutava o meu suspense. Dado o mistério com que ele adornava a conversação, eu imaginava que ia revelar algo surpreendente, mas não queria lhe dar vantagem deixando transparecer a minha impaciência. Separei um outro bocado, tomei uma colherada da minha sopa fria de amêndoas e passei a contemplar os tetos altos, os móveis e a decoração que formavam um harmonioso conjunto de estilo modernista naquele restaurante situado no primeiro andar de um centenário edifício na avenida Diagonal.

— O fato de que Enric fosse *gay* era algo difícil de encaixar com os Bonaplata — fiquei olhando-o boquiaberta. Enric, *gay*! Ele observou satisfeito o efeito de sua revelação.

— Minha mãe sabia — continuou —, mas ele sempre ocultou

isso para o resto da família, dissimulava muito bem, nunca mostrou trejeito algum. A não ser quando queria, claro.

— *Gay*? — exclamei. — Como é que Enric podia ser homossexual? Se ele casou com Alicia e é o pai de Oriol!

— Acorda, menina, a vida não é só em branco e preto, existem muitas cores — Luis sorria com auto-suficiência. — O grande *cowboy* já não é sempre bom e os bons só ganham às vezes.

"Eles nunca se casaram, não na igreja. Embora nossos pais tivessem se esforçado para fazer com que nós, as crianças, acreditássemos nisso. Formavam um casal quando lhes convinha, sobretudo para justificar-se socialmente. Mas ambos tinham amantes do seu próprio sexo; o que não sei, é se também se divertiam quando coincidiam na mesma cama."

Os olhos de Luis iluminaram-se e um sorriso lascivo dançou na sua boca.

— Talvez organizassem festins orgíacos. Você imagina isso? — fez uma pausa.

Imaginei. Mas não uma dessas supostas orgias, e sim Luis de fauno com corninhos e barbicha de bode. Fiquei com vontade de rir pela expressão de sua cara. Em seguida me arrependi.

— Não, não consigo imaginar — falei com dignidade.

— Vamos, mulher... Diga que sim, que imagina, sim...

— Não e não!

— Vamos lá, Ally McBeal, diga sim.

Bem. Isso não! Odeio que me chamem de Ally McBeal. É uma piada extremamente fácil, aplicar o nome dessa personagem neurótico, uma rábula de saia curta e sentimentalmente confusa da velha série televisiva, a uma jovem advogada de êxito como eu.

— Que pouco original você é, Luis! Esse negócio de Ally McBeal está para lá de batido. E não tenho nada a ver com ela.

Olhando o sorriso dele, lembrei de quando éramos crianças e brigávamos. Ele sempre gostou de provocar. Começava agarrando minhas tranças ou com qualquer outra agressão física ou verbal.

Sempre tive um bom vocabulário, e então reagia com o

"gorducho asqueroso" ou o "saco de gordura e merda", ou outra observação igualmente aguda e delicada sobre o corpo dele. Ele não se alterava e, pondo o dedo no nariz, inchava as bochechas, o que fazia o seu aspecto se parecer mais ainda com um porquinho. A partir desse ponto, o mais normal era que eu caísse na risada. É muito difícil continuar aborrecido com alguém que te faz rir.

— Por que você está rindo?

— Por nada. Eu me lembrava de nossas brigas quando crianças. Você não mudou muito.

— E você também. Ainda consigo enfezá-la.

"Sai fora, gorducho", pensei, "você continua irritante. Mesmo tendo emagrecido." Mas logo lembrei do início da conversa e fiquei séria.

— Pobre Oriol — disse. — Deve ser duro.

— Você se refere aos gostos sexuais dele? — o sorriso havia abandonado a sua cara. — Bem... sobre a tendência dele... você já sabe, ele cresceu rodeado de mulheres que tomavam atitudes masculinas. No que podia dar? É o normal. Além do mais, geneticamente... como os pais dele também eram, pois...

— O quê? — fiquei alarmada. Eu estava pensando na situação familiar de Oriol, mas Luis estava se referindo ao próprio Oriol. — O que você está insinuando? Não, eu não sei de nada. Diz logo o que você tem a dizer.

— É isso. Que as coisas a respeito do meu primo também não estão claras.

— Mas, por quê? Em que você se baseia? Ele lhe falou algo?

— Não. Ele não revela seus segredos. Mas essas coisas podem ser vistas. Não tem uma noiva que se conheça e, pelo que sabemos, nunca teve. E essa forma estranha de viver...

Esquadrinhei o meu amigo. Não havia uma única chispa de humor nos seus olhos. Ele parecia falar sério. O que foi dito de Alicia não me surpreendia e pouco me importava, e de Enric, me estranhava, mas que Oriol fosse homossexual significava um bofetão inesperado.

Meus sonhos de adolescente, as belas recordações do mar, da tormenta e do beijo quebravam-se em pedacinhos. Um dia eu havia imaginado Oriol de noivo, de amante, de esposo...

Evoquei aqueles tempos e a verdade é que quem tomava a iniciativa era eu, ele nunca o fazia. Oriol se deixava levar e eu o maltratava por sua timidez. Terminadas as férias nos víamos naquela escola elitista que está situada no sopé da serra de Collserola e contempla a cidade aos seus pés; os rebentos da burguesia progressista e livre-pensadora eram colocados nessa escola para que eles se criassem *a la catalana* com molho europeu. Ele era aluno assistente de um curso superior e com isso nos víamos apenas nos corredores, de modo que tudo que passei a fazer era lhe mandar bilhetinhos.

Também nos encontrávamos nas reuniões que os amigos de nossos pais organizavam em alguns fins de semana. Lembro da última, antes de irmos para Nova York. Oriol parecia triste e eu estava desolada. Prepararam uma festa de despedida na casa de Enric e Alicia, na avenida Tibidabo. Foi difícil ludibriar Luis para ficarmos sozinhos, mas o jardim era amplo e conseguimos alguns minutos de intimidade. Voltamos a nos beijar e seus olhos se avermelharam. Sempre acreditei que ele também havia chorado.

— Você quer ser meu noivo? — perguntei.

— Está valendo — disse Oriol.

Eu o fiz prometer que não me esqueceria, que me escreveria e nos encontraríamos assim que pudéssemos.

Mas ele nunca escreveu, jamais respondeu minhas cartas, e eu nunca mais soube dele.

Percebi então que Luis estava falando sem que eu o escutasse. Voltei a prestar atenção no que ele dizia:

— Oriol ainda não tem apartamento próprio e vive com sua mamãe. Bem, na Espanha isso não significa que você seja um anormal, como ocorre nos Estados Unidos. Às vezes, ele passa a noite com seus amigos *okupas* em algumas dessas propriedades alheias. Quando lhe apetece, dorme no casarão da ladeira do Tibidabo. Lá, ele tem a sua casa sempre limpa, come bem, lavam sua roupa e mamãe fica contente.

— Mas deve haver também moças *okupas*, não é?... Eu quero dizer que talvez ele tenha suas amigas.

— Sim, claro, elas também existem — sorriu. — Mas você está parecendo preocupada com quem dorme com meu primo.

— Você está falando baseado apenas em suposições, provas circunstanciais. Você não tem nenhum argumento sólido que demonstre que Oriol seja homossexual.

— Este não é um dos seus julgamentos — Luis sorria divertido. — Não tenho que provar nada, estou só lhe avisando.

Pensei que aquilo que Luis fazia era pior que julgar, ele condenava tendo como base insinuações mal-intencionadas. Resolvi que já era hora de mudar de assunto.

— O que é que você acha que vai acontecer no sábado? — perguntei-lhe. — Do que se trata essa herança misteriosa? Não é nada normal que se leia um testamento quatorze anos depois do falecimento da pessoa.

— Bem, o testamento de Enric foi lido pouco depois de sua morte, e Oriol e Alicia foram os seus principais beneficiários. Isto é outra coisa.

— Outra coisa? — a forma que Luis tinha de dosar a informação me aborrecia. Ele se deleitava em me manter em suspense.

— Sim. Outra coisa.

Resolvi calar e esperar que ele continuasse o relato sem fazer mais perguntas.

— É um tesouro — disse depois de alguns minutos de silêncio. — Estou seguro de que se trata de um fabuloso tesouro templário.

Isto ele já havia antecipado quando ligou para Nova York e me veio à memória a conversa do dia anterior com Artur Boix, no avião.

— Você sabe quem foram os templários? — continuou.

— Naturalmente — e agora era Luis que parecia assombrado.

— Eu não imaginava que você poderia conhecer tanto de história medieval nos Estados Unidos.

— Preconceitos. Agora você sabe que nós sabemos, sim — repliquei, satisfeita.

— Pois saiba que a maior parte dos soberanos europeus, mesmo com a forte suspeita de que aquilo que se fazia na França era injusto, seguiu as ordens do papa, mas sempre que possível aproveitando para incrementar o seu próprio pecúlio. Embora diga-se que, na Coroa de Aragão, onde a ação contra os frades demorou um pouco, estes puderam esconder parte de suas riquezas mobiliárias. E elas representavam grandes quantidades de ouro, prata e pedras preciosas — os olhos de Luis brilhavam. Era como se o estivesse vendo de novo com sua cara de gorducho de quatorze anos atrás, quando Enric nos propunha alguns dos seus jogos de caça ao tesouro no seu casarão da avenida Tibidabo. — Imagine o valor que pode ter no mercado negro um enorme jogo de ourivesaria dos séculos XII e XIII? Crucifixos de ouro e prata com adornos de safiras, rubis e turquesas incrustados. Pequenos cofres talhados de marfim, cálices cobertos de pedras preciosas, coroas de reis e condes... diademas de princesas... espadas cerimoniais...

Fechou os olhos. O resplendor do ouro o deslumbrara.

— Então você pensa que no próximo sábado vamos receber um tesouro? — inquiri em tom incrédulo.

— Um tesouro, não. Mas as pistas para encontrá-lo, como fazia Enric quando brincava com as crianças. Só que agora é de verdade.

— E como é que você sabe tudo isso? — suspeitava que Luis estava tendo um dos seus sonhos aloucados, mas eu não teria nada a ganhar se iniciasse uma discussão que questionasse sua fantasia.

— Bem, comentários de família. Parece que ele estava nessas pistas quando morreu.

— E como o meu quadro gótico pode ser encaixado nessa história?

— Ainda não sei. Mas na época em que Enric se matou com

um tiro, ele andava atrás de quadros góticos. Se não me engano, o seu é precisamente dos tempos da Têmpera, século XIII ou início do XIV.

Fiquei olhando-o sem dizer uma palavra.

— E... por que ele se matou? — inquiri no fim.

— Não sei. A polícia acredita que tinha relação com um ajuste de contas entre traficantes de arte. Mas não se pode provar nada. Isso é tudo o que sei.

— Então por que é que você ligou para me avisar?

— Porque, aparentemente, essa pintura contém pistas para localizar o tesouro.

Fiquei boquiaberta.

— Você sabe que tentaram roubá-lo? — perguntei-lhe.

Luis negou com a cabeça e tive de lhe contar a história. Ele me disse que tinha feito perguntas aqui e ali desde que foi convocado para a segunda leitura do testamento. E que não, não me revelaria suas fontes, mas estava seguro de que o meu quadro era a chave para encontrar o tesouro.

— Onde ele se suicidou? — eu quis saber quando me dei conta de que Luis não me daria mais informações.

— No seu apartamento, no passeio de Gracia.

— O que disse Alicia sobre isso? Ela é sua suposta esposa.

— Não me fio no que ela diz.

— Por quê?

— Não gosto dessa mulher. Sempre esconde alguma coisa. Está sempre querendo controlar tudo, dominar a todos. Tenha cuidado com ela. Muito cuidado. Acredito que pertença a uma seita.

Perguntei-me se seria casual que minha mãe me houvesse advertido quase nos mesmos termos a respeito de Alicia antes de minha viagem. Ela me pediu que a evitasse.

Isso me fazia desejar ainda mais ter um encontro com ela.

ONZE

Decidi que a delegacia local seria um bom lugar para iniciar a minha investigação sobre a morte de Enric. Regressei ao hotel para mudar de roupa; uma calça de cintura baixa, daquelas que mostram os quadris e a barriguinha, com uma camiseta curta. Deixar o umbigo à mostra seria o melhor cartão de visitas se, como eu esperava, a maioria dos policiais fosse jovem. Não era coquetismo, era eficiência. Bem, talvez também coquetismo. Lembrei de Ally McBeal.

— Não tem nada a ver — falei para mim mesma com um sorriso. — Ela é advogada, e agora eu exerço a função de detetive. Ela mostra as pernas, e eu, o abdome.

No meu hotel estava à minha espera, tremeluzindo na luz do telefone, uma mensagem.

— Dona Alicia Núñez ligou — disse a telefonista. — Pediu para a senhora entrar em contato com ela quando puder.

Veja só, pensei, aí está a mulher temida pela minha mãe e que também assusta o meu querido gorduchinho, embora ele dissimule. Eu o conheço bem!

A curiosidade me comichava. Evoquei as feições da mãe de Oriol... mãe e filho exibiam o mesmo azul profundo nos olhos algo rasgados. Esses olhos que eu tanto amava quando era menina...

Alicia não freqüentava o nosso grupo de verão. Na realidade, Oriol passava o estio na casa dos avós Bonaplata, com a mãe de Luis, sua tia. Enric chegava em alguns fins de semana da temporada e ficava lá por uns quinze dias, mas ele e Alicia nunca se encontravam. Quando ela não estava viajando fora da Espanha ou ocupada com tarefas impróprias para o seu sexo naquele tempo, visitava Oriol nos dias úteis e nunca passava a noite no vilarejo. Eu já intuía desde muito pequena que Alicia não era uma "mamãe" como as demais.

Mas não voltei a pensar mais nisso até que naquela refeição Luis me deu a chave do comportamento atípico da mãe de Oriol.

Alicia me atraía precisamente porque o proibido atrai, pelo temor de minha mãe, pelas advertências de Luis. O que queria de mim?

Ela dissera que não havia pressa para responder a sua chamada. Ao menos por ora.

Apresentei-me na delegacia contando a verdade; que chegava de visita depois de quatorze anos e queria saber o que havia ocorrido com o meu padrinho.

Nenhum dos homens que estavam lá se recordava do incidente de um suicida no passeio de Gracia. Talvez fosse o meu sorriso, ou então a história do emigrante em busca das suas raízes. Ou seria o meu umbigo de huri? O fato é que os agentes de guarda mostraram-se os mais amáveis possíveis. Um deles disse que López devia se lembrar, ele era daquele tempo. Estava de patrulha, então o chamaram pelo rádio.

— Sim, recordo-me de um caso como esse — aumentaram o volume do receptor para que eu pudesse ouvir. — Mas quem trabalhou nele foi Castillo. O sujeito ligou-lhe e foi enquanto falava pelo telefone que sua cabeça voou com um tiro.

— Castillo já não trabalha aqui — comentou o agente. — Ele tornou-se delegado e o colocaram numa outra delegacia. Você o encontrará lá.

Quando me apresentei no novo endereço do delegado, disseram-me que ele só estaria lá na manhã do dia seguinte. Logo me recompus do inconveniente, dizendo a mim mesma que pelo menos poderia desfrutar do passeio público, e, bem agarrada à minha bolsa, conforme Luis me prevenira, voltei para o bairro das Ramblas e submergi no rio de gente que fluía pelo centro da avenida.

Uma *rambla* é o leito de um rio, e assim são as Ramblas em Barcelona. Antes levavam água, agora, gente. A diferença é que as pessoas, nas Ramblas, ainda que nas altas horas da madrugada reduza o seu caudal, ao contrário das águas do primitivo arroio paralelo às antigas muralhas medievais jamais se esgotam. Como é que esse passeio público pode manter seu encanto, seu espírito com uma fauna humana sempre em mutação? Como é que um mosaico pode manter sua unidade com diferentes ladrilhos? É porque não olhamos cada elemento em particular e sim o conjunto, o espírito. Alguns lugares têm alma e, às vezes, as têm tão imensa que absorvem nossa pequena energia, convertendo-a em parte do grande todo. Assim é o bairro das Ramblas em Barcelona.

São como as ruas dos pequenos vilarejos; as pessoas vão ver e serem vistas, todos são atores e espectadores, só que em maior dimensão, em escala cosmopolita.

Por ali passa a dama com seu longo vestido de festa e seu galã de *smoking*, dirigindo-se para a ópera do Grande Teatro do Liceu, mais além, o travesti com sua maquiagem escandalosa compete com as prostitutas no comércio do prazer e, aqui, marinheiros de todas as nacionalidades e cores com seus uniformes militares, o turista louro, o imigrante moreno, o malandro, o policial, as lindas mulheres, os velhos vagabundos, os curiosos que olham tudo, os atarefados que não vêem nada...

Era assim que lembrava do bairro das Ramblas, mais por ter ouvido do que por ter visto na minha infância, e assim o encontrei naquela manhã radiante de primavera. Vagando entre os canteiros de flores, era como se, através de minha pele, do ar respirado, eu estivesse absorvendo a explosão de cor, de beleza, de fragrância.

Eu me detinha no meio de pequenos grupos que assistiam artistas de rua, músicos, malabaristas, estátuas vivas polvilhadas de branco ou purpurina; princesas e guerreiros de gestos rígidos que com movimentos graciosos ou súbitos agradeciam as moedas dos espectadores.

Vi um rapaz à espera, apoiado no tronco grosso e cheio de protuberâncias de um plátano centenário. E a moça de sorriso largo e travesso que se aproximava cautelosamente pelas suas costas para lhe oferecer, rompendo as regras, uma rosa. Vi a surpresa, a felicidade, o beijo e o abraço entre o cortejado e sua cortejadora. Tudo encaixava, a brilhante manhã de primavera, a força vital no murmurinho das pessoas e eles dois, qual artistas *rambleros*, representando o seu amor, mas não por moedas, e sim por puro amor. Senti nostalgia, inveja.

Procurei consolo olhando o diamante, constância do meu próprio querer, brilhando em minha mão. Mas, ao seu lado, o intruso, com um fulgor vermelho interior, cintilava ironicamente, como uma fraude, o rubi do mistério. Podia ser a minha imaginação, mas esse estranho anel parecia ter vida própria, e naquele momento senti que queria me dizer algo. Sacudi a cabeça, rejeitando semelhante tolice, e contemplei os jovens amantes que de mãos dadas perdiam-se na multidão. E então me pareceu vê-lo.. Era aquele tipo do aeroporto, o velho de cabelos brancos e indumentária escura. Estava em pé, num dos quiosques que estendem suas mercadorias de papel na parte frontal. Ele fingia que folheava uma revista, mas olhava para mim. Quando os nossos olhos se encontraram, ele desviou o olhar para a revista e depois a pôs na pilha e se afastou. Fiquei sobressaltada e segui com meu passeio, perguntando-me se seria a mesma pessoa.

DOZE

— Claro que lembro desse homem! — Alberto Castillo tinha uns trinta e cinco anos e um sorriso agradável. — E como me lembro! Nunca esquecerei!

— O que houve?

— Ele ligou para dizer que ia se suicidar — o delegado ficou sério. — Eu ainda era um novato e nunca tinha me metido numa dessas. Tentei convencê-lo a se tranqüilizar. Mas ele parecia estar mais tranqüilo que eu. Não lembro o que lhe disse, mas não serviu de nada; conversou um pouco comigo e logo pôs um revólver na boca e seu crânio voou. Foi um som assim: pumba! Eu dei um salto da cadeira quando ouvi o disparo. Só aí me convenci de que esse homem falava sério.

"Quando conseguimos localizá-lo, ele estava sentado num sofá com os pés em cima de uma mesinha e a sacada aberta sobre o passeio de Gracia. Tinha bebido tranqüilamente um desses conhaques franceses caríssimos e fumado um daqueles charutos puros de marca. Vestia um terno impecável com gravata. A bala saiu pelo cocuruto. Era uma casa antiga e luxuosa, de tetos altos, e lá em cima, ao lado de algumas lindas sanefas de flores e folhas, avistei sangue e parte de sua moleira colados. Havia um toca-discos dos antigos, de discos de vinil, e no prato encontrei uma gravação de Jacques Brel; me dei conta de que era a música que eu ouvia enquanto falávamos ao telefone. Antes havia escutado *Viatge a Itaca*, de Lluís Llach.

Fechei os olhos. Eu não queria imaginar a cena. Que horrível!

Lembrei de Enric, das segundas-feiras de Páscoa, aparecendo lá em casa com Oriol e com uma enorme *mona*, o bolo típico que nesse dia é presenteado pelos padrinhos da Catalunha a seus afilhados, com uma escultura de chocolate duro e negro no centro. Uma vez ele levou uma *mona* com uma escultura que era um castelo de princesa com figurinhas coloridas de açúcar. Era enorme e não permiti que ninguém tocasse no chocolate. O meu desejo era guardar o castelo como se fosse uma casa de bonecas. Ele adorava ficar olhando o nosso jeito de fazer as coisas. Ainda posso ver seu sorriso de encantamento. Eu gostava de Enric quase tanto quanto do meu pai.

Havia um nó na minha garganta e meus olhos marejavam.

— Mas, por quê? — balbuciei. — Por que ele se matou?

Castillo deu de ombros. Estávamos sentados numa sala austera e muito policial. Eu tinha mudado de roupa; nesse dia eu vestia uma saia curta e cruzei as pernas. Notava que de vez em quando o homem esticava os olhos, e eu fingia que não percebia.

Havia um porta-retratos com a foto de uma família sorridente sobre um arquivo. Esposa, menino, menina. Era visível que o delegado gostava de minha companhia e ia me contar tudo.

— Não sei por que ele se matou, mas tenho uma teoria.

— Qual? — eu quis saber.

— Você pode imaginar que com vinte e poucos anos eu teria mesmo que ficar bastante impressionado. Por isso, pedi para participar da investigação. Eu lembrava que em nossa conversa ele havia dito que tinha despachado alguém. Algumas semanas antes alguém havia se encarregado de quatro pessoas numa torre, em Sarriá; não conseguimos provar, mas estou certo de que foi ele.

— Que matou quatro pessoas? — eu não podia imaginar o Enric sempre doce e amável assassinando alguém.

— Sim. Era gente relacionada com antigüidades como ele. Só que dois deles tinham antecedentes por roubo e tráfico ilícito de obras de arte. E os outros dois eram simples pistoleiros, uma espécie de guarda-costas. Tipos perigosos. Em contrapartida, quando fizemos uma vistoria nos negócios do seu padrinho, tudo nos pareceu legal. E mais, ele herdou tanto dinheiro que, apesar de dedicar-se a esbanjá-lo às mãos-cheias, com todo tipo de extravagâncias, farras e outros excessos, ainda lhe sobrava o suficiente para seguir com o mesmo ritmo até não poder mais.

— Como é que você sabe que ele fez isso sozinho?

— Porque matou a todos com o mesmo revólver.

— Isso não quer dizer que ele não teve ajuda.

— Pois eu acredito que ele fez isso sozinho. Vou lhe dizer por quê, senhorita. Essa outra casa era como um *bunker* e essa gente, uma gangue criminosa. Havia sistemas de segurança com alarmes e câmeras de vídeo acopladas num módulo central. Isso começa a ser normal agora, mas não naqueles anos. Desgraçadamente, eram somente de vigilância externa e não estavam ligadas para gravar. Ele deve tê-los enganado de alguma forma. Ele sozinho. Acredito que nunca permitiriam que entrassem ali em mais de dois de cada vez e jamais se deixariam surpreender se suspeitassem de algo. Ele entrou pela porta, de modo que os outros a abriram e, antes que ele entrasse na sala onde estavam os chefes, seguramente o revistaram. Eram profissionais e os dois jovens portavam armas, embora não tenham tido tempo de disparar. Encontramos um deles com um revólver na mão. Mas o mais velho também tentou usar um outro revólver que devia estar guardado numa gavetas da escrivaninha, sobre a qual havia um monte de notas esparramadas. E isso prova que o assassino não queria dinheiro, o que encaixa com Bonaplata; seu motivo era vingança.

— Mas como é que alguém sozinho pode matar quatro homens, três deles armados? De onde sacou o revólver? Ele não era agressivo...

— Não sei nem de onde ele sacou nem onde o pôs.

— Não se suicidou com um único disparo? Não encontraram um revólver perto do seu corpo?

— Claro que sim.

— Então?

— Era outro. A balística comprovou que os projéteis que mataram os traficantes não eram dessa arma.

— Então não seria ele o assassino.

— Foi ele, sim — olhou-me nos olhos, convencido. — Aposto o que quiser que foi ele.

— Por que ele se daria ao trabalho de esconder uma arma e se matar com outra? É absurdo.

— Não, não é. Enric Bonaplata era um tipo esperto. Se tivesse se suicidado com o mesmo revólver, nós teríamos provas para incriminá-lo.

Comecei a rir. Que bobagem!

— Mas por que ele se importaria em ser incriminado depois de morto? — disse-lhe com ironia.

— Sua herança. Ele tinha previsto tudo. Os seus herdeiros teriam de indenizar os herdeiros da vítima.

Isso me deixou calada. Não é que o delegado tinha razão? Era um bom motivo. Se Enric odiava essa gente a ponto de matá-los, por que deixar sua herança às famílias dos seus inimigos?

Castillo se pôs a me olhar com meio sorriso sob o seu bigode, tinha um aspecto simpático. Olhou de novo as minhas pernas com um certo descaramento e logo ficou à minha espera, instigando-me.

— Você sabia que o seu padrinho era afeminado?

— Afeminado?

— Não, afeminado não. Mais que isso, era viado.

Olhei para ele, fingindo-me escandalizada.

— Mas o que você está dizendo? — embora Luis tivesse me

informado disso no dia anterior, preferi aproveitar a loquacidade do Castillo para extrair o que ele sabia com um rodeio.

— Isso — em vista de minha reação, ele fez uma pausa procurando uma palavra mais adequada. — Que ele era homossexual.

— Mas ele tem um filho!

— Isso não quer dizer nada.

— Que motivo você tem para dizer isso? — interroguei-o séria, tal como faria com uma testemunha em juízo. — Explique-se.

— Quando ele chamou pelo telefone, depois de me dizer que ia se matar, me perguntou quantos anos eu tinha e qual era a cor dos meus olhos, como se quisesse alguma coisa comigo. Você acredita? Vindo de um indivíduo que estava disposto a fazer o crânio voar?

— Isso não é comum em alguém que vai se matar — repliquei pensativa. — Por mais homossexual que ele fosse. Não acredita?

— Não para ele — afirmou Castillo, enfático. — Sim, ele era afeminado, mas o cara tinha culhões.

Agradeci interiormente ao delegado que, apesar da sua linguagem, dedicara a Enric o que devia ser o maior elogio do seu repertório. Havia um tom de admiração na sua voz.

Esperei que ele retomasse o relato em silêncio.

— Fiz uma reconstrução do ocorrido — continuou Castillo. — Calculo que ele se encarregou dos traficantes entre seis e sete da noite; eram oito e meia quando a esposa do mais velho nos chamou, muito agitada, denunciando os crimes. Ela acabava de chegar.

"Tenho certeza de que esse Bonaplata tinha tudo planejado e decidiu despedir-se do mundo em grande estilo. Depois perdemos sua pista durante as semanas em que viajou de um lado para o outro, e não pareceu incomodado quando os meus colegas encarregados do caso o interrogaram várias vezes, aqui em Barcelona. Estavam juntando provas para incriminá-lo.

"Mas ele sabia e acabou escapando para sempre. Um dia, como por vezes era do seu hábito, ele foi comer no seu restaurante preferido. Sozinho. Deleitou-se com seus pratos favoritos e se serviu de uma garrafa inteira de uma das safras mais caras. Uma taça e um puro.

"Depois foi para seu apartamento no passeio de Gracia, pôs uma música para tocar, escolheu um outro puro, um conhaque, e como cidadão de bem resolveu informar a polícia. E, claro, já nesse embalo, não pôde deixar de dar uma cantada num jovenzinho como eu. Depois de ter dissimulado por toda a vida sua condição de afeminado, por causa dessas histórias do que os outros poderão dizer e do que a família pensará, por que privar-se disso no último momento? Ele gostava dos rapazes jovens. Sabe?

— O quê, ele era pedófilo? — agora, sim, me escandalizei.

— Não — Castillo retrucou sorridente ante o meu tom alterado. — Não temos indícios nem suspeita de que tinha interesse por meninos, mas por rapazes com mais idade, aqueles entre dez a vinte anos.

Fiquei aliviada e pensei por um momento antes de interrogar de novo o delegado.

— Mas por que ele se matou? — eu queria evitar que ele desse mais detalhes sobre a vida sexual de Enric. — Pelo que você me contou, ele não parecia estar deprimido e desfrutava o máximo da vida. Além disso, se fez tudo tão bem, já que vocês não conseguiram provar a culpabilidade dele, jamais seria apanhado.

— Estávamos a ponto de pegá-lo; se os interrogatórios tivessem continuado, ele teria de explicar um montão de coisas. Mas tivemos de engolir nossa gana porque ele se foi com uma passagem de primeira para um outro bairro — Castillo se mostrava atormentado, era como se não tivesse digerido a última fuga de Enric. — Talvez tudo esteja ligado com a morte de um jovem de uns vinte anos algumas semanas antes — ele completou depois de uma pausa. — Pelos indícios, eles eram noivos.

— É mesmo?

— É, sim. O rapaz era encarregado da loja de antigüidades que Bonaplata administrava no bairro antigo.

— Tudo isso está muito enrolado, você não acha?

— Não, não acho. Acho que aconteceu assim: Bonaplata e os traficantes estavam em disputa por alguma coisa. Tinha que ser de muito valor. Apertaram o rapaz para que falasse, ele não tinha o que dizer e o mataram. Isso deve ter machucado Bonaplata. Ele preparou uma armadilha, conseguiu esconder um revólver e, quando menos esperavam... Pim! Pam! Pum! Com seus dois culhões, ele mandou os quatro sujeitos para o cemitério. Eles mataram o rapaz e ele se vingou. Assim, fácil.

— Mas isso não se encaixa com a pessoa que eu conheci; um amante da vida, uma pessoa estupenda — ao recordá-lo, as lágrimas me caíam. — Custa-me pensar que ele tenha sido homossexual, mas não importa, isso não lhe tira o mérito. Nego-me a acreditar que ele tenha se suicidado para escapar da polícia. Não posso nem acreditar nesse suicídio. E matar toda essa gente? Não o vejo assassinando a sangue-frio. Ele sempre foi pacífico. E como pôde fazê-lo? — A minha voz se elevava a cada pergunta. — Como é que ele pôde enganar os outros, se estes sabiam que eram odiados? Você não me disse que eram mafiosos profissionais?

— Não sei. Eu não sei de tudo — Castillo falou com aspecto desesperançado; abriu os braços e as palmas de suas mão erguiam-se para o teto como se implorassem algo. — Levei treze anos pensando nisso e continuo não sabendo. A minha teoria é esta, restam lacunas para preencher, mas estou certo de que foi ele. Ele os matou. E fez isso sozinho.

TREZE

Eu precisava aclarar as idéias. No táxi, a minha cabeça dava voltas e mais voltas com aquilo que Castillo havia me contado e, ao chegar ao hotel, eu quis passear na área do jardim e da piscina situada no primeiro pavimento. Estava me dirigindo para lá quando o vi.

Ele estava sentado numa das mesas próximas da vidraça e me olhava. Agora, sim, eu tinha certeza; era o homem do aeroporto. O mesmo cabelo, a mesma barba branca, ainda vestia roupa escura e talvez fosse a mesma roupa. E aqueles ameaçadores olhos azuis. Olhava-me do jeito que fez no aeroporto, mas desta vez fiquei sobressaltada e imediatamente desviei o olhar. O que é que aquele indivíduo fazia no meu hotel? Mudei de idéia e dando meia-volta, fui na direção dos elevadores situados no lado oposto, depois de passar pela recepção. No caminho, olhei para trás. Eu não permitiria de maneira alguma que esse indivíduo me seguisse; a idéia de me encontrar sozinha com ele no elevador me horrorizava. Enquanto isso, ia raciocinando. Era muita casualidade topar outra vez com ele numa Barcelona tão grande. Além do mais, ele não tinha aspecto de hóspede do hotel.

Estava subindo no elevador com um tranqüilizador casal de idade, sem dúvida americanos da costa oeste, quando me ocorreu uma explicação lógica.

Depois de tudo, não era tão improvável que eu tivesse esbarrado nesse sujeito; ele poderia estar no aeroporto esperando alguém que chegava no meu vôo. Talvez fosse o chofer de um serviço de carros que aguardava o seu cliente. E também agora no hotel. Claro, devia ser isso... Mas o que é que estava fazendo nas Ramblas? Será que acompanhava algum turista?

Fosse quem fosse aquele homem, uma vez no meu quarto e já tendo fechado a porta com o trinco de segurança, eu me senti mais tranqüila. Era o aspecto feroz do indivíduo e sua maneira de olhar que me incomodavam. Não havia outros motivos, disse a mim mesma.

Fui direto à janela para ver de novo a cidade daquela perspectiva privilegiada. Lá embaixo, à direita daquele mar amplo, estendia-se a velha dama fazendo a sesta sob o sol da tarde. Localizei o final das Ramblas no monumento dedicado a Colombo e fiz o caminho oposto com meu olhar, passeio acima, onde estivera no dia anterior. Foi difícil seguir o trajeto, pois daquela distância e altura as edificações ocultam as ruas e somente pela conformação dos edifícios as avenidas que passam abaixo se deixam adivinhar. Mesmo assim, meus olhos vaguearam pelos traços aéreos do passeio público mais singular de Barcelona.

Ao girar meu corpo, fixei-me no telefone; uma luz vermelha piscava. Havia mensagens na secretária eletrônica. Uma era de Luis, às dez da manhã. Insistia em me convidar para um lanche. Queria falar comigo de qualquer maneira. Estava interessado em minhas descobertas e em conversar. Na mensagem seguinte surgiu uma voz de mulher que a princípio não consegui reconhecer.

— Olá, Cristina — dizia. — Bem-vinda a Barcelona. Espero

que você se lembre de mim. Sou eu, Alicia. Ligue para mim. Temos muito que falar e, como sua madrinha, quero que você seja minha hóspede enquanto estiver na cidade — ela soava com calor, pausada e segura de si. Depois repetiu duas vezes o número de um telefone. Escrevi-o no caderno de notas da mesinha. — Estarei esperando a sua ligação, querida.

Brincadeira, disse para mim. Aqui está o pesadelo da minha mãe. A mulher que ela parece temer. A verdade é que o monstro tinha uma voz profunda, mas aveludada e agradável. Considerei a possibilidade de retornar a ligação, mas achei que devia pensar um pouco mais. Vê-la implicaria o quê? Contrariar mamãe, claro. Mas eu já havia feito isso muitas vezes. Não era um fator decisivo na minha equação. Luis também havia me advertido sobre ela. Mas tampouco eu dava a isso maior importância. Em contrapartida, essa mulher devia saber um monte de coisas que me ajudariam em minha investigação sobre a morte de Enric. Se ela quisesse contá-las, é claro...

Como é que ela havia me localizado? Fácil, pensei: seu filho recebeu a intimação para a leitura do testamento de amanhã, logo eu também devia estar em Barcelona e o lógico seria deduzir que uma americana se hospedaria num hotel pertencente a uma cadeia americana. Era só uma questão de chamar pelo telefone e perguntar por mim. Óbvio.

A verdade é que eu me coçava de curiosidade. A mãe de Oriol. Por que se mostrara tão carinhosa comigo? O que eu esperava era que seu filho me ligasse, não ela. Será que ele guardava alguma lembrança terna daquele último verão, do mar, da tormenta e do primeiro beijo? Por que ainda não tinha me ligado? Talvez pela mesma razão que o fez não responder nenhuma de minhas cartas, ou quem sabe por causa daquilo que Luis havia me contado. Ele seria mesmo homossexual?

Ela dizia ser minha madrinha. Isto não era verdadeiro. Embora fosse correto chamar a mulher do padrinho de madrinha. Mas num batismo, nem sempre o padrinho e a madrinha estão relacionados entre si. Na realidade, não lembro quem foi a minha verdadeira madrinha; certamente alguma amiga ou parenta de minha mãe. Mas não ela, não Alicia. Ela nem sequer se casara na igreja com meu padrinho.

Além do mais, ainda que algumas vezes tenha acompanhado Oriol e Enric nas visitas que eles nos faziam, na maioria das vezes eles chegavam sozinhos. Desde pequena sempre achei que Enric e Alicia formavam um par estranho. Tinham casas separadas. Oriol vivia com a mãe na casa da avenida do Tibidabo e às vezes Enric dormia lá e, outras vezes, no apartamento dele. Sim, o do passeio público de Gracia, onde se suicidou.

O relacionamento que tínhamos com eles provinha da família de minha mãe, os Coll. O meu avô materno e o avô paterno de Oriol, o pai de Enric, sempre foram como irmãos. Os pais deles, ou seja, nossos bisavós, estabeleceram uma estreita amizade nos anos do fim do século XIX, época em que uma Barcelona desavergonhada pretendia competir com Paris como capital da arte. Freqüentavam o Els Quatre Gats, do mesmo modo que Nonell, Picasso, Rusiñol e Cases. Eram filhos de famílias da alta burguesia, mas se converteram em jovenzinhos rebeldes que, antes de se inscreverem incondicionalmente no teatro do Liceu, como lhes correspondia por família e tradição, haviam freqüentado as tertúlias artísticas da época. Nestas, eles participaram superficialmente de quase todos os *ismos* daquele mundo mutante do final do século XIX, sem esquecer os anarquismos, comunismos, cubismos, existencialismos e de forma mais constante o prostibulismo das ruas Aviño e Robador, onde costumavam ir com artistas de poucos recursos, mas de semelhante libido e de grande talento como aquele rapaz chamado Picasso.

As coleções de quadros eram dessa época, comprados por pouco e para ajudar seus amigos artistas necessitados, e passaram a valer fortunas que foram herdadas pelos avós e por estes distribuídas para sua prole.

Voltei à janela para contemplar aquela cidade onde a arte

continuava vibrando com seu alento. Por que minha mãe abandonou sua tradição, toda aquela história de lendas do passado? Por que acabou casando com um americano e praticamente fugindo da cidade? Sim, claro, ela se apaixonou pelo meu pai. A descendente de antigas fortunas, feitas à força de teares e de veleiros singrando oceanos para comercializar com as Índias, dignificadas pelas óperas no Liceu e depois ilustradas pelos movimentos de arte de vanguarda na rota da geração posterior, com a assistência de mecenas endinheirados e boêmios, enamorou-se por um engenheiro americano.

Sim, claro. Deve ter sido o amor... seria isso. O amor. Mas havia algo mais em toda essa história. Algo mais que me era oculto, mas que a minha intuição dizia que estava ali, escondido.

Então, soou o telefone.

— Alô! — atendi.

— Olá, Cristina! — identifiquei a minha interlocutora imediatamente. — Sou eu, Alicia, sua madrinha.

— Olá, Alicia! Como vai?

— Muito bem, querida. Eu deixei duas mensagens para que você me ligasse — na sua voz cálida e profunda havia um quê de reprovação.

— Eu já ia ligar, Alicia — por que esse tom de desculpa? Foi o que me perguntei. — Mas acabei de chegar — olhei o relógio e percebi que isso não era verdade, eu já estava no hotel há mais de uma hora.

— Pois bem. Eu me adiantei — ela concluiu. — Estou aqui e a espero na recepção.

— Onde? Aqui? — perguntei como uma estúpida.

— Onde seria, querida? No hotel.

Fiquei muda. No hotel? O que é que Alicia estava fazendo no meu hotel?

— Anda logo, não me faça esperar. Desce — completou ante o meu silêncio.

— Está bem, vou agora — repliquei obediente.

— Até já, querida.

— Até já.

"Enfim me encontro com Alicia", pensei.

Eu a reconheci de imediato. Alicia havia passado dos sessenta anos, mas a mulher que se levantou sorridente de uma das mesas do bar próximo à recepção aparentava muito menos.

Estava roliça, eu lembrava dela como uma fêmea de cadeiras largas, algo matrona, e esta característica havia crescido com o tempo.

— Querida, que prazer em te ver! — exclamou com sua voz profunda enquanto estendia os braços para mim. Acolheu-me entre eles e após um forte apertão me deu dois sonoros beijos. Exalava um perfume penetrante e suas pulseiras de ouro tilintavam.

— Olá, Alicia! — de alguma maneira a forte personalidade daquela mulher e o carisma que irradiava faziam com que eu me sentisse de novo como uma menina de treze anos. E seus olhos. Esses olhos de um azul profundo, algo rasgados, como os do seu filho Oriol. Ao vê-los de novo, estremeci.

— Que bonita que você está! — exclamou, pondo-se um pouco distante de mim para me observar. — Você se tornou uma mulher maravilhosa. Estou louca para ver a cara de Oriol quando vocês se encontrarem.

Ela sondou a minha expressão ao mencionar seu filho e eu tentei manter meu sorriso sem mudanças e não disse nada.

— Vamos, sente-se — convidou-me sem se importar com o meu silêncio. — Conte-me algumas coisas da sua família. Como é que eles estão nos Estados Unidos?

Obedeci, mas antes observei o lugar onde um pouco antes tinha estado aquele homem estranho. Não o vi e me senti aliviada.

Alicia era uma grande conversadora e passamos um tempo agradável falando trivialidades. Havia muitas coisas que eu queria lhe perguntar, mas não consegui inserir nenhuma delas na conversa. Eu sentia que ainda não havia muita confiança entre nós. De repente, ela disse:

— Eu vim até aqui para te levar para minha casa.

— O quê?

— Isso, vou te levar para minha casa.

— Mas...

— Nem mas nem meio mas, querida — falava com sua voz profunda e aveludada, mas cheia de autoridade. — A minha casa é enorme, tem vários cômodos para hóspedes, e não vou deixar que a minha afilhada fique sozinha num hotel.

— De maneira alguma — resisti, enquanto pensava com rapidez. Alicia, a temida pela minha mãe, a mulher perigosa segundo Luis, queria-me como hóspede, na casa onde vivia Oriol. Quantas intrigas sobre Enric poderiam ser desveladas? — Não quero incomodar.

— Incômodo é você ficar aqui! — disse rotundamente. — É quase uma ofensa. Está decidido, vamos para minha casa e amanhã lhe faço companhia na leitura do testamento, junto com Oriol.

— Mas... — ela não me escutou e foi até a portaria, onde começou a distribuir instruções. Fui detê-la, embora pressentisse que era inútil. Na realidade, eu queria ir. Observei como ela se comportava. Essa mulher tinha uma autoridade assombrosa. Falava quase como que em sussurros e os outros se inclinavam para escutá-la melhor. Deixou seu cartão de crédito no balcão e falou que podíamos ir.

— Nem pense em pagar minha conta.

— Já está feito — disse-me.

— Não aceito isso.

— Já é tarde. O gerente do hotel é meu amigo e eles não aceitarão o seu dinheiro. Quem convida a minha afilhada sou eu.

A despeito destas palavras, informei energicamente ao funcionário do balcão que quem pagava era eu, mas ele disse que a senhora tinha pedido a conta antes de eu ter descido do meu quarto, que ela havia se encarregado de tudo, e que era impossível anular a transação.

— Tenho que apanhar minhas coisas — disse-lhe por fim.

Eu me sentia incomodada com ela, não tanto porque pagara minha despesa, mas pelo domínio que parecia exercer ao seu redor, inclusive sobre mim.

— Não fique preocupada com isso, querida — ela falou com um gesto de "não importa". — A camareira e a minha empregada, que já está a caminho, vão se incumbir da sua bagagem. Em pouco tempo você estará com tudo bem arrumado no seu quarto, na minha casa — e, pegando meu braço, levou-me até a saída.

— Você deixou seu cartão.

— A minha empregada também vai pegá-lo.

— Você não assinou a conta em branco, não é?

Alicia soltou uma gargalhada.

— E que importa isso? — inquiriu com alegria. — É um hotel americano. E vocês americanos são todos honrados, não é verdade? — havia um fio de tom gozador na sua voz aveludada.

"Se eu te contasse", pensei.

Que pernas bonitas você tem, querida! — o carro de Alicia parou num dos sinais luminosos das Ramblas; a inesperada aparição dessa mulher no hotel me deixou sem tempo para mudar de roupa e, sentada num assento baixo, a minissaia que eu havia usado para o delegado subia até acima da metade das minhas coxas. Ela acariciou meus joelhos e eu fiquei em alerta. Por um momento me arrependi de ter aceitado sua hospitalidade.

— Obrigada — repliquei com cautela.

— Deixei instruções no hotel para que eles tomem nota das ligações para o seu quarto, como se você continuasse sendo uma hóspede — sorria. — Assim ninguém ficará sabendo na América que você está comigo.

"Ela sabe que minha mãe não gosta dela", pensei comigo.

Cruzamos a cidade pelo eixo vertical que vai desde o porto velho até a serra de Collserola. Ramblas, passeio de Gracia e Mayor de Gracia, até chegar à avenida do Tibidabo, onde Alicia conservava o casarão modernista dos Bonaplata com vista privilegiada sobre Barcelona. Durante o percurso a mulher foi relatando anedotas da cidade, e no passeio de Gracia ela foi apontando os lugares em que ainda viviam os amigos comuns de nossas famílias, contando fofocas rápidas e saborosas sobre alguns deles. Usava o mesmo tom cúmplice com que uma amiga conta segredinhos a outra; Alicia me fazia sentir uma estranha camaradagem.

QUATORZE

A cidade havia mudado em muitos aspectos, mas aquela casa estava do jeito que eu lembrava. Só que tudo tinha encolhido um pouco desde os tempos passados. A última vez que estive lá, em nossa despedida de Barcelona, eu mais baixa e agora meu crescimento me fazia ver todas as dimensões reduzidas com relação às minhas lembranças. Essas mesmas que conservavam o alegre badalar do bonde azul, o único que ainda funcionava na cidade e que chacoalhava na frente da casa de Alicia, subindo e descendo a ladeira. Era um dos modelos mais antigos que circulavam e transportava os visitantes da estação Ferrocarriles Catalanes ao funicular que os levava até o cume, junto ao templo do Sagrado Coração e ao parque de atrações da Tibidabo. A avenida, o bonde, o funicular, o antigo parque, sempre antigo apesar das renovações, com seus maravilhosos autômatos de décima nona geração ainda funcionando, seu avião falso, o labirinto e o castelo da bruxa; tudo tinha para mim, quando menina, e continua tendo, uma magia especial.

— O seu hotel não é o único que tem uma vista panorâmica de Barcelona — disse Alicia depois de mostrar a parte da grande escadaria central, a cozinha e o salão que dava para o esmerado jardim, lugar de memoráveis aventuras infantis. — Vem.

E subimos diretamente ao terceiro pavimento, onde ficava o seu gabinete privado. Eu nunca tinha estado naquele cômodo e dali se descortinava a cidade em sua panorâmica oposta. Ao fundo estava o mar, de azul intenso, iluminado pelo sol que chegava pelas nossas costas, e a montanha de Montjuïc com seu castelo. E ali, no centro, estendia-se a cidade, cobrindo-se pouco a pouco das sombras vespertinas.

— Quer dizer que foi você a herdeira do anel de Enric — disse Alicia de supetão. Talvez fosse o tom de sua voz que havia mudado, ou a expressão de sua cara de gata ou então ela falou com uma intenção especial. O fato é que me sobressaltei.

No seu gabinete do último pavimento, Alicia fez com que servissem o lanche. O céu ainda mostrava os reflexos de um sol já oculto em algumas nuvenzinhas cor-de-rosa que flutuavam sobre o mar, enquanto abaixo dominava o crepúsculo e as luzes da cidade acendiam-se aos nossos pés. Eu já tinha tido tempo de verificar se meus pertences, que chegaram com uma velocidade espantosa, estavam dispostos no meu quarto do meu jeito e de percorrer aquele querido jardim.

Mas, para minha desilusão, ele não apareceu.

A única referência que Alicia fez do seu filho foi ao assinalar "este é o quarto de Oriol", que estava ao lado do meu, mas não pude vê-lo, como se ele o tivesse fechado à chave. Contive minhas perguntas; no fundo eu esperava encontrá-lo nas escadas ou em algum recanto do jardim. Achei que ele não devia estar em casa.

Falamos dos meus pais, da diferença que era viver em Nova York e de repente ela se fixou na minha mão.

— Este anel é de noivado?

— É, sim.

— Deve ser um grande rapaz — disse sorrindo.

— E é mesmo. Trabalha na bolsa.

— Essa gente de Wall Street está acostumada a ficar com o melhor — havia um brilho malicioso nos seus olhos azuis.

Eu sorri sem responder e de repente ela soltou esta frase:

— Quer dizer que foi você a herdeira de Enric — e eu esperei até me recuperar, antes de responder:

— Recebi de surpresa no meu último aniversário, alguns meses antes da carta do tabelião intimando-me para o dia de amanhã.

— O seu padrinho gostava muito de você — disse com lentidão. Seu olhar tornou-se triste, como se sentisse ciúme. — Ele te adorava — enfatizou.

— Ele sempre foi muito carinhoso comigo — rebati. — Era como se fosse meu tio.

— E também gostava muito de sua mãe. Muito.

Eu não soube como responder a isso. Não me agradava que se colocasse minha mãe na conversa. Ela pretendia insinuar alguma coisa?

— Eu devia ter desconfiado — ela continuou. Falava como se estivesse pensando, como se ruminasse uma velha ofensa. — O anel. Não era para mim. Nem para o filho dele. Ele preferiu lhe mandar como presente de aniversário...

Essa mulher já estava fazendo com que eu me sentisse culpada por estar com aquela argola de rubi, o que me incomodava e já me fazia querer estar no meu hotel. Sozinha. Ou talvez jantando com Luis. Agora aquele impertinente divertido fazia falta. Mas, como se

Alicia lesse o meu pensamento, a sua cara larga de felino iluminou-se com um sorriso cordial.

— Mas fico muito contente por ele estar com você, querida! — passou a mão pelo espaço da mesa livre de utensílios e acariciou a minha. — Você me deixa vê-lo?

Retirei o anel do meu dedo e o estendi. Ela o pegou com respeito e o olhou contra a luz.

— É lindo — disse. — É uma obra de grande maestria da ourivesaria de seu tempo, do século XIII. Veja! — levantou-se para apagar a luz elétrica e, aproximando o anel da chama de uma das velas da mesa, projetou o seu reflexo sobre a toalha. Lá estava a cruz vermelha, esbatida pela distância, palpitando conforme o movimento da chama. Inquietante, misteriosa. — Não é fabuloso?

— É, sim — repliquei. — É incrível a forma com que foram capazes de enganchar o rubi, com sua base lavrada de marfim, no anel de ouro.

— Marfim? Que marfim?

— Ora... o do anel, a base que sustenta a pedra e permite ver a cruz vermelha graças às bordas brancas. De marfim...

Alicia soltou um risinho.

— Não é marfim, querida.

— Então, o que é?

— É osso.

— Osso?

— Sim. Osso humano.

— O quê?

Ela voltou a rir.

— Não se assuste. A peça branca talhada na base do anel é parte de um osso humano.

Olhei aquela argola com apreensão. Não era nada engraçado carregar no meu dedo um pedaço de cadáver. Pensei que talvez essa mulher estivesse curtindo comigo, rindo-se de uma crédula turista americana ao lhe contar velhas histórias de fantasmas.

— É uma relíquia — acrescentou. — Já ouviu falar de relíquias?

— Bem, ouvi alguma coisa, mas eu nunca...

— Hoje em dia já perderam a popularidade. Mas foram de uma importância capital na Idade Média, na verdade, até há poucos anos. São os restos mortais dos santos. Antigamente também eram montados nas espadas, e faziam-se fabulosas peças de ourivesaria para melhor guardar os santos despojos. Ainda hoje as relíquias são veneradas em muitas igrejas. Não sabemos a que santo a relíquia do anel pertencia. Talvez tenha sido um herói templário que morreu como um mártir em defesa de sua fé.

— Templário?

— Você também não ouviu falar dos templários? — Alicia abriu seus olhos como que assombrada. A luz das velas da mesa se refletia neles e dava-lhe um aspecto misterioso de feiticeira.

— Bem, eu... ouvi alguma coisa — pensei que com ela não poderia me fazer de esperta como com Luis e que seria melhor escutar o que ia dizer.

— Pois saiba que eram alguns frades que, além dos votos de obediência, castidade e pobreza, defendiam a fé cristã pela força das armas. Agrupavam-se em ordens e cada ordem tinha várias hierarquias e um chefe supremo: o grão-mestre. Afora os da Têmpera, ainda havia as ordens do Hospital, do Santo Sepulcro, os teutônicos, e ao extinguirem-se os templários logo surgiram em grande número. Não vou lhe contar mais porque pressinto que em poucos dias você vai se converter numa especialista sobre eles. Este é um dos símbolos templários — e projetou de novo a cruz sobre a toalha. — Dizem que o seu anel pertenceu ao grão-mestre. A posse deste anel representa uma grande responsabilidade, querida.

— Por quê?

— Porque é preciso ser digna dele. Dá uma grande autoridade moral, e você é a primeira proprietária feminina na história.

Fiquei olhando para ela sem saber o que responder; aquela

argola me preparava uma surpresa atrás da outra. Alicia pegou a minha mão e acariciou-a. Notei que havia em mim um misto de atração e repulsão e os meus pêlos se eriçaram; alarmada, pensei comigo que aquela mulher era mestra em seduções. Depois, com ternura, lentamente coloquei o anel no meu dedo. Ela voltou a acariciar minha mão, enquanto dizia com sua voz profunda:

— Se ele é seu é porque você merece — fez uma pausa. — Você não sabe o quanto a invejo, querida.

Naquela noite custei a dormir. Era um bonito quarto com uma janela ampla sobre a cidade, decorado com lindos móveis de época. Apesar de estar desfrutando a conversa com minha anfitriã, eu quis terminar logo com a noitada e, ao chegar ao meu aposento, fechei o ferrolho da porta. Agradeci por ele estar ali. Que estranha mulher essa Alicia! Eu estava inquieta. Onde estaria Oriol? Olhava o meu anel com apreensão. Que brincadeira aquela história da relíquia! Não era nada engraçada! A pedra brilhava esmorecida à luz da lâmpada, como se dormisse. Com que tipo de coisa me depararia no dia seguinte? Será que o veria? No tabelião. E essa herança? Uma última gozação de Enric? Pus o meu pijama, mas estava demasiadamente inquieta para deitar. Apaguei as luzes e abri a janela. Uma brisa fresca e agradável me deu as boas-vindas. A noite. Outra vez a noite e a cidade. Eu a via de longe e ouvia o rumor de um automóvel na rua mais próxima e o guinchar de um outro veículo em alta velocidade, lá embaixo, no meio da rua. Depois, silêncio.

QUINZE

Não existe ansiedade que apresse os acontecimentos desejados, nem impaciência que faça o relógio avançar mais rápido; pelo contrário, às vezes ele nos faz acreditar que estamos parados ou que andamos ao revés. A verdade é que a hora chega na sua hora e o que tem de amadurecer amadurece ou fica verde... para sempre, ou isso, ou aquilo e blá, blá, blá... Às vezes, quando fico nervosa, tenho de tagarelar. A minha profissão de advogada está fazendo com que eu aprenda a me controlar, mas, sentada no táxi, naquele dia não havia como evitar que o meu eu interior batesse um papo compulsivo com esse outro eu, que tampouco deixava de falar pelos cotovelos, e não sei de que diabo de lugar isso sai quando estou tensa.

O motivo é que, afinal, eu ia encontrar-me com ele.

Não consegui dormir bem naquela noite. Pensava no que Enric devia ter sentido nas suas últimas horas ou no que pôde ter feito naqueles dias que o delegado Castillo não conseguiu reconstruir, ou no carinho excessivo de Alicia, com suas carícias de alguém que sabe muito bem como dar prazer, ou no estremecimento por ter sido informada que no meu anel havia restos humanos, ou no fato de que teria de me deparar com essa misteriosa herança na manhã seguinte e de que por fim veria Oriol.

E começava tudo de novo. Eu me perguntava como Oriol reagiria em nosso encontro, que relação essa leitura da herança treze anos depois da morte de Enric teria com o assassinato daqueles homens em Sarriá, e me dizia que talvez tivesse sido um equívoco aceitar o convite de Alicia, e via brilhar o rubi de sangue. Em sonhos, meio adormecida, cheguei a ficar obcecada pensando que a pedra queria me advertir de alguma coisa.

E como um ato contínuo o carrossel das imagens e pensamentos voltava a girar.

Ainda pude dormir um pouco, mas é difícil precisar quanto. O certo é que pela manhã eu tive de recorrer à maquiagem para dissimular as minhas olheiras.

Cheguei de táxi no endereço do tabelião. Alicia me dissera: "Eu a acompanharia com gosto, mas não creio que eles estejam esperando por mim". E assim, com essa facilidade, ela se liberou da sua oferta do dia anterior.

Ao chegar à porta faltavam vinte minutos para o horário previsto na intimação e pensei comigo que um chá de tília me convinha mais que café, mas ainda assim entrei no bar e pedi um café e um *croissant*. O café exalava um odor fenomenal e o *croissant* não era envernizado, tinha as pontas tostadas e isso me fazia lembrar com prazer nostálgico das leiterias, esses bares de desjejum e lanche com um estilo que só vi em Barcelona, e de seu chocolate espesso e amargo servido na taça.

Faltavam cinco minutos para a hora marcada quando subi ao escritório situado no primeiro andar do imóvel.

Era um desses edifícios antigos, cheio de flores e de belas volutas esculpidas em pedra e de paredes interiores decoradas com motivos vegetais. A porta do tabelião, de rica madeira trabalhada a cinzel guarnecida por um formoso olho-mágico e com outros adornos de metal polido, não desmerecia em nada a arte do resto do imóvel.

— O senhor tabelião está esperando-a — disse a secretária cinqüentona que veio abri-la, e isto me surpreendeu. Os tabeliões quase sempre se fazem esperar.

A mulher me levou a um escritório luminoso, de tetos altos, com duas grandes janelas que davam para a rua. A madeira de carvalho forrava o solo e a metade da parede.

— Senhorita Wilson! — um homem de uns sessenta anos levantou-se de trás de uma grande escrivaninha para saudar-me. Apresentou-se como Juan Marimón e fez o gesto de beijar-me a mão. Sentado frente ao bufê, Luis também esperava e levantou-se sorridente para me dar dois beijos.

— Sente-se, senhorita — disse o homem, apontando uma cadeira ao lado de Luis. — O senhor Oriol Bonaplata chegará daqui a pouco.

— Esperemos... — Luis acrescentou com um sorriso escarninho.

— O senhor Enric Bonaplata era um bom amigo — continuou o homem, fazendo omissão ao comentário —, e sua morte afetou imensamente a todos nós.

— A senhorita se importaria em me mostrar seu passaporte? — inquiriu em seguida. — É preciso cumprir a lei. Quanto aos senhores Bonaplata e Casajoana, já os conheço há anos.

Peguei meu passaporte, ele fez suas anotações e logo começou a dissertar sobre as virtudes de Enric. Meu olhar cruzou com o de Luis e ele aproveitou para me lançar uma piscadela simpática. Ele trajava uma elegante roupa cinzenta, camisa de cor salmão muito pálida, quase branca, e gravata. Depois olhei meu relógio: já eram dez horas e dois minutos. Voltei meus olhos para o tabelião, que em tom amável e pausadamente não tinha parado de falar desde que nos sentamos. Em que diabo de lugar estaria Oriol? Será que ele não ia assistir à leitura do testamento do seu pai?

— ... precisamente na mesma manhã do dia de sua morte o senhor Bonaplata esteve neste escritório — esta frase me tirou dos meus pensamentos. De repente surgia ali a oportunidade de reconstruir as últimas horas de Enric. Mas a conversa do homem seguiu em outra direção.

— O senhor disse que ele esteve aqui naquela manhã? — interrompi-o.

— Sim.

— A que hora?

— Não poderia dizer com exatidão.

— Mais ou menos.

— O senhor Bonaplata me chamou pela manhã e solicitou uma entrevista para aquele mesmo dia. Eu não tinha mais horário, mas, por tratar-se dele... bem, o meu pai era tabelião do pai dele, e o meu avô, do avô dele. E nossos bisavós também. Claro, eu não podia negar um favor pedido com tanta insistência... porque...

— Então o senhor teve uma entrevista com ele? — não pude evitar o corte.

Ele calou e me olhou magoado, e eu me senti culpada. O homem não funcionava no ritmo de Nova York. Luis me olhava com um sorriso divertido.

— Sim. Concedi a entrevista — disse por fim. — Arranjei um intervalo no final da manhã, quase na hora do almoço.

— E como ele estava? O senhor achou que ele estava alterado?

— Não. Não lembro de nada em particular. Mas me surpreendeu que ele quisesse fazer um segundo testamento sem mudar o primeiro.

Neste momento pequenas batidas na porta interromperam os meus pensamentos.

— Entre — disse o tabelião.

— O senhor Oriol Bonaplata — a secretária anunciou.

E ele apareceu.

A primeira coisa que vi foram seus olhos azuis ligeiramente rasgados. Aqueles mesmos que eu lembrava. E seu sorriso, aquele mesmo sorriso quente e largo. Apesar do tempo passado eu o teria reconhecido no meio de um milhão de pessoas. Ele, e com ele o último verão, a tormenta, as rochas, o mar, o primeiro beijo.

— Cristina! — ele exclamou e veio até mim. Levantei-me, demos dois beijos nas bochechas um do outro e ele me deu um abraço tão apertado que me deixou sem fôlego, não pela força e sim pelo poço de sentimentos que se mexeu dentro de mim.

— Como vai, Oriol? — repliquei. Mas se eu tivesse dito aquilo que o meu acelerado coração ditava, naquele instante teria saído de mim um sonoro: "Maldito seja, por que você não cumpriu sua promessa? Por que não respondeu nenhuma de minhas cartas?".

Luis e ele se saudaram com outro abraço e depois Oriol cumprimentou o tabelião.

Já não era mais aquele rapaz alto, com espinhas na cara, magricela e tímido que não sabia o que fazer com as pernas que tinham crescido demais. Alto, sim, ele continuava sendo, mas agora mostrava um aspecto atlético e movimentos seguros. Sentou-se na cadeira livre à minha direita e com um gesto carinhoso pôs sua mão no meu joelho, dizendo:

— Quando é que você chegou? — e, sem esperar pela resposta, acrescentou: — Você está muito bonita.

Eu quase tive um troço. O breve contato do calor de sua mão na minha perna foi como uma descarga de mil volts.

— Gentileza sua, Oriol — balbuciei. — Cheguei na quarta-feira.

— E como é que estão os teus velhos? — ele havia se esquecido dos outros dois, como se estivéssemos sozinhos no escritório.

Isso me lisonjeava. Ao vê-lo melhor, achei que estava muito bem apresentável, não da forma que eu temia depois daquilo que Luis me antecipou. Vestia uma calça acetinada de cintura bem marcada e uma jaqueta escura combinando. O seu cabelo exibia um rabo de cavalo e definitivamente ele havia tomado banho e feito a barba nessa manhã. Eu me senti aliviada. Não cheirava a nada. Eu não esperava que ele se perfumasse, mas, quanto a odores, *no news, good news.*

Em algum dos pensamentos daquela minha tormentosa noite, ao ver que ele não aparecia na luxuosa mansão de sua mãe, eu o havia imaginado dormindo num saco de dormir no chão de um casarão abandonado, sem água corrente e com o cabelo revolto tipo *rasta*, cheio de cinzas de maconha.

— Não quero importuná-lo, senhor Bonaplata — interrompeu o tabelião com um sorriso amável —, mas vou proceder à leitura do testamento de seu pai. Estou certo de que depois vocês terão muito tempo para falar.

Oriol concordou e o tabelião, depois de colocar os óculos e pigarrear um pouco, se pôs a ler com voz solene.

O homem dizia que no primeiro dia de junho de mil novecentos e oitenta e nove Enric compareceu ante ele, tabelião da ilustre corporação, blá, blá, blá, e que o considerara na posse de suas faculdades físicas e mentais, e, ao terminar essa conhecida retórica, ele disse:

— "Para a senhorita Cristina Wilson, minha afilhada, eu lego a parte central de um tríptico do final do século XIII, ou início do XIV, que representa a Virgem Maria e o Menino. Está pintado a têmpera sobre um quadro de madeira e mede uns trinta por quarenta e cinco centímetros."

Fiquei surpresa. Então o meu quadro era parte de um grupo de três?

— "E também um anel do mesmo século com um rubi enganchado em aro de ouro. O quadro em questão já está em seu poder e lhe foi enviado na Páscoa deste mesmo ano, e o anel entrego neste ato ao tabelião para que seja enviado para Cristina no seu vigésimo sétimo aniversário, meses antes da leitura deste testamento.

"Ao meu sobrinho, Luis Casajoana Bonaplata, lego a parte direita do tríptico, um quadro de uns quinze centímetros por quarenta e cinco, que representa Jesus Cristo no seu Calvário na parte superior, e são Jorge, embaixo, e que se encontra no cofre de segurança de um banco.

"E para o meu filho, Oriol, lego a parte esquerda do dito tríptico, com as mesmas dimensões, que representa o Santo Sepulcro e a Ressurreição acima, e são João Batista, abaixo."

O tabelião fez uma alínea para afiançar que o texto que vem a seguir era uma carta do próprio Enric Bonaplata, que ele havia autenticado, e continuou sua leitura:

— "Meus queridos, o tríptico contém, segundo a tradição, as chaves que permitem localizar uma fabulosa fortuna. É um tesouro dos templários dos reinos de Aragão, Valência e Maiorca que o rei Jaime II nunca pôde encontrar. Existe quem suponha que esse tesouro esconde nada menos que o Santo Graal, o cálice com o verdadeiro sangue de Cristo coagulado que José de Arimatéia recolheu ao pé da Cruz. Caso isso esteja certo, o poder espiritual que essa Santa Taça contém é incomensurável.

"A lenda se confirma quando os três quadros são submetidos ao raio X, pois existem algumas frases ocultadas debaixo da pintura que falam sobre o tesouro. Tive pouco tempo para estudálas, mas o bastante para saber que falta alguma coisa, que ali não está toda a informação. Vocês deverão então encontrar as chaves ausentes, uma vez que minhas horas terminam e não me resta energia para buscá-las.

"Quero preveni-los de que vocês não são os únicos interessados no tesouro. Espero que os meus inimigos acabem perdendo a pista ou a esperança de encontrá-lo com o passar do tempo. Se não for este o caso, quero que saibam que eles são muito perigosos e que, se ontem ganhei uma batalha contra eles, a vitória ainda está distante. Sejam discretos e cuidadosos.

"Por diferentes razões quero aos três como filhos meus. A vida separa as pessoas e minha vontade é que os três se unam de novo como estavam no ano de 88, na adolescência.

"O menor valor da minha herança está nas pinturas e no anel. Para mim, tampouco o tem agora esse tesouro lendário que encerra a fortuna de um rei. A herança que pretendo lhes dar é a aventura de suas vidas e a ocasião para vocês renovarem a amizade que uniu nossas famílias através de gerações. Desfrutem o tempo, juntos, desfrutem a aventura. Oxalá tenham êxito. Escrevi uma carta à parte para cada um de vocês. Que Deus lhes dê felicidade."

Marimón nos olhou por cima dos seus óculos, profissionalmente, seriamente; contemplava nossos semblantes. Em seguida, um sorriso quase infantil surgiu em sua cara e ele disse:

— Que emocionante! Não é verdade?

DEZESSEIS

Pedimos ao tabelião que nos deixasse em algum lugar onde pudéssemos ficar sozinhos. Eu me sentia alterada; não sabia o que era mais excitante: a confirmação da existência do tesouro ou meu reencontro com Oriol. Eu morria de vontade de falar com ele a sós, mas não era o momento oportuno, era preciso saber esperar.

— É verdade! O tesouro existe! — Luis exclamou tão logo nos sentamos na saleta que o tabelião nos cedeu. — Um de verdade, não como em nossos jogos infantis com Enric!

— Minha mãe já tinha me falado — Oriol interveio com tranqüilidade, apenas dissimulando o seu entusiasmo. — Não me surpreende — e olhou-me sorridente. — E você, Cristina, qual é a sua opinião?

— Luis também já tinha me falado, mas fiquei surpresa. Não posso acreditar que seja verdade.

— Eu também — afirmou Oriol. — Embora a minha mãe

esteja convencida disso. Até que ponto é real! O meu pai era muito fantasioso. Mas, e se realmente existiu o tal tesouro? Será que alguém já não o encontrou há centenas de anos? E, se ainda existe, será que seremos capazes de achá-lo?

— Mas é claro que existe — afirmou Luis. — E vou fazer tudo que seja necessário para encontrá-lo. Vocês já se imaginaram abrindo cofres cheios de ouro e deslumbrantes pedras preciosas? Uau! — depois ficou sério e disse, olhando para o seu primo:

— Vamos lá, Oriol, não seja estraga-festa. Essa grana viria a calhar. E se você não tem interesses materiais, é melhor deixar o tesouro para nós, os pobres.

Oriol aquiesceu. É claro que ele faria o possível para encontrar esse tesouro. Afinal de contas, era a vontade póstuma de seu pai, não?

— Eu também gostaria de participar dessa busca — disse-lhes. — Exista ou não esse tesouro. Seria o último dos jogos que jogávamos com Enric quando crianças. Em sua homenagem e pela aventura.

Então fiquei a pensar. Eu havia tirado férias de uma semana na firma. Cheguei na quarta, estávamos no sábado e eu deveria pegar o avião na próxima terça. Não tinha nem idéia de quanto tempo precisava para achar um tesouro, mas estava certa de que três dias não davam para nada.

Os primos Bonaplata deviam estar vendo algo no meu rosto, porque me olhavam com interrogação.

— O que há? — inquiriu Luis.

— Tenho de regressar para Nova York na terça-feira.

— Ah, não! — disse Oriol, pondo sua mão sobre a minha que estava apoiada no braço da poltrona. — Você fica conosco. Até encontrar seja lá o que for — seu contato, seu olhar, seu sorriso, aquele odor de mar, verão e beijo me fizeram estremecer.

— Eu tenho de voltar a trabalhar!

— Pede um ano sabático. — replicou Luis. — Imagine o bem que o afago de todas essas riquezas medievais vai fazer para o seu

Entrei num bar cujas amplas janelas deixavam ver o caminhar das pessoas pela calçada e me sentei numa mesa de onde eu podia observar o espetáculo. Pedi alguma coisa para comer e tirei a carta de Enric do meu bolso.

Fiquei detida contemplando o envelope com meu nome escrito com uma cuidadosa caligrafia à pena. Havia em mim um temor reverente frente àquele invólucro fechado durante treze anos que começava a amarelar. Eu sentia o meu coração nas mãos.

Por fim, com muito cuidado e ajudada por uma faca, rasguei uma das extremidades do envelope.

> "Minha querida. Sempre te amei como se quer a uma filha. Que pena não poder te ver crescer, que tivesses ido tão longe!"

E ali, na frente da minha coca *light* e da salada de frango, as lágrimas me escaparam. Eu também gostava dele! Muito!

> "Se ocorrer o que creio que ocorrerá, hoje tu vives uma vida bem diferente, longe dos teus amigos de infância. Certamente não terás visto nem Oriol nem Luis durante muitos anos. Por isso, porque estás tão distante dos outros, eu quis que fosses tu a possuidora do anel. O anel te obrigará a regressar. Ele tem poder. Este anel não pode pertencer a qualquer um e dá a seu dono uma autoridade singular. Mas às vezes ele também pede em demasia, mais do que se lhe pode dar.
>
> Apresenta-te com ele na Livraria Del Grial, situada no bairro antigo, e mostra-o ao proprietário. Estou certo de que ela estará funcionando mesmo depois de treze anos. Mas, se por qualquer motivo não for assim, o senhor Marimón, o tabelião, terá nomes e endereços, que a ele confio em envelope fechado, daqueles a quem deves dirigir-se.
>
> Este anel é um símbolo da tua missão. Deverás conservá-lo até que encontres o tesouro. Se no final triunfares nesta empreitada, ou se decidires abandoná-la e somente nestes casos, poderás te

desvencilhar dele. Então, ele deverá ser presenteado para quem considerares mais apropriado. Deve ser alguém muito forte de espírito, porque este aro tem vida e vontade próprias. Mas a melhor pessoa seria tu mesma.
Desfruta este último jogo comigo. Encontra este tesouro que não pude encontrar, pois não o merecia ou não quis encontrá-lo. Sê feliz com Luis e Oriol.
Quero-te muitíssimo, desde antes de teres nascido.
Teu padrinho.

Enric."

As lágrimas resvalavam pela minha face, ameaçando cair na mesa. Cobri o rosto com as mãos. "Enric, querido Enric." Meu Deus, eu também o amei muitíssimo! O que você quis dizer na sua carta com o me queria desde antes de eu ter nascido? Certamente eu nunca o saberia. Referia-se à minha mãe? Eu percebia os meus dedos úmidos e quis disfarçar olhando a calçada, luminosa, concorrida, colorida. O vidro devolvia o reflexo da minha imagem redesenhada a traços tênues, impressionistas. Minha madeixa curta e loura, meus lábios que ainda conservavam o carmim da manhã, e eu quase não via meus olhos. Esta era eu? Ou somente o fantasma daquela menina que teria sido se nunca houvesse abandonado Barcelona? Essa mulher que eu jamais seria. Um soluço agitou meu peito e as lágrimas retornaram aos borbotões.

Deus! Como me doía naquela hora a nostalgia da minha meninice! E a lembrança de Enric. E a saudade daquele adolescente desengonçado que beijei na tormenta e que certamente não era o homem que hoje eu havia cumprimentado como Oriol.

A tristeza por Enric havia se convertido em autocompaixão e minhas lágrimas amargas tinham um sabor doce. Senti pena dessa menina perdida no tempo e dessa mulher jovem esgotada pelas emoções das últimas horas, pelos sentimentos que não a deixavam dormir.

Chamei o garçom e pedi uma garrafa de vinho, depois pensei que meia garrafa seria mais conveniente. Eu não tinha o hábito de beber álcool no almoço, mas havia decidido me conceder o prazer de uma boa relembrada lacrimogênea. E isto não combina bem com uma coca *light*.

DEZESSETE

Luis vive num ático, em Pedralbes, frente ao monastério que dá nome ao bairro, um harmonioso conjunto conventual formado por igreja, claustro e outras dependências do século XIV, com torres e telhados formosos, todo protegido por muralhas. Pedralbes já tinha sido engolido pela grande urbe, mas Luis me contou que, quando dona Elisenda de Montcada, a esposa do rei, o fundou, o bairro ficava perdido ao pé do morro, longe da cidade, e havia muitos foragidos, de modo que as freiras procuravam proteger-se de visitas indesejadas atrás dos muros e com gente armada. Ele também tem um apartamento com vistas para o outro lado: a cidade e, ao fundo, a linha do mar. A habitação está em nome de sua mãe, e vai se saber por quê. Mas pensei que talvez fosse uma tática de proteção, ao estilo das freiras clarissas e seus muros. Só que à maneira moderna. Por isso, no serviço de informação telefônica não me deram esclarecimentos a respeito de nenhum dos primos Bonaplata e Casajoana em Barcelona. Eles teriam lá suas razões.

Eu esperava encontrar todo mundo animado. Mas não foi assim. Luis abriu a porta com um esgar triste e apontou sua bochecha com o dedo, seguindo a trajetória de uma lágrima. Entendi de imediato; ele me dizia que Oriol havia chorado e depois fez um trejeito equívoco, referente à tendência sexual do seu primo, sabendo que este não o olhava. Sua mímica me desgostou. Em voz alta ele me dava boas-vindas, mas em silêncio me contava outra coisa. Oriol estava lá dentro, no salão, e Luis não queria que ele visse a sua gesticulação que tanto me lembrava nossa época de criança. Mas desta vez não estava sendo nada engraçado.

— Olá, Cristina — disse Oriol, com olhar abatido, sem se levantar da poltrona. Os seus olhos azuis estavam avermelhados. De fato, ele havia chorado. Mas isto não queria dizer que fosse homossexual ou afetado, como Luis acabara de insinuar em seu arremedo. Eu entendia o seu pranto. O bilhete de Enric me havia feito soltar uma choradeira das boas. Quantas lágrimas eu não teria derramado se fosse o meu próprio pai? Um pai desaparecido na infância, esse pai tanto tempo relembrado e que agora falava em carta póstuma. Uma missiva que, esperando treze anos, trazia seus últimos pensamentos. Quem não se emocionaria?

Eu teria dado qualquer coisa para ler a carta dele. Mas era algo muito íntimo e não me atrevi a lhe pedir. Pelo menos não naquele momento.

— Olhe-as! — disse Luis, apontando os dois pequenos quadros apoiados no alto de uma cômoda. Mediam pouco menos de um palmo de largura por dois de altura e avultavam no conjunto, como aquele que eu tinha na casa dos meus pais. Eram idênticos no estilo e na cor.

— Então estes formam um tríptico com o meu quadro, não é?

— É, sim — Oriol confirmou. — As madeiras, embora tratadas para sua conservação, estão bastante deterioradas pelo caruncho, mas alguns restos de gonzos ainda podem ser visto nos lados. Por sorte, a pintura se fazia à têmpera, isto é, sobre uma camada de gesso, indigesto para o caruncho.

— Gonzos?

— Sim, dobradiças — Oriol esclareceu. — Pelo seu tamanho, este tríptico era um pequeno altar portátil. Estas duas peças funcionavam como portas que se fechavam sobre a tua, a maior. Devia ter algum tipo de asa e com este tamanho reduzido era facilmente transportável. Os templários deveriam usá-lo nas suas missas de campanha.

— Templários? — Luis quis saber. — Como é que você sabe que pertenciam aos templários?

— Pelos santos.

— Que santos são esses? — perguntei.

— O do quadro de Luis, o que se postava à esquerda da parte central e abaixo da cena do Cristo crucificado no calvário, é são Jorge, que está em pé sobre o dragão da lenda.

Olhei o quadro disposto à minha direita que corresponderia à esquerda do conjunto. Tal como dizia Oriol, estava dividido em duas pinturas. Na parte inferior, um guerreiro, em pé sobre um bicho na forma de uma réptil e não maior que um mísero cachorro, vestia uma malha sob uma túnica curta, capa, elmo, coroa de santidade, e segurava uma lança.

— Que porcaria de dragão! — eu disse.

Ambos riram.

— É, sim — disse Luis. — Que merda de bicho. Em vez de matá-lo, se poderia afugentá-lo a pontapés.

— A pintura gótica, pelo menos a do século XIII e do início do XIV, não se preocupa com as proporções nem com a perspectiva — Oriol nos esclareceu. — O importante é que o santo seja identificado. Se um guerreiro é pintado pisando algum réptil, ele é são Jorge. Só que este aqui é muito particular.

— Por quê?

— Porque geralmente ele é representado com uma cruz vermelha, mas alargada e fina, a de um cruzado comum. Não como esta. Esta é claramente uma cruz pátea, a cruz da Têmpera. As origens do santo o situam na Ásia Menor e ele era um oficial do exército romano que, convertido ao cristianismo, sofreu todo tipo de martírios, que currículo! "Advogada brilhante e especialista em testamentos com tesouros"; êxito garantido. Todos os escritórios em Nova York vão brigar por você.

Esta bobagem me fez rir.

— Fica com a gente — Oriol me interrompeu com uma voz profunda que me lembrou sua mãe. Continuava com sua mão em cima da minha.

Não dei resposta afirmativa. Sei resistir à pressão. Mas eu desejava ficar com toda a força da minha alma. Concordamos que eles iriam correndo ao banco antes que fechasse, para apanhar as outras duas peças do tríptico. Eu propus que nos encontrássemos no apartamento de Luis depois que comêssemos; precisava de tempo para pensar e queria ler a carta de Enric a sós.

Andei até o porto e aos poucos me submergia no ambiente colorido das Ramblas. Aquela multidão variada com sua vibração vital me atraía como ímã.

Ainda lembro daquele dia da minha infância em que Enric levava nós três para a feira de Natal e passamos diante dessa fonte, coroada de candeeiros, que chamam de Canaletas.

— Vocês sabem? — disse Enric. — Quando se bebe desta água, por mais distante que se vá, sempre se regressa para Barcelona.

E nós três bebemos. Durante anos eu me disse que não devia ter bebido.

Alguns artistas de rua dançavam o tango com energia, convidando ao seu movimento, ao compasso de um potente aparelho de som. Ele vestia um traje a caráter e chapéu negros; ela estava de saia justa, com um corte longo que descobria uma de suas pernas, e cabelo bem assentado. Transpiravam erotismo. Uma roda de curiosos os rodeava; jogavam moedas, alguns espontaneamente, outros quando uma outra bela dançarina de tango lhes solicitava, aproximando-se deles com uma boina e um sorriso. Parei para assisti-los, eles eram muito bons.

terminaram quando cortaram sua cabeça. Não há referências históricas do personagem, mas a lenda conta que resgatou uma princesa de um horrível dragão. Os cruzados o fizeram cavaleiro e ele se tornou um símbolo poderoso: a vitória do bem sobre o mal. Dizem que apareceu em duas batalhas, uma em Aragão e outra em Catalunha, decidindo a golpes de espada a vitória cristã frente aos muçulmanos.

— E por isso é o padroeiro de Catalunha e de Aragão — afirmou Luis.

— De fato, mas também o é da Inglaterra, da Rússia e de algum outro país; esteve bastante em moda na Idade Média. Em todo caso, repare que morreu decapitado. No quadrado superior, dentro do que parece ser uma capela, vocês devem ter reconhecido a cena, é um Cristo crucificado no calvário. É clássica. A Virgem está com um gesto de desalento e um são João apóstolo condoído tem a mão sobre uma madeixa em sinal de consternação. Esta imagem está tão repetida no gótico, tanto na pintura como na escultura, que os antiquários chamam o santo de "o da dor de dentes".

— Enquanto o meu quadro, que segundo a marca dos gonzos se situava à direita do conjunto, à esquerda de quem olha, mostra em cima, também dentro de uma capela, um Cristo triunfante, ressuscitando, surgindo do Santo Sepulcro.

Olhei para quadrado superior, rematado por um arco ligeiramente sugerido, no mesmo estilo de minha pintura da Virgem, e me dei conta de que este elemento era distinto no quadro de Luis. O arco do quadro dele tinha um lóbulo central que o dividia em dois.

— E na parte inferior temos são João Batista, o precursor de Cristo — continuava Oriol —, aquele que o batizou no rio Jordão. Era o santo padroeiro por excelência dos Pobres Cavaleiros, tal como os templários se chamavam.

— Sim. Ele tem realmente um aspecto pobre — afirmei. Era um homem barbudo e de cabelo longo com uma espécie de pergaminho na sua mão esquerda que se cobria com veste de banho de pele de ovelha.

— Morreu decapitado, como são Jorge — esclareceu Oriol.

— Obrigada pelo detalhe. Mas você podia ter se poupado — brinquei, fingindo desagrado.

— Salomé, a concubina do rei, fez-lhe um pedido. E este o concedeu; era a cabeça de Batista numa bandeja.

— Que nojo! — disse Luis.

— Então os templários gostavam dos santos que perdiam a cabeça — concluí, olhando intencionalmente para Oriol.

— Certamente — ele replicou, sustentando o meu olhar com meio sorriso. Fiquei em dúvida se ele havia captado o tom da minha afirmação.

— Isto requer uma explicação, senhor historiador — agora era Luis que queria saber. — Esses templários pareciam ser de uma seita bastante rara.

— É uma longa história. Começou quando os príncipes cristãos, em grande parte borgonheses, francos, teutões e ingleses, inflamados pelas arengas dos inúmeros frades que pregavam através da Europa, caíram sobre a Terra Santa como uma praga de gafanhotos. Pior ainda. Até mesmo os bizantinos, que embora cristãos eram ortodoxos, e sua capital Constantinopla, sofreram com aquelas hordas selvagens. Houve banhos de sangue inenarráveis. Os reinos ibéricos mandaram apenas alguns contingentes, pois já tinham bastante trabalho com sua reconquista; estamos falando de um século antes da batalha de Navas de Tolosa. Assim sendo, os muçulmanos controlavam a maior parte da península, enquanto os reinos cristãos estavam sob ameaça constante.

— Bem, e o que isso tem a ver com as cabeças? — perguntei impaciente.

— Com o tempo e o desgaste, o ímpeto dos nobres cristãos na Terra Santa moderou-se e começaram os pactos. Assim, quando um cavaleiro caía prisioneiro em combate, a negociação do resgate pela sua liberdade passou a ser um hábito. Se fosse um plebeu sem recursos para pagar, ele era escravizado. Isto não ocorria com os Pobres Cavaleiros de Cristo. Eles haviam feito votos de pobreza e de morrer lutando pela fé; eram máquinas treinadas para a guerra. Os muçulmanos sabiam então que não importava quão alto fosse o nível social do templário capturado nem as fortunas que a ordem havia acumulado, pois jamais conseguiriam cobrar resgate por qualquer deles. E tampouco eram aproveitáveis como escravos; seria como pôr uma bomba-relógio em casa. Por isso mesmo, quando aprisionavam vivo um dos cavaleiros da cruz vermelha patada, com grande respeito e admiração cortavam-lhe o pescoço o mais rápido possível. E por esta mesma razão os templários lutavam até a morte, não se rendiam, não pediam trégua nem esperavam clemência.

— Já entendi — disse Luis sorrindo com zombaria. — Por isso os templários sentiam essa camaradagem pelos santos decapitados; eram colegas.

Oriol assentiu com um gesto.

— Ah! — exclamei, somando-me à ironia de Luis. — Isso explica tudo. Inclusive o fato de guardarem pedaços do morto nos seus anéis. Que gente esquisita!

— Bem, e o que fazemos agora? — continuou Luis. — Nós temos aqui os quadros dos santos descabeçados antes de terem a cabeça cortada e, em Nova York, a peça central. Segundo Enric, este tríptico contém o segredo de um tesouro fabuloso — olhou-me. — Você precisa providenciar o envio da peça que falta, não é?

— Espera um momento — Oriol interrompeu. — Ninguém é obrigado a aceitar uma herança. Cristina não quis nos dar uma resposta antes e agora deve decidir se quer ou não procurar este tesouro. Se quiser, assumirá um compromisso e isto vai produzir mudanças na sua vida, talvez importantes. Começando por passar uma temporada aqui — lançou um olhar para o meu anel de noiva. — E certamente ela tem seus compromissos na América.

— O que há contigo, Oriol? — inquiriu Luis. — Por que essa pergunta? É claro que Cristina quer encontrar o tesouro!

— Deixe que ela diga por si mesma. Eu também tenho sentimentos desencontrados neste assunto. Acho que às vezes existem coisas que não deveriam ser removidas. Não é preciso ressuscitar os mortos.

Havia um tom triste na sua voz que me comoveu.

— O que é que você quer dizer com isso? — Luis já estava se irritando. — Outra vez nessa, Oriol? Por Deus! Estamos falando da última vontade do seu pai!

— Estou a fim de procurar esse tesouro — eu disse num impulso, cortando a polêmica que se iniciava e já ciente da embrulhada que minha decisão causaria em Nova York.

— Eu também — disse Luis, e nós dois ficamos na dependência de Oriol.

Ele olhou para o teto e pareceu pensar. E logo seu rosto se iluminou com aquele sorriso, o de quando era menino, que me enamorava. Era como se o sol nascesse entre um aguaceiro.

— Não vou deixar que vocês se divirtam sozinhos — e levantou a barbicha com arrogância travessa. — Além do que, nunca conseguiriam sem mim. Também estou no jogo.

Eu quase saltei de alegria e olhei Luis, que havia deixado passar a irritação e também sorria. Era como regressar à infância, jogar de novo com Enric. Com a diferença de que ele não estava conosco. Ou estava?

— Bravo! — exclamou Luis, levantando sua mão para palmear contra as nossas. — Por essa fortuna!

Imediatamente a expressão de Oriol ficou sombria quando ele disse:

— Não sei, não, mas estou sentindo algo estranho — engoliu a saliva. — Talvez não seja uma boa idéia.

Ele fez com que desaparecessem os sorrisos e eu pensei que talvez soubesse de alguma coisa que nós outros ignorávamos. Que razões ele teria para se pôr reservado? O que lhe teria dito o seu pai na carta póstuma?

DEZOITO

Nesta noite me vi novamente com dificuldade para pegar no sono, revirando-me na cama pensando sobre aquela algaravia. Sentei-me no escuro a contemplar uma Barcelona que a esta altura já tinha passado pelas quatro da madrugada, mas parecia bem menos adormecida que na noite anterior. Claro, era sexta-feira. Nós três havíamos saído para jantar e depois fomos beber um pouco no local da moda. Luis se insinuava para mim, agia como o galinho do terreiro. E achava que eu devia ser a galinha. Ele me fazia galanteios com uma linguagem de duplo sentido cuja conotação sexual crescia à medida que os copos esvaziavam. Os seus elogios não me incomodavam, me faziam rir. Eu não quis puxar seu freio para ver como Oriol reagia. Entretido, este observava seu primo e de vez em quando acrescentava um comentário positivo a meu respeito. Por que as mesmas palavras em sua boca me soavam muito melhor do que quando Luis as pronunciava? E seus olhos. Seus olhos azuis brilhavam na penumbra ambiente. Não elevava a voz como seu primo, de modo que, cada vez que ele dizia alguma coisa, para poder ouvir através do barulho, eu me acercava dele e quase deixava de respirar. A princípio, o joguinho de Luis me divertiu, mas depois fiquei com a impressão de que ele agia como galinho, e eu como galinha... e Oriol como castrado. E isto me deprimia, o que me fez não querer prolongar a noitada em demasia para chamar Nova York numa hora razoável.

O grito de minha mãe chegou até o céu. Que ela já havia dito que tudo isso era uma trapaça, que com certeza o tesouro era uma invenção de alguém para me atrair a Barcelona. Como é que eu podia jogar pela janela a minha carreira excepcional de advogada, trocando-a por um ano sabático! E se fosse um ou dois meses não mudaria nada. Tudo era injuriado.

Alicia! Com toda certeza essa bruxa tinha culpa no cartório! Que eu nem me aproximasse dela! E que não e não! Que eu podia esquecer disso; sob hipótese alguma ela me mandaria o quadro da Virgem, conforme eu pedia. Que eu regressasse, por favor, que ela não gostava desse assunto. Ah, sim! E Mike? O que ia acontecer com Mike?

Argumentei que era uma aventura maravilhosa, uma dessas que a maioria das pessoas deseja e nunca desfruta em suas vidas, que ela ficasse tranqüila, que Mike entenderia, e também o pessoal da minha firma. E que, se eles não aceitassem, eu seria capaz de encontrar um trabalho melhor na minha volta.

— Mas por que você não entende, Cristina? — disse-me. — Se ficar agora, você jamais voltará — ela soluçava.

Fiz o que pude para tranqüilizá-la. Em geral, minha mãe é uma senhora bastante comedida. Por que esses excessos? O que é que havia?

Mike foi muito mais razoável.

— Está bem, reconheço que deve ser mesmo uma dessas aventuras a Indiana Jones — ele argumentava —, mas você não acha que alguém fundiu a cuca e perdeu o prumo? Um tesouro? Tudo isso é muito excitante, mas daí a encontrar tesouros na vida real! Bem, nas bolsas e nos cassinos, talvez... mas apenas para os profissionais.

"Se você quer ficar mais alguns dias, tudo bem, mas que seja um número ponderado por nós dois de início. O que você quer? Duas semanas, um mês... vai acabar logo! Não se esqueça que estamos para casar e ainda não marcamos a data."

— Sim, senhor! — quando Mike raciocinava, negociando os termos adequados, ele era uma máquina de lógica irrefutável. — Faz sentido. Trato feito. Tão logo eu regresse, combinamos a data. De acordo?

— Sim, de acordo — respondeu com cautela. — Mas você não disse quanto tempo vai ficar.

— Porque ainda não posso precisar... Menos de um mês, com certeza — afirmei, enfaticamente.

— Mas não tínhamos concordado em fixar um tempo determinado? — ele já parecia aborrecido.

— Sim, claro que sim — apressei-me em lhe dar razão. — Mas, para saber o tempo que preciso, eu preciso de tempo...

A ligação ficou muda. Eu me perguntava se Mike estaria tendo dificuldade para digerir o jogo de palavras que havia saído de mim, ele se sai bem é com os números, ou talvez simplesmente já estivesse se enfurecendo.

— Querido? — falei na hora. — Você está aí?

— Estou, mas não estou gostando disso — grunhiu. — O que eu quero saber é que merda de tempo é esse que a minha noiva vai ficar do outro lado do oceano. *Capici?* — às vezes Mike quer soltar uma palavra em espanhol e lhe sai um italiano do Bronx.

Esta e outras coisas mais eu meditava às quatro da manhã, contemplando as luzes distantes da cidade através da obscuridade do jardim e sentindo que somente uma parede me separava dele, de Oriol.

Embora entendesse que Mike não gostasse do fato de eu não

lhe dar uma data para meu retorno, achava que podia mantê-lo razoavelmente sob controle. E na segunda-feira eu poderia falar com meu chefe no escritório. Pediria uma licença especial. Talvez eles não garantissem o posto no meu regresso, mas eu tinha uma certa reputação e, na minha idade, encontrar trabalho não seria problema. Isto não me preocupava.

Maria del Mar. Ela, sim, era um problema. Minha mãe se negava a me enviar o quadro e eu sabia que não ia fazê-lo nem que o mundo acabasse; nós somos parecidas em algumas coisas. Eu teria que ir até Nova York para buscá-lo. Diabos! Era o meu quadro! Não estava lhe pedindo que me desse nada de sua propriedade.

A atitude dela é que me inquietava. Não porque ela seja excessivamente equilibrada, pois, embora soterradas, suas forças emocionais a bloqueiam, mas porque já fazia muito tempo que eu a tinha visto tão alterada como naquele momento em que lhe disse que ficaria.

Alicia. Havia algo muito pessoal entre ela e Alicia. E eu que a tinha feito acreditar que estava ligando do hotel! Nem queria imaginar como ela ficaria quando soubesse que eu estava hospedada na casa da mãe de Oriol. Certamente, algo havia acontecido entre elas, algo que minha mãe jamais me contou e que não tinha a menor intenção de fazê-lo. Claro, isso foi antes, agora talvez não lhe restasse mais remédio senão abrir o cofre dos seus segredos. Eu tinha de encontrar um bom argumento para que ela me mandasse o quadro. Caso contrário, teria de buscá-lo pessoalmente, de surpresa, sem lhe dar tempo para escondê-lo... Dando voltas com isso, acabei dormindo.

Quando acordei, o sol penetrava como um intruso com pequenos pontos de luz através das frestas da persiana que a cortina deixara a descoberto.

Custei a situar-me, aquele não era o meu apartamento em Nova York, nem a casa dos meus pais em Long Island. Eu estava em Barcelona, na casa de Oriol! Era domingo, o meu quinto dia na cidade, embora a minha sensação fosse a de que estava por lá há mais tempo.

Dois pensamentos me assaltaram ao mesmo tempo: eu estava com fome e queria ver o rapaz de olhos azuis.

O meu estômago teve de esperar que eu tomasse um banho e me arrumasse um pouco. Depois desci até a cozinha com a esperança de falar com Oriol, mas em vez dele encontrei Alicia.

— Bom dia, querida — disse com um sorriso e dando-me dois beijos. — Você chegou tarde, ontem, não é?

Ela me tinha pegado pelas mãos e, como que por um impulso súbito, logo seu olhar procurou o anel. Só tive tempo de lhe devolver o bom-dia; Alicia começou a falar de novo, agora me olhando nos olhos.

— Os alquimistas catalogavam o rubi como uma pedra ardente, um carbúnculo. Sim, o mesmo nome que se dá a essa praga do terrorismo biológico que ultimamente colocaram em moda no seu país e que vocês chamam de antraz. O carbúnculo referente às gemas é uma palavra perdida e você não a encontrará no dicionário com esta acepção — ronronava com sua voz profunda. — Era usada no conhecimento oculto, vem de *carbunculus*, que quer dizer carvão ardendo e refere-se ao fogo interno desta pedra.

Pegou minha mão e, acariciando-a, aproximou-se dos anéis para vê-los melhor, prestando atenção no dos templários, à procura de sua resplandecência interior. A pedra parecia fasciná-la, esquadrinhava seus olhos, atraía seu olhar como um ímã.

— O rubi é regido por Vênus e Marte. O amor e a guerra, a violência e a paixão. O rubro do sangue. O seu nome vem dessa cor. Você sabia que os rubis tanto podem ser machos como fêmeas?

Olhei-a, sem conseguir evitar o meu assombro, embora já estivesse começando a ficar curtida contras espantos. Pedras com sexo? Que idéia!

— Isso mesmo, assim diz o saber oculto — continuou, abaixando um pouco a sua voz, como se me confiando um segredo. — Diferenciam pelo seu brilho. O seu é macho. Olhe só; o fulgor é interno. Você está vendo a estrela de seis pontas que se desloca dentro do cristal quando o anel gira?

Afirmei com a cabeça, eu já havia reparado antes nesse resplendor profundo, nesse luzeiro encerrado na pedra. Mas nesse momento não tinha nada a dizer, essa mulher me apanhara de surpresa, talvez ainda com algum resto de sono; era difícil assimilar uma informação tão inesperada quanto extraordinária.

— Os rubis fêmeas brilham na direção do exterior, são regidos por Vênus. Não o seu. O seu é da cor do sangue da pomba, é varão, responde a Marte, o deus da guerra, da violência...

Então os seus olhos azuis procuraram de novo os meus, era como se ela despertasse de um transe. Soltou minha mão com suavidade e um sorriso cálido encheu seu rosto.

— Tem torradas na cozinha para o desjejum. Mas não vá comer muito; o almoço sai em duas horas — essa mulher camaleônica havia mudado novamente, agora parecia uma matrona carinhosa e solícita. Estava encantadora, sem nada a ver com as descrições de bruxa em assembléia com seus pares que Luis e minha mãe insinuavam, essa feiticeira com sua fábula alquímica que eu acabara de captar por um instante. — Eu também convidei Luis para comer. Oriol está lá fazendo o desjejum agora, no terraço.

Achei uma excelente idéia. E saí a toda pressa. O meu medo era que o arrebatamento de Alicia com o anel se repetisse, causando-me mais aflição.

DEZENOVE

Lá fora, na mesa ao lado de uma roseira colorida, exuberante em sua floração, estava Oriol, na frente de um jornal, tomando um café. À crepitação de cores sobre o verde brilhante das folhas somava-se o sol, prodigalizando-se em manchas cintilantes entre as sombras que as árvores projetavam. Uma brisa suave acrescentava movimento à cena e acariciava minha pele.

Fiquei contemplando a cena que me pareceu extraída de um dos quadros de jardins pintados por Santiago Rusiñol e dependurados nas paredes do casarão; eu estava certa de que algumas daquelas telas reproduziam aquele mesmo jardim. Enchi os pulmões de ar e notei que toda a apreensão que o relato alquimista de Alicia tinha me provocado desaparecera. Concentrei-me em Oriol, que continuava lendo sem se dar conta da minha presença, e pensei comigo que, embora mudado, ele seguia sendo o mesmo rapaz de quem eu havia me enamorado quando menina.

— Bom dia — eu o cumprimentei, sorrindo.

— Bom dia.

— Alegro-me de que esteja aqui — falei para lhe despertar a atenção — e não haja passado a noite ocupando alguma propriedade.

Ele me olhou com picardia, convidando-me com um gesto para sentar.

Sentei e, enquanto começava a mordiscar uma torrada, insisti no assunto:

— Me disseram que, quando não está dando aula na universidade, você se dedica a ocupar propriedades alheias.

Ele me lançou o mesmo olhar como se dissesse: "você quer guerra, não é?" Por fim respondeu:

— Propriedades abandonadas — e tomou um gole de café. — Tem gente sem lugar para morar e crianças pobres que precisam de educação e entretenimento quando não estão na escola. Fazer uso de uma propriedade que ninguém aproveita, e que está vazia à espera de que a especulação imobiliária, faça subir seu preço no mercado imobiliário para ajudar o próximo é um ato de caridade. Não é um delito.

— Poderia trazê-los para cá; aqui tem muito espaço sem uso.

Ele começou a rir, estava encantador. Com toda tranqüilidade passou manteiga e geléia de laranja na sua torrada. Enrugou a testa, simulando pensar, e depois começou a comer movendo a cabeça com gestos afirmativos, como se me dando razão.

— Não é má idéia. Só não o faço por dois motivos.

— Quais?

— Primeiro porque minha mãe me mataria.

Eu ri.

— E segundo porque esta casa não está desocupada.

— Mas há espaço para mais pessoas, por que não aloja alguém aqui? — eu queria encurralá-lo.

— Vamos, advogadinha! — seus olhos azuis cravaram-se nos meus com um olhar divertido. — Me deixa ser um pouco inconsistente nos meus princípios. Mesmo porque mamãe já está dando abrigo a uma pobre moça americana, não é?

Não respondi e, sorrindo, me concentrei no sabor do café, no prazer da manhã de sol, e em percorrer as árvores com a vista, e também os botões de rosa em flor, a grama bem cuidada e ele, admirando-o sem dissimulação. Procurava desfrutar o momento.

— Você cresceu, hein, rapazinho? — disse-lhe. — Já não tem espinhas e está muito bonito.

Ele riu.

— Aqui neste país o costume é o homem cortejar a mulher e não o contrário.

— Então, faz isso — e desafiante levantei sua barbicha. — Mas faz com um estilo melhor que o da noite de ontem, por favor.

Ele havia dito: "Cristina, você está muito coquete, vai com calma porque já estou tinindo, não exagere". Mas eu já estava em marcha e não queria frear.

Outra vez aquele olhar divertido dele. Depois disso gastou seu tempo com café, torradas e outras coisinhas... me fazia esperar. Disse-me que sabia controlar bem as pausas, que não se precipitava e que se esquivava bem dos ataques, como eu havia feito quando questionei seus princípios. Ele teria sido um bom advogado.

— Você também cresceu, maria mandona — isso é um golpe baixo, pensei comigo. Luis me distinguia com este apelido zombeteiro e não ficava bem que ele fizesse o mesmo. — Suas tetinhas eram uma coisinha de nada e olha só que promontórios você tem agora! Se não são falsos, claro.

— São verdadeiros — me apressei em esclarecer.

Eu não esperava esse tipo de resposta. Ele fez outra pausa, como que me avaliando. Se eu não tivesse uma boa opinião a meu respeito, estaria muito, mas muito incomodada. Achei que fazia isso de propósito, que por alguma razão queria me castigar.

— E o seu traseiro. Como é redondinho e bonito!

— Você está insinuando que ele é gordo?

— Não, eu diria que é quase perfeito. As cadeiras devem ficar muito contentes quando você se senta em cima.

— Que gracinha! — repliquei. Ele me olhava descarada e divertidamente. "Não", pensei, "ele não pode ser homossexual como diz Luis. Nem o castrado que eu havia suposto ontem à noite. Mas, quem sabe, esteja dissimulando, e por isso usa essa linguagem entre o vulgar e o cáustico para me desanimar e me manter distante." Talvez eu tivesse sido muito atrevida.

— Você está muito bonita — concluiu.

— Obrigada. Foi difícil para você falar isso. Embora não tenha aprendido muito desde ontem à noite — e, depois de nos olharmos com um sorriso, voltamos ao desjejum. Apesar do pouco refinamento dos elogios de Oriol e de sua agressividade ardilosa, eu me sentia feliz e saboreava o momento. Mas de repente, como num arrebatamento, veio-me essa coisa que eu havia guardado por tanto tempo.

— Por que você nunca me escreveu? — fiz a censura de chofre. — Por que nunca respondeu às minhas cartas?

Ele me olhou sério. Como se não soubesse do que eu falava.

— Você e eu nos achávamos noivos. Lembra? Ficamos de nos escrever — eu notava que a decepção brotava de dentro de mim, uma dorzinha, um ressentimento antigo. — Você mentiu.

Ele continuava me olhando com seus olhos azuis, que se abriam com assombro.

— Não, não é verdade — disse por fim.

— É verdade, sim! — afirmei. Estava indignada. Como é que ele podia dizer isso? Era terrível! Eu me esforcei para evitar que os meus olhos ficassem úmidos.

— Não. Não é verdade — repetiu.

— Como é que você pode negar? — fiz uma pausa para respirar fundo. — Você nega que nos beijamos naquela tormenta do último verão em Costa Brava? E que depois voltamos a fazer o mesmo, às escondidas? Aqui mesmo, neste jardim, debaixo daquela árvore — e me calei. Estava furiosa e triste. Oriol pretendia roubar a melhor de minhas recordações de adolescência. Estive a ponto de lhe dizer: "Se você é *gay* e se arrepende daquilo, diz logo. Mas não minta para mim". Eu me sentia muito machucada. Aquele sem-vergonha não havia respondido às minhas cartas e agora se fazia de sonso. — Nega isso, se você tem peito — insisti. Por um segundo pensei em dizer culhões, mas me controlei e usei o mais próximo disso que me veio à cabeça. A tradução em versão suave da expressão americana.

— Claro que me lembro. Nos beijávamos e éramos noivos. Ou pelo menos dizíamos isso. E prometemos nos escrever — falava sério. — Mas eu nunca recebi nenhuma carta sua e jamais obtive resposta das que lhe mandei.

Fiquei boquiaberta, olhando para ele.

— Você me escreveu?

Mas Luis apareceu naquele momento, sorridente, e o odiei pela interrupção. Quando alguém tem a capacidade de importunar, ele o faz mesmo sem saber.

Ele começou a prosear e fiquei na dúvida se Oriol estava mentindo ao dizer que havia escrito.

Na refeição, a nossa conversa girou sem qualquer reserva em torno do testamento e do tesouro. Alicia nos animava a fazer isso. Ela parecia tão entusiasmada quanto nós, ou mais. Desde o primeiro momento ficou claro que seria difícil excluí-la. Ao aceitar seu convite, eu não me dera conta de que este era o preço a pagar... Ou ao menos parte dele. E nós estávamos excitados demais para nos calar ou falar de outra coisa. Luis tampouco se moderou, apesar das advertências sobre a mãe de Oriol que ele mesmo havia feito. Minha impressão era que Alicia tinha planejado tudo. Que sabia do tesouro antes de nós, e que estava sabendo de outras coisas que ignorávamos. Não falava muito, escutava antes de formular suas perguntas pertinentes e depois ponderava as respostas observando-nos com atenção. A lembrança de seu transe contemplando meu anel e de suas referências alquímicas me inquietava. O que é que essa mulher sabia e calava?

VINTE

Eu não lembrava da avenida da catedral tão larga assim, nem daquele espaço tão amplo e desembaraçado entre os edifícios. As imagens que retive eram de quando fazíamos as compras na feira de Natal para armar a árvore e o presépio. Estava sempre fazendo frio e vestíamos casacos, a noite caía com rapidez e todos as barraquinhas exibiam muita luz, algumas com fileiras de pequenas lâmpadas coloridas que acendiam intermitentemente. E sempre soava ao fundo o *Al vinticina de decembre, fum, fum fum*, e outras *nadalas* cantadas por vozes eternamente infantis. Era um mundo de ilusão, de história sagrada convertida em narrativa de crianças, de figurinhas de barro cozido, musgoso e esponjoso. Eram dias mágicos que precediam a noite em que *El Tió** *cagava* guloseimas e Papai Noel e os Reis Magos

* *El Tió* é uma tradição natalina tipicamente catalã. Trata-se de um tronco de grande diâmetro, cheio de presentes, que ele "caga" quando é golpeado com bastões pelas crianças. (N. do T.)

competiam em presentear com os melhores brinquedos. Os odores de musgo úmido, abeto, eucalipto e visco honravam o nosso olfato. A lembrança daquelas paisagens de diminutos pastores com seus rebanhos, anjos, *caganés*, montes, rios, árvores, pontes... tudo pequeno e inocente, é extraordinária e ainda a conservo como um dos tesouros da minha infância. E Enric. Enric desfrutava disso tudo como mais um de nós e grande parte de minhas memórias dessas visitas legendárias à feira de Natal era com ele. Sempre se oferecia como voluntário para nos levar. Sua loja ficava bem próxima da catedral e ele não aceitava desculpas; então, nós três íamos com ele, minha mãe e a de Luis, e depois ele nos convidava para tomar uma taça de chocolate numa das leiterias da rua Petrichol.

— Lembra de quando íamos à feira de Natal? — perguntei para Luis.

— O quê? — ele disse, surpreso. Devia estar pensando em tesouros de ouro e pedras preciosas, e eu, em recordações entesouradas. A manhã ainda estava na metade quando ele estacionou perto da catedral. Havíamos combinado com Oriol que nós iríamos ao Del Grial, enquanto ele se encarregaria de fazer um raio X nos quadros com ajuda de uns amigos restauradores.

— Se você lembra de quando vínhamos aqui para comprar figurinhas e musgo para o nosso presépio — repeti.

— Ah, sim. Claro que sim — sorriu. — Eram grandes momentos. A feira ainda se instala aqui no Natal, mas agora toda esta zona é de pedestres.

Cruzamos a avenida, enquanto eu redescobria a soberba fachada da catedral cheia de filigranas talhadas em pedra.

— Quero entrar — eu disse.

No dia anterior, ao lembrar da livraria, Alicia afirmou que ainda funcionava, e eu não sentia pressa alguma. Estava ao mesmo tempo inquieta e na expectativa do que poderia ocorrer ali, com medo de que não acontecesse nada e que aquela história, aquele jogo bonito do tesouro terminasse subitamente, escorrendo entre os meus dedos, virando um nada da mesma forma que quando menina eu apertava um punhado de areia fina na praia. E então, como uma criança cultivando o prazer da gulodice pelo prazer de atrasar um pouco o seu desfrute, eu quis atrasar a nossa chegada por alguns instantes.

— Vai ser uma visita turística? Agora? — queixou-se Luis.

— É só por um minuto — respondi. — Quero ver se ainda está como a lembro.

Ele aceitou, mostrando os dentes.

No dia anterior, à mesa, Oriol explicou que aquela formidável estrutura foi construída durante os séculos XIII e XIV, quando os templários estavam no seu apogeu, e que eles haviam desaparecido antes de o prédio ficar pronto. Aqueles frades foram grandes propagadores do estilo gótico.

O pequeno vestíbulo de madeira da entrada abre o caminho para um amplo espaço interior de pedra lavrada, onde os pilares elevam-se esbeltos em colunas e colunetas, formando arcos pontudos que se cruzam, criando abóbadas ogivais. E fechando-o, no centro de cada domo, uma aduela-chave, a grande pedra-chave; suporte de tudo, redonda e esculpida, um medalhão gigantesco que parece flutuar no ar e exibe santos, cavaleiros, brasões e reis. Nas laterais, por cima dos oratórios, grandes janelas ogivais com belos e coloridos vitrais iluminam as superfícies pétreas.

Não foi o interior do templo que desfraldou minhas lembranças, mas foi o claustro que me seduziu. Eu respirava paz, distanciamento, separação do mundo material, e para mim era difícil acreditar que encontrava no coração de uma cidade agitada. O jardim central é povoado de palmeiras e magnólias que se alçam por cima de um lago de plumas brancas, como se querendo escapar até o céu, ultrapassando os arcos góticos. Era como se estivéssemos a muitos quilômetros de distância, centenas de anos atrás, em plena Idade Média.

Foi aí que vi aquele homem. Estava apoiado num dos pilares,

ao lado de uma fonte musgosa sobre a qual cavalgava *sant* Jordi. Ele fingia que olhava as aves.

Senti um calafrio. Era o homem do aeroporto, o que estava esperando no meu hotel, aquele mesmo que me pareceu ter visto no meio da multidão, nas Ramblas. A mesma roupa escura; barba e cabelos brancos. Seu aspecto demente. Desta vez seus olhos azuis e frios não se chocaram contra os meus. Achei que ele disfarçava.

— Vamos embora — falei para Luis. Ele me seguiu surpreso e saímos por uma das portas que davam para a rua, defronte a um velho palácio.

— O que está havendo agora? — ele quis saber. — Por que a pressa?

— Está ficando tarde — murmurei. Não queria lhe dar explicações.

Atravessamos a praça na direção da livraria Del Grial, localizada numa viela próxima; eu achava que essa saída brusca despistaria aquele sujeito de cabelos brancos: já estava convencida de que ele me seguia.

A Del Grial era uma livraria genuinamente antiga e se dedicava a isso, livros velhos. Nós a encontramos numa casa de aspecto ainda mais vetusto, da qual não me atreveria a tentar adivinhar nem a idade nem a época. A porta e as pequenas vitrines tinham um pedestal de madeira e através dos vidros tudo parecia amontoado; as vitrines abarrotadas de livros, coleções antigas de desenhos em cores, pilhas de cartões de visita, de cartões-postais, de cartazes, de calendários com muitos, muitos anos, e uma camada de uma venerável poeira em cima. Ao entrarmos, soou uma campainha. Não se via ninguém e Luis e eu nos entreolhamos, interrogando-nos sobre o que fazer. A desordem que a parte externa daquele lugar pressagiava se via superada pela realidade lá de dentro. O local alargava-se através de um corredor em cujos lados se alçavam prateleiras que chegavam ao teto com volumes de variada encadernação e tamanho; no centro, algumas mesas com revistas antigas formavam uma ilhota que dividia o corredor em dois outros corredores mais estreitos. As suas capas exibiam desenhos de mulheres sorridentes no estilo dos anos vinte. Os meus olhos dirigiram-se de imediato para uma coleção de bonecas coloridas para recortar, com belos trajes de época.

— Que lugar! — exclamei, enquanto olhava ao meu redor. Estava tentada a ficar algumas horas vasculhando aquele mundo de antigüidades fascinantes. As *peponas* ilustradas, os exércitos de soldados para recortar, aqueles laminados de animais pintados. Recordações de infâncias vividas e deixadas para trás, talvez até cem anos atrás. Mas nós estávamos à procura de algo bem concreto e eu me sentia inquieta depois do meu encontro com aquele homem na catedral, de modo que empurrei Luis para dentro da livraria.

— Tem alguém aqui! — ele gritou, já que ninguém atendera ao aviso da campainha.

E então percebemos um movimento no fundo do corredor. Um jovem de cerca de vinte anos nos olhava por cima de uns óculos de lentes grossas, parecendo incomodado, mirando-nos como se fôssemos instrumentos ruidosos que tivessem profanado sua paz de leitor solitário de biblioteca. Sem dúvida, nós o fizemos retornar, num momento inoportuno, do mundo seguro de antigas fantasias para esta realidade moderna, prosaica e perigosa da qual ele se refugiava protegido por barreiras de letras, muralhas de palavras, e trincheiras de frases, capítulos e livros.

— O que desejam? — sua voz era áspera.

— Oi! — falei, colocando-me ao lado de Luis, e perguntando-me como poderia contar a nossa estranha história para aquele rapaz.

— Viemos por algo que o senhor Enric Bonaplata deixou aqui para nós — Luis adiantou-se.

O rapaz mostrou estranheza antes de responder:

— Não o conheço.

— É que já faz muitos anos — Luis insistiu. — Treze anos.

— Não sei do que está falando.

Mostrei então minha mão com os anéis.

— Disto — disse-lhe.

Ele olhou sobressaltado, como se eu o ameaçasse.

— O que é isto? — atrás das lentes grossas, os olhos dele pareciam os de um peixe. Olhava minhas unhas. E pensei comigo que, se as tivesse pintado de vermelho, ele teria tido um ataque de pânico.

— O anel! — exclamei com impaciência. E seus olhos se voltaram para as argolas nos meus dedos. Olhou-as por alguns instantes sem reagir.

— Este anel! — esclareceu Luis, segurando-o com meu dedo dentro e aproximando-o do rapaz, que o olhou com expressão de assombro antes de exclamar:

— O anel!

— Sim. O anel — reafirmou Luis.

O rapaz virou as costas e deu alguns passos na direção do interior da loja, gritando:

— Senhor Andreu! Senhor Andreu!

Para minha surpresa, a livraria se prolongava para mais além do corredor e de algum ponto recôndito alguém respondeu alarmado por causa do tom da voz do rapaz:

— O que está havendo?

— O anel!

Apareceu um homem magro com aspecto de haver ultrapassado em vários anos a idade legal da aposentadoria.

A conversação insossa do anel, "que anel?", repetiu-se e no fim exibi o sinete templário diante do nariz do senhor Andreu.

Ele afastou minha mão até uma distância adequada para seus olhos e óculos e também exclamou:

— O anel! — não desviou a vista da jóia nem sequer para perguntar: — Posso vê-lo?

E o examinou por todos os ângulos e contra a luz, até que se pronunciou:

— É o anel! Não há dúvida!

"Claro que não há!", pensei, "isso é o que venho dizendo todo esse tempo." Foi aí que o arquejante velho tirou seus óculos e começou a me olhar.

— Uma mulher! — ele disse. "Obviamente", pensei. "Uma mulher e o anel. Já está entendendo?" Todos aqueles rodeios e exclamações já começavam a me aborrecer, mas fiquei em silêncio prudente. Para ver o que fazer depois.

— Como uma mulher pode ter a posse do anel? — o seu tom era de indignação. — Esperar tantos anos para no fim chegar uma mulher! Será possível?

— A leitura do testamento do senhor Bonaplata foi feita no sábado — Luis interveio — e a senhorita Wilson eu e Oriol, o filho dele, somos os seus herdeiros enquanto...

— Isso não me importa — replicou o velho rabugento, interrompendo-o. — Farei o que tenho de fazer e basta.

Resmungando algo semelhante a "como esse Bonaplata pôde fazer isso... outra mulher...", voltou para sua toca, que eu imaginava ser um labirinto de papel antigo que ele roía quando estava faminto e que, a julgar pelo seu aspecto e humor, não era capaz de digerir adequadamente.

O rapaz encolheu os ombros como se quisesse desculpar-se pelo mau humor do avô e eu virei para ver Luis, que levantou uma sobrancelha como se estivesse dizendo: "o que vai haver agora?".

De repente o meu coração deu um tranco. Luis estava de costas para a porta e, no momento de olhá-lo, avistei alguém que nos observava do lado de fora através dos vidros. Era o tipo do aeroporto! O do hotel, aquele que eu acabara de ver no claustro da catedral. Estremeci.

O homem sustentou o meu olhar por um instante e desapareceu. "Isto já não é coincidência." Disse-me. Ao notar meu sobressalto, Luis voltou-se para a porta, mas já era tarde.

— O que há? — quis saber.

— Acabo de ver aquele homem, o da catedral! — sussurrei.

— Que homem? — e lembrei que não havia dito nada para ele.

— Aqui está — o velho apareceu com um maço de papéis sem me dar chance de responder ao meu companheiro. Estava atado com fitas chanceladas com laca vermelha. O amarelado da pasta que o guardava deixava entrever algumas letras manuscritas que não fui capaz de decifrar. O homem pôs o maço em minhas mãos e bufou de novo, olhando para Luis em busca de solidariedade.

— Outra mulher! — repetiu.

Fiquei tentada a confrontar o velho com sua misoginia. Mas não o fiz; o que me interessava estava em minhas mãos e a aparição do homem de barba branca me preocupava. Assim passei o maço de papéis para Luis e, agradecendo ao livreiro resmungão, fui imediatamente até a porta. Coloquei a metade do meu corpo para fora e olhei com cautela. O homem não estava mais ali. Uma dupla de senhoras deslocava-se pela viela, mas não havia nem rastro daquele personagem sinistro.

Mas eu sentia medo, inquietude; pressentia algo.

VINTE E UM

Estávamos andando pelas ruas quase desertas a caminho do estacionamento, quando avistei uma dupla de jovens bem vestidos. Não se pareciam em nada com aquele velho estranho, e me senti mais tranqüila. No entanto, tão logo nos cruzamos, um deles me abordou e me empurrou contra um portão de madeira fechado.

— Fiquem quietos e obedeçam, que não vai acontecer nada — um deles nos advertiu. Fiquei assustada ao vê-lo empunhar uma navalha que ele movia ameaçadoramente na frente do meu rosto. Com o rabo do olho me pareceu que Luis estava no mesmo aperto.

— O que vocês querem? — ele disse.

— Me dá isso.

— Nem pensar! — Luis retrucou.

— Me dá ou rasgo o teu pescoço — gritou o sujeito que o ameaçava. E começou a tirar os documentos que Luis se negava a entregar. "Eles querem os papéis!", pensei, surpreendida. Imaginei meu amigo moribundo e estendido no chão ensangüentado, e eu tentando auxiliá-lo. Nem aquele maço de papéis nem o tesouro, se de verdade existia, mereciam sua morte. Nada merecia a morte, isso foi algo sobre o que eu havia meditado muito desde a derrubada das Torres Gêmeas.

— Dá logo, Luis! — gritei.

Mas Luis ainda resistia e o tipo com quem ele lutava acabou desferindo uma navalhada na sua mão. Por sorte Luis deu um puxão e não foi acertado. Eu apoiava as minhas costas na porta e o segundo facínora, ferindo o meu pescoço com sua navalha, gritou:

— Solta os papéis ou mato ela!

Então, tudo aconteceu ao mesmo tempo. Percebi que, por trás dos assaltantes, como que surgido do nada, chegava o velho de cabelos e barba brancas. Os olhos dele estavam esbugalhados. Eu estava atemorizada, mas minhas pernas só começaram a tremer quando vi aquele homem. Por pouco não tive a bexiga solta. Puro pânico. Ele se abatia sobre nós pressagiando a morte. Brandia uma faca de lâmina larga e brilho sinistro e carregava sua jaqueta negra enrolada no braço esquerdo. Luis deixou escapar um lamento; a navalha do assaltante havia ferido a sua mão agarrada ao maço. Um lamento que foi seguido por um uivo de surpresa e dor, quando o velho golpeou com sua adaga o lado direito das costas do tipo que me ameaçava. Este deixou cair sua navalha e senti um grande alívio ao não mais vê-la no meu pescoço. Nesse momento, ferido na mão, Luis soltava a pasta, mas o seu agressor estava ocupado em rechaçar com uma navalhada o velho, que já se punha em cima dele, e não pôde pegá-la. O recém-chegado, com uma agilidade e raiva surpreendentes para sua idade, desviou a navalhada com seu braço protegido pela jaqueta e devolveu imediatamente a investida, golpeando o indivíduo com sua enorme faca que parecia uma espada curta. O outro sujeito, o mais jovem, procurou se esquivar com um salto. Eu continuava de costas para a grande porta de madeira e pude perceber como o bandido ferido empreendia a sua fuga mancando. O outro, o que havia ficado de frente ao velho e de costas para Luis, tentou outra vez ferir seu oponente inesperado, que se desviou do golpe com seu braço esquerdo protegido tal como havia feito antes. O assaltante não quis mais esperar e, aproveitando o momento, antes que o velho reagisse, saiu correndo atrás do seu cupincha.

Não fiquei tranqüila; aquele ancião me atemorizava mais do que a dupla de malandros que ele havia afugentado. Guardou a adaga numa bainha de couro dependurada na sua cintura, sem preocupar-se em limpar o sangue, e com toda a tranqüilidade, olhando-nos a um e a outro com seus olhos azuis algo extraviados, vestiu sua jaqueta amassada, tão negra quanto o resto de sua roupa. Comprovei que com ela escondia a arma com perfeição. "O que será que este lunático quer?", me perguntei. Nem Luis nem eu conseguimos nos mexer, nós estávamos em estado de choque, observando com receio o nosso salvador; meu amigo cobrindo sua mão ferida com a outra e eu protegendo minhas costas contra a porta.

O velho recolheu com lentidão o maço de papéis e o passou para mim, enquanto dizia:

— Da próxima vez, tenha mais cuidado — sua voz era rouca e ele cravou seus olhos nos meus.

Deu meia-volta e, sem interessar-se por Luis, se foi.

— Esse indivíduo teria matado sem pestanejar! — exclamou Luis, mexendo a mão coberta no ar. Já estávamos no seu apartamento da Pedralbes e o maço descansava em cima de uma mesinha de centro, rodeada de almofadões sobre os quais nós três repousávamos.

— Esses tipos tiveram sorte de poder fugir — eu intervim. — O tal velho não mostrava qualquer emoção, não havia piedade nele.

— Mas socorreu vocês dois — disse Oriol. — Como explicar esta proteção se ele parece tão mau?

Sorria ligeiramente e seus olhos azuis profundos, tão diferentes dos olhos do velho daquela manhã, brilhavam com uma luz divertida. Não parecia que o nosso relato excitado lhe tivesse causado uma grande impressão. Deus! Que bonito ele estava!

— Não sei — repliquei. — Não sei o que está havendo. Alguém quis nos roubar esta pasta cujo conteúdo ignoramos, mas que se supõe relacionada com um fabuloso tesouro. Então aparece esse homem sinistro que me vem seguindo desde que cheguei a Barcelona, e nos livra dos bandidos. Esses sujeitos sabiam o que procuravam, não pretendiam roubar nem dinheiro nem jóias. Nem se preocuparam com minha bolsa. Estavam lá por causa dos papéis. Eles sabem do tesouro!

— E o que indica esse outro homem nessa história? — interveio Oriol. — Será que ele te seguia para te proteger?

— Não sei — tive que reconhecer. — São muitos mistérios e a minha impressão é que todos sabem mais que eu sobre o que está havendo. E que estão silenciando sobre muitas coisas — olhei para ambos.

Oriol sorriu e falou para o seu primo.

— E então, Luis. Você está ocultando coisas que deveríamos saber?

— Não, acho que não, priminho. E você? O que oculta?

— Nada importante — replicou Oriol, ampliando seu sorriso. — Mas não se preocupem, se alguma coisa vier à minha mente, e eu considerá-la relevante, contarei logo que puder.

Esta ambigüidade me indignou.

— Você está dizendo sim e não ao mesmo tempo! — exclamei. — Se sabe de algo, diz logo! Hoje estiveram a ponto de nos matar!

Oriol me olhou.

— Claro que sei mais que você — ele disse sério. — E Luis também. Todos nós sabemos mais que você. Você ficou quatorze anos fora, lembra? Aconteceram muitas coisas durante esse tempo. Você irá se inteirando pouco a pouco.

— Mas tem gente dando facadas por aí afora — retruquei, apontando a mão enfaixada de Luis. — Existem perguntas que não podem esperar. Quem é essa gente?

— Não sei — e deu de ombros. — Mas suspeito que sejam os mesmos que o meu pai enfrentou quando procurava esse tesouro templário. Qual é a sua opinião, Luis?

— Sim, pode ser que sejam eles, e que ainda estejam seguindo a pista do tesouro. Mas não tenho certeza disso.

Lembrei do assalto ao meu apartamento e me dei conta de que tínhamos adversários que nos seguiam bem de perto. Mas o velho não fazia parte deles.

— E o louco? — inquiri. — E esse homem de cabelos e barba brancas?

Luis moveu sua cabeça em sinal negativo.

— Não faço idéia — disse.

Oriol encolheu os ombros, mostrando ignorância.

— Bem. O papo já vale por si só — disse Luis com impaciência. — Abrimos este pacote ou o não?

Na capa encarquilhada do maço podia-se ler com certa dificuldade "Arnau d'Estopinyá", e ela estava atada com fitas de um vermelho desvanecido que por sua vez estavam sob vários selos de lacre. De imediato reconheci neles a cruz pátea da ordem da Têmpera, igual e com o mesmo tamanho da que havia no meu anel. Luis pegou uma tesoura e cortou cuidadosamente apenas as fitas imprescindíveis para poder extrair os documentos do interior do maço. Eram algumas folhas amareladas escritas com letra irregular e tinta azulada. Estavam numeradas e Luis passou a fazer a leitura da primeira delas.

VINTE E DOIS

"Eu, Arnau d'Estopinyá, frade sargento da ordem da Têmpera, sentindo que minhas forças se esgotam e que estou próximo de entregar minha alma ao Senhor, relato os meus feitos no monastério de Poblet, em janeiro do ano do Senhor de mil trezentos e vinte e oito.

"Nem as torturas dos inquisidores dominicanos, nem as ameaças dos agentes do rei de Aragão, nem as demais violências e danos que me causaram os cobiçosos e miseráveis que suspeitavam do que eu sabia poderiam arrancar-me o segredo que a morte quer levar comigo.

"Tenho cumprido até hoje a promessa que fiz ao bom mestre da ordem da Têmpera dos reinos de Aragão, Valência e Maiorca, frade Jimeno de Lenda, e ao seu lugar-tenente, frade Ramón Saguardia. Porém, se eu morrer, meu segredo morre comigo, e minha promessa não será cumprida. É por esta inquietude e não para contar as vicissitudes de minha vida que solicitei ao frade Joan

Amanuense que recolha em letra a minha história sob solene promessa de silêncio" — Luis interrompeu sua leitura de supetão, mas sua vista continuava perscrutando o papel.

— Isto é falso! — disse, depois de nos olhar com uma expressão alarmada. — Se lê com muita facilidade para ser um texto medieval. Qual é a sua opinião, Oriol?

Pegando uma das folhas, o seu primo observou-a em silêncio. E logo sentenciou:

— Este escrito não é anterior ao século XIX.

— Como é que você sabe? — inquiri decepcionada.

— Está em catalão antigo, mas não é do século XIII nem de muito antes, as palavras são relativamente modernas. Além disso, está escrito num tipo de papel que não pode ter mais do que duzentos anos, e as letras foram traçadas com uma pena de metal bastante elaborada.

— Como você pode estar tão certo?

— Porque sou historiador e já estou cansado de ler documentos antigos — ele sorria. — Satisfeita?

— Sim — repliquei com o coração na mão. — E não sei por que você está rindo. Que decepção!

— Não estou rindo, mas também não fico alarmado; ler transcrições de textos mais antigos é algo corrente no meu trabalho. Mesmo que o documento não seja original, isto não nos obriga a concluir que o relato seja falso. Precisamos avançar mais antes de tirar conclusões. E ainda tem estes selos de lacre com a cruz templária que protegem os papéis!

— O que eles têm a ver? — Luis perguntou.

— A impressão é idêntica à de um selo que encontrei entre as coisas do meu pai.

— Você está insinuando que ele falsificou os papéis? — eu quis um esclarecimento.

— Não. Pode ser um documento antigo de verdade, mas não mais velho que dois séculos, embora eu esteja certo de que ele o decorou para torná-lo mais solene.

— Acredito que estamos jogando mais uma vez o jogo dele — afirmou Luis. — Como em nossa época de crianças.

— Então tudo não passa de uma piada póstuma?

— Não. Acredito que ele levava a sério — Oriol replicou. — Eu sei que ele procurava o tesouro totalmente convencido de sua existência.

— Mas será que existe mesmo este tesouro? — insisti.

— Com toda a certeza. Ou pelo menos existia. Mas, quem pode saber? Talvez alguém já se tenha adiantado. Vocês se lembram de quando perseguíamos os tesouros que ele escondia, não é?

Assentimos com a cabeça.

— Quando ele ocultava moedas de chocolate embaladas em papel metálico que simulavam ouro e prata, em que momento vocês se divertiam mais? Ao procurar o tesouro ou ao comer as guloseimas?

— Na procura — eu disse.

— Mas agora é diferente — afirmou Luis. — Já não somos crianças e tem muito dinheiro em jogo.

— Eu acredito que é a procura — disse Oriol. — Meu pai deixou claro no testamento dele: o tesouro existe, mas a verdadeira herança é a aventura de encontrá-lo. Ele adorava a ópera e a música clássica. Mas vocês sabem o que foi que ele ouviu por último? Foi Jacques Brel e particularmente "Le mouribound", uma canção de despedida de alguém que agoniza amando a vida. Mas antes foi *Viatge a Itaca*, de Lluís Llach, inspirada num poema do grego Konstantinos Kaváfis; refere-se à *Odisséia*, o relato das aventuras de Ulisses enquanto procurava o caminho de regresso a sua pátria, Ítaca. Enric acreditava que a vida transcorria como uma viagem até Ítaca, a Ítaca de cada um; que a vida está na caminhada, não na chegada. O último porto é a morte. E naquela tarde de primavera de treze anos atrás, a nave de Enric arribou pela última vez na sua Ítaca.

Ele nos deixou em silêncio pensativo, entristecido.

— Meus queridos — acrescentou Oriol, depois de um

momento de reflexão —, não herdamos um tesouro. Herdamos uma procura. Como naqueles jogos de quando éramos crianças.

— E o que faço agora? — inquiriu Luis no mesmo instante. — Continuo lendo? — pensei que ele não via com cuidado essa história de procura; ele queria o tesouro.

— "Nasci terra adentro, mas o meu destino tem sido o de marinheiro" — Luis continuou. — "Não sou nobre, mas meu pai era homem livre e bom cristão. Não fui nomeado cavaleiro, apesar dos meus méritos, porque mesmo na Têmpera e apesar da humildade obrigada pelos nossos votos, mantinha-se a classe do nascimento.

"Nos meus dez anos, houve estiagem e inanição nas terras do meu pai e ele me mandou para um dos seus irmãos que era mercador em Barcelona.

"E o que posso lhes dizer? Ao ver o mar, eu fiquei fascinado, mais até do que ao contemplar a grande multidão que povoava por inteiro as ruas daquela enorme cidade em falatório e algaravia constantes. O comércio marítimo com Perpiñán e os novos reinos conquistados dos sarracenos pelo rei dom Jaime I em Maiorca, Valência e Múrcia eram contínuos, e os mercadores catalães percorriam todo o Mediterrâneo até Túnis, Sicília, Egito, Constantinopla e Terra Santa.

"Mas eu sonhava com a glória das armas e com o serviço à cristandade, e gostava mais das naus que do comércio. Desejava atravessar o mar e aportar nas estranhas cidades do Oriente, e quando meu tio me mandava levar recados ao porto, eu ficava abobalhado ao ver os barcos e fazia o possível para conseguir que algum marinheiro me contasse como tinha sido sua última viagem, ou como se manejavam alguns dos estranhos artefatos de bordo.

"O mundo das docas era bem diferente daquele de terra adentro, de onde eu vinha; era exótico, fascinante. Havia mercadores ricos de Gênova e Veneza com roupagens luxuosas e muitas jóias; viam-se normandos louros e altos chegando da Sicília, cavaleiros catalães e aragoneses com corcéis, armas e criados, tropas mercenárias embarcando para guerras de ultramar, almogávares vestidos com peles e de aspecto rude e feroz que um dia partiam para lutar a favor de nosso senhor, o rei dom Pedro III, contra os sarracenos de Montesa, e no outro dia embarcavam para pelejar no norte da África a soldo do rei de Tremancén. Também havia gente negra chegada do sul, estivadores de ribeira carregando cargas e escravos mouriscos cobertos de farrapos. Eram faladas línguas estranhas e pela noite, ao redor da fogueira e nos albergues, eram ouvidas canções novas e histórias assombrosas de guerras e amores. A atividade era frenética e os carpinteiros, já nos estaleiros ou à beira do mar, não paravam de serrar, de dar marteladas e de calafetar. Construíam a frota que estava destinada a dominar o Mediterrâneo. Que saudade daquele tempo! O meu nariz ainda guarda a lembrança dos odores do pinho, do breu, do suor e das sardinhas assadas.

"Mas eram os frades da Milícia que haviam fascinado aquele menino. Jamais freqüentavam as tabernas e a população lhes abria o caminho com respeito. Entre todos eles se destacavam os da Têmpera, bem acima dos de São João do Hospital. Sempre austeros, com cabelo curto, e bem alimentados e vestidos. Suas túnicas pareciam cosidas sob medida, nada de andrajos como as dos franciscanos, nem de roupas que parecessem roubadas como as dos soldados do rei. Embora ricos, os frades templários nunca se permitiam luxos como os que desfrutavam outros eclesiásticos, e sua regra era bem estrita. As maiores naus do porto eram as suas e seu mestre provincial o era para os reinos de nosso rei dom Pedro e de seu irmão, o rei Jaime II, de Maiorca, que lhe rendia vassalagem.

"Eu sempre procurava conversar com eles e, falando com uns e outros, fiquei comovido com sua fé, sua firmeza e sua absoluta certeza com relação ao triunfo final do cristianismo sobre seus inimigos. Tinham resposta para tudo e estavam dispostos a oferecer suas vidas em combate a qualquer momento. Fiquei também inteirado de que os cavaleiros da Têmpera preferiam lutar em cima dos corcéis e raramente davam ordens nas naves. Este era um trabalho para os frades de procedência mais humilde. Como a minha.

"Justo ao cumprir meus quinze anos, obtive a permissão do meu pai para ingressar na ordem. Eu queria capitanear um barco de guerra e lutar contra turcos e sarracenos, e ver Constantinopla, Jerusalém, a Terra Santa. Os rapazes de origem nobre podiam fazer seus votos aos treze anos, mas eu não levava doação, somente minha fé, meu entusiasmo e minhas mãos.

"Meus amigos templários das docas intercederam por mim diante do comendador de Barcelona e este concordou em me ver, mas, apesar do meu entusiasmo, o velho frade me disse que rezasse muito e perseverasse. Ele me fez esperar um ano para pôr minha fé à prova.

"Aquele ano foi bastante intenso. Eu continuava ajudando o meu tio nos seus negócios, que aumentavam com os preparativos de guerra. Foi nessa ocasião que a esquadra aragonesa, tendo à frente o nosso rei Pedro, o Grande, partiu para a conquista de Túnis. Aquele, sim, foi um grande rei! Deus o terá em sua glória.

"Os rapazes da minha idade ficavam encantados quando viam embarcar as tropas, os cavaleiros e seus corcéis. Vimos o rei, Roger de Lauria, o almirante da frota, os condes e os nobres. Era um espetáculo e não nos cansávamos de gritar vivas pelas ruas e de seguir as comitivas até o porto.

"A Têmpera também enviou algumas naus e tropas para apoiarem o esforço do monarca, mas pelo compromisso e sem entusiasmo. Eles me disseram que aquilo desgostava o frade Pere de Montcada, o nosso mestre provincial de então. O santo padre, que era francês, havia reservado aqueles reinos do norte da África para Carlos de Anjou, o rei da Sicília, irmão do rei da França.

"E assim, quando o rei dom Pedro, já fortificado em Túnis para iniciar a conquista, pediu apoio ao papa Martinho IV, este se negou a dá-lo. E estando ali no norte da África, na dúvida se continuava a fazer guerra contra os desejos do pontífice, foi procurado por uma embaixada de sicilianos, que se haviam levantado contra

Carlos de Anjou em virtude dos abusos que sofriam por parte dos franceses. Molestado pela atitude do papa, que demonstrava ser aliado gaulês, desembarcou na Sicília, rechaçou os franceses e ali o coroaram rei. Isso aborreceu tanto Martinho IV que este acabou excomungando-o.

"Com isso passou o ano e no fim fui admitido, apenas como grumete leigo, na nau do frei Berenguer d'Alió, sargento-capitão. Naquele ano o almirante Roger de Lauria vencia a esquadra de Carlos de Anjou, em Malta, e no ano seguinte os derrotou de novo em Nápoles.

"O papa, indignado com o nosso rei, que continuava açoitando seus protegidos, chamou uma cruzada contra ele, oferecendo os reinos de dom Pedro a qualquer príncipe cristão que pudesse reclamá-los. Naturalmente o candidato eleito foi Carlos de Valois, filho do rei da França e de Isabel de Aragão. Os exércitos gauleses atravessaram os Pirineus e sitiaram Girona. Apesar de devermos obediência direta ao papa, nós, os templários catalães e aragoneses, através do nosso grande mestre, achamos desculpas para não intervir e assim apoiamos o nosso rei de forma encoberta.

"A chegada da esquadra do almirante foi o início do fim desta ignominiosa cruzada. Roger de Lauria não somente destroçou a frota francesa no golfo de León, como também as tropas almogávares que transportava se lançaram com tal ferocidade sobre o inimigo em terra que este teve de fugir, sofrendo grandes perdas. Deus não queria o francês na Catalunha nem tampouco aquele papa equivocado.

"Eu tinha dezoito anos, já era um bom marinheiro e o almirante catalão-aragonês era o meu herói. O meu sonho era capitanear uma galera e participar em grandes batalhas como as de Roger de Lauria.

"E o que lhes posso dizer? Depois das boas notícias, chegaram notícias ruins. Dois anos mais tarde, Trípoli caía nas mãos dos sarracenos, morrendo em sua defesa ilustres cavaleiros templários catalães, entre os quais encontravam-se dois dos Montcada e os filhos do conde de Ampurias. Era o presságio da desgraça que estava por vir. Foi naquele ano trágico, no seu fim, que professei os meus votos e me converti em frade templário.

"O grande desastre seguinte foi o de São João de Arce. Eu já estava com vinte e quatro anos e era o segundo a bordo da linda galera *Na Santa Coloma*, uma das chamadas bastardas, com vinte e quatro bancos de remadores e dois mastros; a mais rápida da frota templária catalã. Continuava sob as ordens do frade Berenguer d'Alió. Nossa missão era proteger as naus da Têmpera das coroas de Aragão, Valência e Maiorca, mas, apesar de ter participado de um bom número de escaramuças e abordagens contra os berberes, eu jamais tinha visto algo como o de Arce.

"Nunca antes a galera *Na Santa Coloma* havia ido mais longe que a Sicília, e eu estava entusiasmado. Enfim conheceria a Terra Santa! Nós, templários dos reinos ibéricos, tínhamos nossa cruzada em casa e por isso poucas vezes lutávamos no Oriente. Mas a situação era desesperadora; o sultão do Egito, Al-Ashraf Khalil, estava empurrando os cristãos para o mar, depois de mais de cento e cinqüenta anos de presença no Oriente. Arce estava sitiada, mas por sorte nossa frota dominava as águas, a única entrada e saída possível para a cidade. À nossa chegada, a situação era crítica e enviamos um grupo de besteiros para proteger os muros nas zonas de controle templário.

"A cidade estava coberta pela fumaça dos fogos nos tetos e nas paredes, que eram provocados pela chuva de cântaros de nafta que cem catapultas lançavam continuamente. Cheirava a carne queimada. As chamas pareciam grudar até nas pedras e não havia braços suficientes para carregar água e apagar incêndios.

"De vez em quando retumbava o impacto das rochas de várias toneladas lançadas por engenhocas gigantes que o sultão havia mandado construir. Qualquer muro, casa ou torre fundia-se entre nuvens de poeira ante tais golpes.

"Tudo predizia um final trágico e aceitamos embarcar algumas mulheres, crianças e varões cristãos impedidos de lutar nas muralhas para levá-los a Chipre. Mas era necessário reservar espaço. Eu tinha ordem de salvar primeiro os nossos irmãos templários, depois os frades do Santo Sepulcro e do Hospital e os teutões, e em seguida os cavaleiros e as damas mais significativos. E, finalmente, qualquer cristão. Um dia ouvimos um ruído profundo, como um terremoto, enquanto uma das torres mais altas e parte da muralha, minadas pelos muçulmanos e batidas continuamente pelos projéteis, eram destruídas. Uma nuvem de poeira e fumaça cobria o sol. Depois escutamos os uivos dos mamelucos que assaltavam a cidade e os gritos do povo fugindo pelas ruas. Uns procuravam uma última nau no porto, outros tentavam refugiar-se em nossa fortaleza que, situada dentro da cidade, mas rodeada de muralhas, dava para o mar com embarcadouro próprio. Mas os recursos e o espaço eram limitados e tivemos que deixar muitas pessoas de fora. O que partia o coração era afugentar cristãos, mulheres, crianças e velhos a golpes de espada, deixando-os nas mãos daqueles infiéis sedentos de sangue, sabendo que não encontrariam refúgio em nenhum outro lugar daquela cidade no caos..."

— Um momento — eu supliquei. — Pára, por favor — Luis interrompeu sua leitura; ele e Oriol ficaram me olhando curiosos. Eu sentia um calafrio, meus pêlos se arrepiavam, e confusa refugiei meu rosto nas mãos. Deus! Acabara de escutar o relato daquele sonho que tive no meu apartamento de Nova York semanas atrás! Alguém descrevera a minha visão centenas de anos antes que eu a tivesse! A torre que caía, a nuvem de poeira, as espadadas — agora eu sabia — dos templários, evitando que o povo rasteiro se refugiasse na sua fortaleza já bastante povoada... era impossível, absurdo.

— O que está havendo? — perguntou Oriol, tocando-me no braço.

— Nada! — me recompus. — Tenho de ir ao banheiro.

Sentei-me no vaso; estava tão impressionada que as pernas não me sustentavam. Quis pensar, encontrar lógica naquilo. Mas não havia. Não era assunto da razão e sim do sentimento; o que eu havia sentido meses atrás e o que estava sentindo agora rechaçavam qualquer lógica. Estava ficando assustada. Temia que zombassem de mim, especialmente Oriol. Luis o faria, sem dúvida. E nunca gostei de estar em situações em que não pudesse me defender. No entanto, todo aquele assunto de tesouro e de templários era incomum; convenhamos, era algo que não acontece todo dia. Decidi que era melhor assumir o surrealismo da história e contá-la. Na realidade, eu estava louca para compartilhar aquela estranha impressão.

Luis permaneceu com seu sorriso burlão e incrédulo na cara, o que me fazia lembrar daquele adolescente gordinho e de má figura, mas não disse nada. Oriol coçou a cabeça em gesto pensativo.

— Que coincidência estranha! — ele disse.

— Coincidência?! — exclamei.

— Você acredita que haja algo mais que coincidência? — olhava-me com curiosidade.

— Não sei o que pensar — agradecia-lhe por não ter rido de mim. — É bastante incomum.

Ele fez um gesto ambíguo e calou-se.

— Se vai nos contar seus sonhos, é indiferente eu continuar lendo — Luis interveio com ironia. — Continuo?

— Não — repliquei com firmeza. — Estou esgotada. Quero descansar — eu queria saber como seguia a história de Arnau d'Estopinyá, mas as emoções daquele dia tinham me deixado exausta.

— Fale com a minha mãe — Oriol recomendou.

— O quê? — reagi com surpresa.

— Fale com Alicia Núñez sobre o teu sonho com Arce.

— Mas não deixa ela te fazer uma bruxaria — Luis advertiu, zombando. Que desaforo! Pensei comigo que ele passava da medida, uma coisa era chamá-la de bruxa às escondidas e outra que o fizesse diante do filho dela.

— Talvez seja isso — Oriol não se alterou. — Talvez suas bruxarias, ou melhor, sua visão das outras dimensões da realidade possam ajudá-la.

— Obrigada, pensarei nisso — falei.

VINTE E TRÊS

Oriol despediu-se na casa de Luis, alegando que tinha um compromisso com um grupo que organizava algum tipo de caridade para os marginalizados, e eu tive de regressar sozinha de táxi para a casa de Alicia. Devo reconhecer que me senti decepcionada. Luis me convidou para jantar, mas eu não quis. Depois, a caminho, pensando naquela noite desagradável, achei que talvez tivesse sido melhor jantar com ele, agüentar suas insinuações e rir de suas bobagens. Eu me sentia só, desamparada nessa cidade de vibrações estranhas que de repente se tornara obscura e hostil. Precisava do calor de alguns sorrisos preenchendo a alma e tive saudade das sandices de Luis.

— Psicometria.

— O quê?

— Psicometria — Alicia repetiu.

A mesma palavra; tinha ouvido bem. Mas era a primeira vez que eu escutava este vocábulo e nem de longe suspeitava o que podia significar. Fiquei à espera da sua explicação.

— Chama-se psicometria o fenômeno pelo qual uma pessoa é capaz de captar os sentimentos, as emoções e os fatos passados que impregnam um objeto — Alicia tinha segurado minhas mãos e olhava nos meus olhos. — Aconteceu com você por causa do anel.

Falava com seriedade e firmeza, parecia convencida.

— Você quer dizer que...

— Que o teu sonho da destruição da torre, do assalto de Arce — me interrompeu com energia —, do guerreiro ferido que chega cambaleando até a fortaleza da Têmpera, é algo que realmente aconteceu. A angústia, a emoção do portador do anel impregnou este objeto. E você foi capaz de captá-lo.

— Mas como? Você está dizendo que o meu sonho foi vivido realmente por alguém há setecentos anos atrás, em Arce?

— Sim, é o que digo.

Fiquei olhando aqueles olhos azuis, enquanto suas mãos grandes e cálidas me transmitiam uma calma estranha. Alicia estava dando explicações ao inexplicável. Não fazia sentido, nem eu mesma teria acreditado naquilo, em circunstâncias normais; mas, se alguma vez lhe ocorrer algo inusitado, algo que supera a sua lógica, você saberá o quanto se fica agradecido quando há um argumento que o explique.

— Nunca ouvi algo semelhante em minha vida.

— É uma espécie de clarividência.

— Mas como pode acontecer?

— Francamente, não sei — havia um sorriso doce na sua face. — Os ocultistas dizem que existem registros chamados *akáshicos* que contêm a memória de tudo que passou. Em determinadas circunstâncias podemos ter acesso a eles. Este anel parece ser um veículo de acesso. Com Enric ocorria o mesmo.

— Isso também ocorria com Enric?

— Sim, ele me confidenciava que às vezes lhe apareciam

imagens de fatos antigos, quase sempre trágicos. Fatos que criaram emoções muito fortes nas pessoas que os viveram. Ele atribuía isso ao anel, acreditava que era um depósito de vivências.

Olhei o rubi que brilhava com estranheza sob a luz do gabinete de Alicia. Pensei nos sonhos insólitos que vinham me assaltando desde que passei a possuí-lo. Só conseguia lembrar de alguns deles de forma difusa, mas agora eu tinha uma explicação para essa atividade onírica incomum dos últimos meses. Mas, por mais que me esforçasse, afora dois casos concretos dos quais restaram seqüências bem claras, eu não era capaz de lembrar de mais nada que fosse significativo, nem de discerni-lo entre as poucas imagens que guardava na memória.

Através da ampla janela viam-se as luzes da cidade, coberta pela noite, lá embaixo, atenuadas pela neblina chuvosa que as envolvia.

Uma coleção de estátuas criselefantinas, corpos de marfim e vestidos de bronze, alguns cobertos de pedrarias, todas mulheres jovens, umas em passos de dança e outras tangendo instrumentos, nos acompanhavam de cima de vários móveis, entre os quais destacava-se uma grande cômoda.

Uma outra bailarina desnuda, um bronze modernista em tamanho natural, imobilizada no seu passo de dança eterno, sustinha no alto uma luminária de cristais chumbados em flores. Debaixo de sua luz o vinho das taças brilhava com um vermelho aveludado de matizes obscuros e profundos. Jantávamos a sós, no pavimento alto da casa, naquele aposento privado de Alicia, lugar cálido e recolhido, um vigia sobre uma cidade mágica. Sua companhia me reconfortava. Ela estava ansiosa para saber o que havia ocorrido no dia e eu tinha motivo para ocultá-lo. Ao chegar ao relato de São João de Arce, ela deve ter percebido a minha angústia e, aproximando sua cadeira, segurou minhas mãos.

— Mas isso nunca aconteceu comigo antes — eu me dei conta de que me lamentava como uma menina que havia caído e ferido os joelhos.

— Não é você — consolou-me. — É o anel.

Agora ela acariciava o rubi que brilhava intensamente com sua estrela interior de seis pontas, misterioso, como se tivesse vida própria, e logo fazia mimos em minhas mãos. Eu me sentia bem. Era uma suave prostração; eu percebia como depois da tensão e do estresse daquela jornada o meu corpo se relaxava, se deixava ir. Que dia! Começou com a busca na livraria Del Grial. Mais tarde veio o assalto e a aparição daquele homem estranho e sua violência. E depois a emoção da leitura do manuscrito e o choque de reconhecer nele um sonho inverossímil.

— Existe alguma coisa nesta jóia, não é fácil ser seu dono — ela disse de repente. — Tem poder.

Este comentário me sobressaltou. O testamento me veio à memória. Os últimos acontecimentos quase me fizeram esquecê-lo.

"Este anel não pode pertencer a qualquer um e dá ao seu dono uma autoridade singular", dizia a minha carta, e também algo a respeito de como eu deveria mantê-lo comigo até que encontrasse o tesouro. Agora tais palavras soavam como uma ameaça. Eu me prometi relê-la tão logo chegasse ao meu quarto.

— Este anel estabelece uma relação muito particular com seus donos, uma relação de vampirismo — ela acrescentou na hora. — Puxa a tua energia para ativar o que leva dentro e te devolve na forma desses sonhos de gente morta.

Olhei o anel com apreensão. O rubi brilhava vermelho e achei que ele era uma sanguessuga no meu dedo. Se não me sentisse comprometida com Enric, eu o teria tirado imediatamente.

— Não se preocupe, querida — afirmou essa mulher que parecia adivinhar meus pensamentos. — Eu a ajudarei.

Havia um matiz particular na sua voz profunda que me fez encarar aqueles olhos azuis tão parecidos com os do seu filho. Suas palavras me consolavam e me dei conta de que ela era a única pessoa que podia me entender. Sua boca escondia um sorriso e ela acariciou meu cabelo. Depois beijou uma das mechas. O segundo beijo foi perto da minha boca. Esse contato me deixou agitada. Quando os nossos lábios se uniram no terceiro beijo, senti um alarme. Percebi que estava em seus braços e me levantei com um salto.

— Boa noite, Alicia — eu disse. — Vou deitar.

— Boa noite, querida — o sorriso dela havia ampliado. — Durma bem. Avise-me se precisar de algo — não fez nada para me reter, como se esperasse minha reação e a contemplasse divertida.

Quando cheguei ao meu quarto, fechei a porta com a tranca de segurança.

Fora um dia de emoções excessivas; sentia-me esgotada, mas inquieta, e eu estava na vigília que precede o sono quando fui assaltada por essa estranha vivência. Eu a via como se estivesse lá:

"Um alarido rasgou o ar denso como uma faca e retumbou naquele sótão imundo, reverberando nos grandes silhares de pedra da sua construção. A névoa que entrava pelas janelinhas gradeadas mesclava-se com a fumaça das brasas, onde os ferros avermelhavam, e dos archotes que iluminavam aquele inferno. Frei Roger tinha resistido bem à primeira hora de suplício, mas agora começava a ceder. O eco da gritaria cessara, mas a ele se seguira um gemido indigno.

"Eu tremia. Coberto de trapos, não sabia se o que me fazia tiritar era o meu medo ou a névoa gelada que penetrava nos meus ossos. Meu corpo todo era apenas dor, tombado sobre o potro, com pés e mãos amarrados, e eu sentia que estaria destruído na próxima volta do parafuso. Mas precisava agüentar. E continuei minha reza: Nosso Senhor, Jesus Cristo, meu Deus, ajudai-me neste transe. Ajudai frei Roger, ajudai meus irmãos, que todos agüentem, que ninguém se renda, que ninguém minta.

"— Ouvi a voz do inquisidor interpelando o meu companheiro:

"— Confessa que adoravas o Cão-Tinhoso! Que escarravas na cruz! Que fornicavas com teus irmãos!

"— Não, não é verdade — murmurou frei Roger em voz baixa.

"Depois, silêncio. Intimidado fiquei à espera do próximo alarido que não tardou a chegar.

"O frade dominicano que me interrogava tinha calado por alguns instantes, talvez para usufruir o suplício do meu irmão, mas logo voltou com as mesmas perguntas.

"— Renegavas Cristo, não é?

"— Não, nunca fiz isso!

"— Tu adoravas essa cabeça chamada Cão-Tinhoso? — abri os olhos e vi, borrado pelas lágrimas, o teto cheio de névoa e fumaça, onde se distinguiam apenas as vigas. Vi as feições duras do inquisidor que se cobria com o capuz da sua veste dominicana. — Confessa e os libertarei — ele disse.

"— Não, não é verdade — repliquei.

"— Ao ferro com ele — ordenou o verdugo. E em seguida senti na pele da minha barriga, tensa como a de um tambor, a queimação do ferro incandescente.

"O meu grito encheu todo o lugar."

Encontrei-me sentada na cama, a sensação e a dor eram tão reais que, naquela noite, não consegui pegar no sono, a não ser nos pequenos intervalos de esgotamento.

VINTE E QUATRO

— "O que partia o coração era afugentar cristãos, mulheres, crianças e velhos a golpes de espadas, sabendo que não encontrariam refúgio para escapar dos infiéis sedentos de sangue em nenhum outro lugar daquela cidade no caos." — Luis recomeçava a leitura, repetindo as últimas frases lidas antes da minha interrupção no dia anterior. — "Ali morreu o nosso mestre marechal templário, Guillermo de Beaujeu, por causa das feridas que recebeu defendendo a muralha quando os mamelucos entraram na cidade a ferro e fogo."

O sol se retirara do apartamento de Luis para se ocultar atrás do monte de Collcerola. A tarde caía e nós três estávamos de novo reunidos para continuar a leitura dos papéis de Anau d'Estopinyá. Oriol estivera ocupado pela manhã na universidade e, apesar da minha impaciência e do estado alterado em que fiquei pelo sonho sangrento da noite, decidi aguardar o momento em que estaríamos novamente juntos. Claro que Luis confessou que não pôde esperar e que já havia lido o documento diversas vezes. Agora ele o fazia de novo em voz alta, com todos nós sentados em almofadões em cima de uma linda alfombra persa e tomando café.

— "Agüentamos durante dez dias, embora tanto os sarracenos como nós soubéssemos que a fortaleza cairia em pouco tempo, apesar dos seus muros de três a quatro metros de espessura" — Luis seguiu em frente. — "Isto fez com que os muçulmanos retardassem o posicionamento de suas máquinas maiores de ataque. No último dia tivemos que proteger o embarque dos barcos salva-vidas até a galera com os poucos besteiros que nos restavam. Naquele momento o perigo imediato já não eram os infiéis, mas os refugiados na fortaleza que, tomados pelo pânico, queriam chegar a todo custo às naves; pagavam qualquer preço, ofereciam todos os seus pertences. Houve quem fizesse fortuna com esta desgraça. Dizem que este foi o caso do então frei templário Roger de Flor, o mesmo que depois, abandonando a ordem para fugir do seu castigo, seria o grande capitão Almogávar, açoite de muçulmanos e ortodoxos, e que acumulou grandes riquezas naqueles dias graças à galera que capitaneava e à miséria dos refugiados.

"Quando nossa nave carregada de feridos que se lamentavam a cada solavanco já se afastava a caminho de Chipre, tudo que pude ver através da neblina de fumaça e poeira que flutuava sobre as ruínas de São João foi o ondular das insígnias do Islã. Senti uma tristeza profunda. Não somente pela perda do último grande baluarte na Terra Santa. Tive a premonição do fim próximo da ordem dos Pobres Cavaleiros de Cristo, a dos templários.

"Entre os feridos estavam dois jovens e ardorosos frades, os cavaleiros Jimeno de Lenda e Ramón Saguardia. Saguardia estava com o mestre marechal Guillermo de Beaujeu quando este caiu ferido de morte e tentou ajudá-lo, mas o mestre já agonizava e entregou-lhe o seu anel de rubi. Ele conseguiu salvar a vida por milagre ao chegar com ferimento grave e com seus próprios pés às portas da fortaleza da ordem da Têmpera, situada dentro do espaço murado de São João de Arce, em plena investida dos mamelucos. Esteve a ponto de perecer entre a turba a poucos metros da entrada. Eu tive a oportunidade de fazer amizade com ambos no longo caminho de regresso a Barcelona.

"Saguardia", eu pensei, "deve ter sido aquele cavaleiro que portava o anel no meu sonho."

— "No regresso às costas catalãs, *Na Santa Coloma* voltou ao seu labor de custódia às naves e às suas incursões contra os mouriscos" — Luis lia com a segurança de quem já conhecia bem o texto. — "Em poucos anos o rei Jaime II concordou em trocar com o nosso mestre provincial, Berenguer de Cardona, a cidade de Peñíscola, sua fortaleza, o porto, diversos castelos dos seus arredores, bosques e muitos campos pelas amplas possessões templárias próximas à cidade de Valência, que o seu avô Jaime I nos dera por nossa ajuda na conquista do reino. Eu havia sido nomeado sargento pouco antes, e foi nessa ocasião que nosso mestre achou por bem me conceder o mando de uma fusta, uma nau de carga que fazia rotas para Barcelona, Valência e Maiorca.

"Aquilo não era o que eu queria, mas esforcei-me em minha tarefa conforme meus votos de obediência exigiam, o que não me impedia de falar com meus superiores e meus amigos, os frades de Lenda e Saguardia, para persuadi-los de que as minhas habilidades eram melhores para a guerra do que para o transporte.

"Em poucos anos recebi o mando de uma galera com vinte e seis bancos de remos e um mastro. Nosso Senhor quis conceder-me a vitória em diferentes lances e capturei muitas naves inimigas. Tudo parecia que ia bem, mas frei Jimeno de Lenda andava preocupado. Um dia ele me disse que um tal Esquius de Floryan, um antigo comendador templário, tendo sido expulso como ímpio, foi ver o nosso rei Jaime II com acusações atrozes contra nós. O monarca ofereceu-lhe uma grande recompensa se ele fosse capaz de reunir provas. Esquius não conseguiu e o rei esqueceu do assunto.

"Naquele ano perdemos a ilha de Raud, última possessão templária na Terra Santa. Jimeno tornou-se mais tenso, dizia que forças obscuras maquinavam a nossa perdição, e que, se não recuperássemos logo uma parte do que havíamos perdido no Oriente, nossa sagrada missão se empanaria e nosso espírito se debilitaria.

"Dois anos depois Jaime II firmou a paz em Elche com os castelhanos, acrescentando ao reino de Valência parte do de Múrcia, incluindo toda a costa até Guardamar. A zona a ser protegida era agora muito mais extensa, avançava bastante ao sul e ficava mais exposta aos ataques dos mouriscos. Foi nessa ocasião que o meu antigo superior, Berenguer d'Alió, por razão de idade, cedeu o mando da *Na Santa Coloma*. Eu me converti no seu capitão.

"E o que posso lhes dizer? Pouco depois chegava o ano nefasto de 1307. Foi quando o frei Jimeno de Lenda passou a ser mestre de Catalunha, Aragão, Valência e do reino de Maiorca, e o frei Saguardia, comendador do encrave principal da Têmpera no reino de Maiorca; Masdeu, no Rosellón, converteu-se no seu lugar-tenente. Ocorreu que o traidor Felipe IV, da França, atraiu com honras e glórias o nosso mestre marechal, Jacques de Molay, para Paris, e na manhã de 13 de outubro as suas tropas assaltaram de surpresa a fortaleza da Têmpera e lá aprisionaram o nosso mestre, que não opôs resistência. Ao mesmo tempo e da mesma forma foram tomados os castelos e as comendas templárias de toda a França. Com calúnias, embustes e as acusações mais terríveis, esse rei sacrílego procurava e conseguiu a perdição da nossa ordem. Ele o fez por amor à justiça, por amor a Deus? Não! Só queria roubar as riquezas que a Têmpera guardava para financiar a sagrada missão de recuperar a Terra Santa. Felipe IV, chamado o Belo, sabia o que fazia e como fazê-lo; não era a primeira vez que encarcerava, torturava e matava por dinheiro. Anos antes havia perseguido os banqueiros lombardos para roubar seus bens na França e depois fez o mesmo com os judeus.

"Mas ele não se limitou a acusar os frades franceses, já que para ocultar seu crime caluniava a ordem por completo e a cada um dos templários em particular, enviando cartas aos reis cristãos, incluído o conde de Barcelona, nosso senhor dom Jaime II, rei de Aragão, Valência, Córsega e Sardenha, como ele gostava de ser chamado. Ele havia acrescentado nos seus títulos as ilhas que o papa lhe concedera em troca de fazer a guerra contra o seu próprio irmão menor, Federico, rei de Sicília. Isto demonstra o tipo de indivíduo que o nosso monarca era.

"As notícias do que ocorrera na França chegaram com rapidez à comenda de Masdeu; frei Ramón Saguardia não perdeu tempo e com dois cavaleiros e um serviçal galopou sem repouso até nosso quartel-geral no castelo de Miravet. Ramón desconfiava dos reis, achava que eram cobiçosos, que eram aves de rapina e levava consigo os melhores pertences de sua comenda para salvá-los. Na hora de sair, ele despachou emissários para os demais lugares da Têmpera de Rosellón, Sardenha, Maiorca e Montpellier, para que pusessem a salvo os seus bens mais caros, enviando-os a Miravet. Ao conhecer as novas, o frei Jimeno de Lenda ordenou uma reunião urgente de um segmento da ordem. Entre os convocados estavam o comendador de Peñíscola e eu. Decidiu-se então pedir ajuda e proteção ao nosso rei Jaime II, mas logo começamos a reforçar e a apetrechar em segredo as fortalezas que melhor podiam resistir a um longo assédio.

"Mas os frades Jimeno e Ramón reservavam uma honra muito especial para mim. Eles queriam proteger o melhor que cada comenda guardava. Uma vez tudo reunido em Miravet, caso a situação piorasse, eu partiria até Peñíscola com o tesouro para embarcá-lo em nossa *Na Santa Coloma*, uma nave que nenhuma galera real era capaz de alcançar, e escondê-lo num lugar seguro enquanto durasse o tempo das incertezas. Eu prometi, pela salvação da minha alma, não deixar que ninguém que não fosse um bom templário jamais pudesse possuir tais jóias. E Ramón Saguardia me presenteou com seu anel, o da cruz pátea no rubi, como lembrança de minha promessa e missão. Eu estava emocionado pela fé que aqueles altos frades depositaram em mim e passei os dias de espera, enquanto chegava o tesouro, em jejum e rezando ao Senhor para ser digno de tamanho empreendimento.

"Eu daria a minha vida, daria tudo, para triunfar em meu empenho."

VINTE E CINCO

— Acabou — disse Luis. — Não há mais folhas.

— Como? — perguntei com surpresa. — A história ainda não acabou.

— Mas os papéis, sim. Isto é tudo.

Olhei Oriol. Estava pensativo.

— O tesouro não é uma lenda — disse em seguida. — Ao menos agora sabemos com certeza que ele existiu. Talvez não tenha sido encontrado e esteja esperando por nós.

— E também sabemos que o anel de Cristina é autêntico — afirmou Luis. — E que primeiro pertenceu ao grão-mestre e, depois, a Ramón Saguardia e a Arnau d'Estopinyá.

Eu continuava impressionada pela coincidência do meu sonho com o relato daquele maço de papéis e aceitei as conclusões de Luis sem questioná-las; na verdade teria acreditado em qualquer coisa que me contassem, por mais insólita que fosse.

Era óbvio que o portador do anel durante a queda de Arce era o frade Saguardia. O mesmo que malferido conseguiu chegar até a fortaleza da Têmpera, em pleno ataque mameluco. E esta foi precisamente a minha visão. Vi o que frei Ramón Saguardia viu pelas ruas de Arce, entre as pessoas que fugiam desesperadas em busca de refúgio.

Olhei o anel com sua pedra brilhando em vermelho-sangue contra a luz da lâmpada. Quanta violência? Quanta dor continha?

— Mas o texto não menciona o quadro — Luis continuava sua análise. — É o único elemento do qual não sabemos a relação com a história.

— Tem relação, sim — eu intervim. Os primos calaram à espera de que eu continuasse. — A Virgem do meu quadro porta o anel na sua mão esquerda. Este mesmo anel.

Ambos ficaram um pouco em silêncio, olhando-me abobados, estáticos.

— Isto é verdade? — Oriol inquiriu em seguida, ainda pasmo. Eu afirmei sem palavras, assentindo com a cabeça.

— Então tudo está ligado — Luis interveio.

— Sim — disse Oriol, pensativo. — Mas é muito estranho. Você está certa disso?

— Claro que sim. O que é que tem de estranho? — eu quis saber.

— Que as virgens góticas não exibem anéis, e muito menos as do século XIII ou do início do XIV. Conheço bastante a arte medieval e já vi centenas de representações de Maria e do Menino. Os santos antigos não ostentavam jóias e a Virgem exibia uma coroa real somente quando era representada como rainha. Apenas os bispos e os grandes dignitários da Igreja se mostram com anéis, alguns com rubis e geralmente sobre luvas brancas. Os anéis só começam a aparecer na pintura flamenga e alemã na entrada do século XV e proliferam no XVI. Isto ocorreu bem depois de estes quadros terem sido pintado. Na realidade, a ostentação de jóias por parte de uma pessoa sem título era muito malvisto pelos católicos daquela época na coroa de Aragão.

— Então que sentido tem um anel no quadro de Cristina? — Luis interrogou.

— É muito estranho — Oriol retrucou. — E não somente estranho; teria sido um escândalo naquele tempo. Nos escritos da época advertia-se aos maridos contra a compra de jóias e de sua exibição pública por parte das esposas — e logo acrescentou, como se lhe tivesse vindo de repente à memória. — Bem, lembro, sim, de ter visto uma Virgem com um anel correspondente à época de nossos quadros. Mas é uma pintura falsa imitando um quadro gótico do século XIII.

— Você acha que a minha pintura não é autêntica? — inquiri decepcionada. — Acredita que seu pai me teria dado algo falso?

— Não — Oriol respondeu, cortante. — Mandar para você uma falsificação? É absurdo. Às vezes penso que ele gostava mais de você do que de mim. Enric tinha dinheiro para comprar a pintura que quisesse e fama de esbanjador. Estou certo de que é verdadeira.

— Então como é que a Virgem do meu quadro tem um anel?

— Deve ser um sinal.

— Um sinal? — Luis interveio. — Como, um sinal? Seria para você, que entende de arte antiga, mas para mim e Cristina não tem significado algum. Teria passado despercebido para nós.

— Quem você acredita que pôs este sinal no quadro? Foi o pintor original ou alguém posterior?

— Estou certo de que foi a mesma pessoa que escondeu uma mensagem nas pinturas.

— Então é verdade que há uma mensagem nos quadros? — Luis interrogou.

— Sim. Com a excitação dos papéis, vocês esqueceram de perguntar pela exploração que fiz no raio X. Recebi a resposta esta manhã.

— E qual foi? — inquiri, morta de curiosidade.

— Em ambos os quadros, na sua parte inferior, aos pés dos santos e tal como o meu pai nos deixou escrito em seu testamento, existe uma inscrição que foi tapada posteriormente com pintura.

— Que inscrição? — Luis quis saber.

— Num deles, "o tesouro", e no outro, "caverna marinha".

— O tesouro está numa caverna marinha?

— Sim. É o que parece — Oriol admitiu. — E encaixa perfeitamente com a história. Lenda e Saguardia encarregaram um marinheiro de esconder o tesouro.

— Pois já temos uma pista-chave — disse Luis.

— Sim, é importante — falou seu primo —, mas insuficiente. Quem pode saber a quantidade de cavernas que existem em nossas costas? Temos todo o Mediterrâneo ocidental para procurar e mesmo limitando-o às zonas de responsabilidade da província templária da qual era mestre o frei de Lenda, resta-nos a costa catalã, incluindo as zonas francesas de Perpiñán e Montpellier, a de Valência, parte de Múrcia e as ilhas Baleares. Se foi mais longe, excluindo os territórios mouriscos: Córsega, Sardenha e Sicília. Sem mais dados, nós empregaríamos a vida nesta procura.

— Então, precisamos encontrar mais pistas — eu disse.

— Falta-nos a tua peça do tríptico — Luis me fez lembrar.

— Farei com que me enviem — afirmei, perguntando-me como convenceria minha mãe.

— Vou para Barcelona — ela disse, no mesmo instante, em que ouviu minha voz no telefone.

— Você? — não pude evitar esta reação. — Para quê?

— Olha, Cristina, tem alguma coisa incomum acontecendo por aí — Maria del Mar replicou. — Nunca a encontro no hotel. Mesmo nas horas em que você deveria estar na cama. Você acha que sou tonta? Você não está no hotel. Eles anotam a mensagem e depois você liga, vai se saber de onde!

"Brincadeira!", pensei. "Mamãe foi filha antes de ser mãe".

— Acho que você está se metendo em alguma enrascada — prosseguiu. — Esquece das heranças de Enric, de suas histórias e tesouros. Ele sempre foi muito fantasioso. A sua vida está aqui, em Nova York, volte.

— Mamãe, eu já lhe disse que quero chegar até o final desta história. Seja fantasiosa ou não. E você fica em casa. Ficou sem retornar a Barcelona durante quatorze anos e agora vem com toda essa pressa. Deixa que eu termine o que tenho de fazer e depois você volta para cá e faz o que lhe apraz.

— Ah! Então eu a atrapalho?

"Já se aborreceu", pensei comigo. "Por que a nossa relação é sempre tão difícil?"

— Você não me atrapalha, mamãe — eu quis ser amável. — Acontece que isto é um assunto meu.

— Bem, se eu não a atrapalho, chegarei depois de amanhã — o seu tom era decidido. — Já consultei os horários. Você vai me esperar no aeroporto, não é?

Oh, não! Fiquei alarmada. Já me imaginava reunida com minha mãe e meus primos discutindo sobre o tesouro. Ridículo! Ou então sondando o delegado Castillo. Nós duas mostrando as pernas. Que boa bisca de dupla de detetives! Ou mesmo com Alicia. Era óbvio que ela não podia ver Alicia nem em foto. É claro que, depois de tê-la conhecido pessoalmente, eu começava a pensar que talvez a minha mãe tivesse seus motivos...

— Está bem — me saiu de supetão. — Francamente, você vai me atrapalhar, mamãe.

A ligação silenciou e eu me senti culpada. Pobre mulher! Eu havia passado da conta com ela.

— Você está na casa dela, não é? — interrogou-me em seguida.

— O quê? — eu não esperava por isso.

— Você está hospedada na casa de Alicia. Estou certa?

— E se estiver, o que acontece? — me defendi. — Já não sou uma menina, mamãe. Faz muito tempo que decido por mim mesma.

— Eu falei para você não se aproximar dela.

Eu me senti como na época em que ela me flagrava em alguma travessura. Só que eu já estava com vinte e muitos anos de idade e não tinha mais a obrigação de obedecer. Fiquei em silêncio sem saber muito bem o que responder.

— Existem coisas que você desconhece — seu tom deixara de ser acusatório. Ela me rogava. — Essa mulher é perigosa, sai daí. Por favor.

Continuei calada. A sua troca do registro autoritário pela súplica me desconcertara.

— Vou para Barcelona e você volta comigo para Nova York.

— Outra vez, mamãe! — a insistência dela me irritou.

— Acredite em mim. Eu sei o que é melhor para você.

— Economize a viagem. Você não vai me encontrar.

Ela voltou a ficar em silêncio. E eu me senti mal de novo pelo jeito que falei com ela, mas não estava disposta que me fizesse proceder à sua maneira. De fato, viver tem seus riscos e minha mãe estava cheia de carinho e de boas intenções para mim, mas eu não ia permitir que Maria del Mar me trancasse na sua caixinha de algodão para evitar que sua filhinha se machucasse. Era uma questão de pôr os medos dela num prato da balança e, no outro, a minha liberdade. E minha liberdade pesa mais.

— Lamento, mamãe — eu falei, tentando conciliar. — Não intervenha. Eu vou fazer aquilo que acho que devo fazer — e pensei comigo: quem disse que é fácil ser filha única?

— Eu irei, queira você ou não.

— Você é livre para fazer o que bem quiser e ir para onde quiser — agora é hora da mamãe começar a fazer jogo duro, disse para mim mesma, e preciso evitar que ela ganhe força —, mas não conte comigo.

O silêncio foi sua resposta.

— Você está aí, mamãe? — inquiri em seguida.

— Sim, querida.

— Você me entendeu?

— Olha, vamos mudar de conversa, hoje estou intratável — retrucou com um tom entre o irritado e o resignado. Fiquei surpreendida por minha mãe ter renunciado ao combate com tanta facilidade. Mas logo ela disse: — Você ligou por alguma coisa, não é?

A notícia de sua pretendida viagem para Barcelona me fizera esquecer a intenção da minha ligação: eu queria convencê-la a me enviar o quadro. E foi então que vi tudo claro. Era aí que ela me esperava.

— Ah, sim, mamãe! Eu havia esquecido — dissimulei. — Preciso que você me mande o quadro.

— É um objeto valioso. Será melhor que eu leve pessoalmente.

— Mas, mamãe! Outra vez? Já tínhamos falado disso.

— Eu e o quadro vamos num único lote — eu podia ouvir o seu sorriso triunfal através de sua voz.

Fiquei sem palavras. Nós duas sabíamos que ela ganhara, estava nas mãos dela.

— Você não tem direito de reter a pintura — lamentei-me. — É minha.

— Você também é minha filha e faz o que quer.

Outro silêncio.

— Olha, querida — acrescentou ante o meu mutismo; o seu tom agora era terno —, você vai ficar contente com minha ida. Existem coisas que você precisa saber.

Esta frase me trouxe a luz. Claro! Ela havia ocultado fatos de nossa vida em Barcelona. Teria alguma pista sobre o tesouro? Ou sobre a morte de Enric? Definitivamente, eu tinha um monte de perguntas para ela. Seria ótimo se conseguisse que ela respondesse com sinceridade.

— De acordo — aceitei. — Vou reservar um quarto.

— Sim, dois quartos. Para mim e para você.

— E Daddy?

— Papai fica em Nova York.

"Vem, sim, papai!", eu disse para mim, "talvez ela tenha de contar muito mais do que posso acreditar".

VINTE E SEIS

— Você quer ver o quadro que eu mencionei? — Oriol me convidou. — O da pintura falsa de uma Virgem com anel.

Eu havia levantado bastante pesada, por sorte tinha café preparado na cozinha e, no instante em que me servia uma xícara, ele apareceu. Naquela manhã não tinha aula na universidade e ele estava bastante agradável. Aceitei encantada, mas consegui que ele me acompanhasse primeiro no desjejum.

— A Virgem não vai perder o anel por esperar um pouco — eu disse. Ele riu discretamente e achei que naquilo havia mais esperteza do que graça.

A casa tem uma ampla água-furtada que serve de sótão onde guardam trastes variados sobre os quais o tempo acumulou uma camada de poeira. São móveis e objetos velhos pertencentes aos Bonaplata, alguns por várias gerações. Ele vasculhou entre algumas pinturas sem moldura que se apoiavam sobre uma base num canto e pegou uma pequena.

— É esta — afirmou, e eu fiquei olhando-o boquiaberta.

— Oriol — disse-lhe ao me recompor da impressão. — Este quadro é idêntico ao meu!

— O quê! Como o seu? — ele perguntou assombrado. — Tem certeza?

— Mais do que certeza — ele coçou a barbicha em gesto pensativo e eu levantei o quadro para vê-lo melhor. O peso era semelhante, mas aquele era mais grosso e os furos do caruncho nos lados pareciam pintados.

— É uma cópia — Oriol afirmou. — Já o vi muitas vezes, atraído pelo misterioso anel que está com a Virgem, e concluí que é uma falsificação moderna, embora à primeira vista pareça autêntico. Mas o anel não é o único elemento estranho no quadro.

— Que outra coisa é estranha?

— A posição do Menino. Nas talhas, estátuas e quadros da época, ele quase sempre aparece sentado ao lado esquerdo da Virgem, pelo menos nas representações do tempo e do local em que a pintura está situada. Alguns anos depois, os artistas começaram a romper com a monotonia da composição e o Menino aparece brincando com pássaros, e também com a coroa da Virgem, nos casos em que ela é representada como rainha. Mas quase sempre no lado esquerdo, e muito poucas vezes no direito.

Fiquei em silêncio, pensando. Jamais me ocorrera que se pudessem encontrar tantas raridades numa pintura. O que se supõe é que o artista é livre. Não?

— É surpreendente! — ele falou, com o olhar sobre a Madona.

— O que é surpreendente? — perguntei, disposta a maravilhar-me com coisas que antes eu jamais havia pensado ser motivo de assombro.

— Que o Enric pudesse ter uma cópia falsificada. Ele deve tê-la encomendado antes de lhe mandar o original.

— Mas por que ele queria uma imitação? Gostava tanto assim desta pintura? — apoiei o quadro sobre um toucador antigo e pus o meu anel ao lado do anel da Virgem. A única diferença era o tamanho, no mais eram idênticos. — E, se ele gostava tanto, por que não o dependurou em algum dos muitos cômodos da casa? Por que o escondeu?

— A mim o antigo sempre atraiu — disse Oriol sem responder a minha pergunta; talvez nem sequer a tivesse escutado. Parecia ensimesmado em seus próprios pensamentos, nos enigmas que o quadro encerrava. — Desde pequeno me encantava vir para cá, encher-me de poeira; eu conhecia cada um desses itens de memória. São trastes da família que o meu pai poderia ter vendido no seu tempo, mas jamais quis fazê-lo. E agora estou lembrando de uma coisa sobre o quadro a que antes eu não dava importância, mas que talvez seja significativa.

—O quê?

— Eu o descobri aqui, justamente na época do falecimento do meu pai. Ele não estava aqui antes. Lembro perfeitamente dele, aqui, acomodado junto a outras pinturas, mas sem poeira.

— Você acredita que isso tenha relação com a morte dele?

— Minha mãe me contou a história dos quadros, de uma possível segunda herança e de um tesouro, mas nunca pensei que esta pintura tivesse algo a ver com tudo isso — fez uma pausa como que para aclarar as idéias e logo pôs o seu olhar azul nos meus olhos —, mas as coincidências são muitas e cada vez tenho mais certeza de que tudo está interligado: o quadro, o anel, o tesouro e sua morte.

Percebi que Oriol desejava falar e propus tomarmos outro café, agora na mesa do jardim, à sombra das árvores, rodeados por arbustos e botões de rosa.

— Por que ele se matou? — mal havíamos nos sentado e eu já disparava a pergunta sem moderação.

— Ainda não sei — o seu olhar perdeu-se pela cidade que se vislumbrava a oeste do horizonte entre alguns ciprestes, por debaixo da linha azul do mar. Eu me dava conta de que ele já se tinha feito esta pergunta uma infinidade de vezes, e que ainda a faria. — Minha mãe me contou que ele tinha problemas com alguns rivais de negócio, membros de uma máfia internacional do tráfico de obras de arte antiga. Às vezes tento acreditar que não se suicidou, que o assassinaram. Sofro quando penso que ele escolheu a alternativa de abandonar sua luta, de ir embora, de me abandonar — os seus olhos se nublaram com lágrimas que não chegaram a cair. — Estou convencido de que qualquer problema teria tido uma solução melhor do que desferir um tiro na boca. Isto criou um grande vazio em minha vida, ainda o sinto, ainda me dói.

— Lamento — e guardei silêncio em respeito à sua aflição.

— Dizem que ele matou quatro desses mafiosos — comentou em seguida. — Mas nunca se pôde provar.

— Você acredita que ele fez isso?

— Acredito.

— Mas por quê? Por que alguém tão amável cometeria esses crimes?

— Só posso lhe contar o que minha mãe me disse. Estavam brigando por causa dos quadros, suspeitavam que havia alguma mensagem escondida neles, a chave de algo muito maior: o tesouro da ordem da Têmpera. Os escritos de Arnau d'Estopinyá, a despeito de serem traduzidos de outros antigos ou transcritos da tradição oral, o confirmam. E é verdade que existe ali uma mensagem, mesmo que incompleta ou incompreensível para nós, oculta sob a pintura. Certamente esses traficantes sabiam de sua existência, quiseram comprar os quadros do meu pai, que se negou, e eles recorreram à intimidação. O meu pai tinha um sócio, ou amigo — aqui Oriol fez uma pausa significativa —, talvez fosse seu amante. Os sujeitos lhe deram uma surra, imagino que para assustar Enric, mas o certo é que, de propósito ou acidentalmente, o assassinaram. Minha mãe disse que depois disso começaram as chamadas telefônicas em plena noite. Ameaçavam. Mas não somente a ele, também a nós.

— E teu pai os matou.

— Assim parece. Não quis dar os quadros para eles. Mas não sei se queria proteger sua família ou vingar seu amigo. Você já ouviu falar de Epaminondas?

— Pa... o quê? Papadas? — brinquei, tentando apagar o dramatismo da conversa. O nome me soava a herói grego, mas eu não sabia muito mais.

— Epaminondas, o príncipe tebano — ele retrucou com um sorriso.

Agarrei minha xícara de café e fiz um gesto de prestar atenção ao que ele ia contar.

— Essa história e seu protagonista obcecaram o meu pai, era o seu paradigma, contou-me muitas e muitas vezes. Epaminondas foi um caudilho militar excepcional que se distinguiu, entre outras coisas, por sua grande cultura; estava sempre rodeado de filósofos, poetas, músicos e cientistas. Isto o tornava muito mais admirável aos olhos do meu pai. No século IV a.C. Esparta dominava a Grécia, os seus guerreiros eram reputados como os melhores da antigüidade, nem Atenas nem nenhuma das outras cidades-estado se atreviam a lhe fazer frente. Mas Tebas rebelou-se e, quando o poderoso exército espartano com suas forças superiores, começou a cair sobre a cidade Epaminondas e sua falange sagrada o venceu uma vez atrás da outra.

— O que é isso de falange sagrada?

— A falange sagrada era o núcleo central do exército tebano, um corpo de elite com mais ou menos trezentos jovens da nobreza, que, agrupados em duplas, juravam morrer antes de abandonar o seu parceiro. E era esta luta desesperada pelo amigo, esta paixão extrema, o que os tornava invencíveis.

— Ah! — exclamei. Aquilo deixava algo mais claro para mim, eu sabia que os preceitos morais da antiga Grécia admitiam a homo e a bissexualidade entre os varões.

— O mesmo aconteceu entre os cavaleiros templários. Quando a situação era limite, quando eles eram superados em número, lutavam em duplas e nunca abandonavam o companheiro. Nem vivo nem morto. Os templários não se rendiam. Uma das insígnias da têmpera torna claro isso: são vistos dois guerreiros cavalgando sobre o mesmo corcel. Essa imagem não retratava a realidade, era um símbolo. Não havia escassez de eqüinos entre os templários, cada cavaleiro, segundo o regulamento da ordem, dispunha de bons cavalos... A insígnia era o símbolo da dupla juramentada.

— Então você acredita que, na realidade, Enric não matou em defesa da família, não o fez por você, e sim para vingar o amigo dele — eu quis concluir o pensamento que Oriol estava desenhando —, e que ele havia feito uma promessa ao seu parceiro como os da falange sagrada faziam, como os templários da insígnia.

Ele não respondeu, deixando que o seu olhar se perdesse de novo, mais além dos ciprestes, até o mar. Lancei o meu na mesma direção e meus olhos se inundaram da luz daquela manhã diáfana e de um Mediterrâneo azul brilhante ao fundo. Tomei um gole do meu café, já frio, e fiquei contemplando o rapaz que eu adorava quando era menina. No fim, o seu olhar, que brilhava pelas lágrimas contidas, buscou o meu e era tão intenso que senti cócegas na nuca. E então, fazendo um gesto que Luis teria descrito como amaneirado, ele disse:

— Não é lindo?

— O quê?

— Amar tanto uma pessoa a ponto de dar a vida por ela?

VINTE E SETE

O seu olhar e a frase "amar tanto uma pessoa a ponto de dar a vida por ela" calaram no fundo da minha alma. Não podia deixar de pensar nele, de ver aqueles olhos azuis umedecidos de emoção. "Não é lindo?", ele disse. Sim, eu me dizia, era bonito, poético, comovedor. Mas aquele lirismo trágico ocultava indícios, sentimentos que me turvavam. Era óbvio que Oriol acreditava que Enric assassinara quatro pessoas para depois se suicidar por amor a um homem. E que ele se sentiu abandonado pelo pai, admirado pelo seu heroísmo, mas ao qual não podia perdoar por tê-lo deixado órfão de maneira consciente. Lembrando da minha infância, eu rememorava o carinho, a adoração de Oriol por Enric; como ele pegava a mão do pai e olhava para cima, com um sorriso abobado, quando este organizava algum dos seus jogos mágicos. E depois via-se nele um gesto ufanista, o peito estufado de orgulho que queria dizer "este é o meu papai".

Também havia o assunto da paixão homossexual declarada de Enric. Um amor desmesurado e trágico, do qual obviamente Oriol não se escandalizava, já que parecia admirá-lo. Outro indício de que Oriol era *gay*.

Hoje de novo eu especulava sobre sua sexualidade e sentia medo. Medo de voltar a me apaixonar por ele como uma tonta... como a menina que verteu tantas lágrimas pelo seu carinho.

Naquela tarde eu não tinha nada que fazer e me senti nervosa. A nossa caça ao tesouro estava estancada, e a excitação de algumas horas antes havia diminuído. Talvez tudo fosse uma última fantasia de Enric, talvez eu devesse regressar para Nova York como me pedia minha mãe, talvez eu já estivesse metida, sem saber, em algum desses perigos obscuros que ela agourava. E talvez o maior dos perigos fosse Oriol e esses meus sentimentos que eu não sabia controlar. Com as coisas assim, resolvi deixar de lado o observatório sobre a cidade que a casa de Alicia me proporcionava para submergir na humanidade andante que circulava pelas Ramblas. Passeando por lá deixei que as cores da multidão, o som da música de rua pedinte de moedas e o perfume das flores dos quiosques fossem entrando pelos meus sentidos. Eu queria sentir, deixar de pensar.

Atravessei a praça do Pi quase sem perceber e, ao me dirigir para a catedral dei-me conta de que estava à frente de uma loja de antigüidades. Era a que tinha sido de Enric! Com certeza! Sem saber, os meus pés tinham andado até a minha infância. Olhei pela vitrine, mas não me atrevi a entrar. Pareceu-me ver os objetos de sempre, mesmo sabendo que eram outros. Inúmeros pistolões *avancarga*, um par de estatuetas criselefantinas, iguais às que Alicia colecionava, uma cômoda de madeira de pau-santo e pau-rosa em estilo francês, algumas pinturas em claro-escuro barroco... Eu me encolhi ao tamanho da menina que fui um dia e, com o coração apertado e acelerado, fiquei na ingênua espera de que Enric aparecesse atrás da vidraça. Sorridente, com o cabelo escasso penteado para trás, ligeiramente estufado e com aquele olhar ardiloso que de vez em quando o seu filho também exibia. E sentia na minha mão direita, pulsando de expectativa, o seu enigmático anel de rubi.

Mas aos poucos me dei conta de que, por muito que esperasse, por muito que esfregasse minhas memórias do passado qual lâmpada mágica, eu não conseguiria que o fantasma do meu padrinho atravessasse a porta. Fiquei então tomada pela pressa de sair dali e apressei o passo na direção da catedral, até que, ao passar em frente de outra loja de antigüidades, deparei-me com aquelas letras douradas gravadas no vidro da vitrine: "Artur Boix". O que me lembrava esse nome? Artur Boix... Artur Boix... Claro, o meu companheiro de viagem!

Fiquei de novo abobalhada diante de uma vitrine, mas desta vez juro que não reparei em qualquer objeto atrás da vidraça. Acredito que nem sequer os vi. Tudo o que eu conseguia ver era o nome escrito no vidro: "Artur Boix antiquário".

Não sei se foi correndo, trotando ou andando como um zumbi, o fato é que a imagem seguinte que evoco é a minha, já chamando o delegado Castillo de um telefone público da praça da catedral. Tive a sorte de ele ter atendido a minha chamada com rapidez; senão, eu morreria de impaciência.

— Delegado — eu me esforçava para que minha voz não soasse alterada —, você se lembra dos nomes daqueles tipos que o senhor acha que meu padrinho assassinou?

— Como não me lembraria — ele respondeu com bom humor. — É o meu mistério favorito, guardo uma cópia do expediente no armário do meu escritório e outra numa maleta debaixo da minha cama. A senhorita americana vai me ajudar a resolver esta intriga de novela *noir* ao estilo do detetive Marlowe? — estava zombeteiro. — Só preciso saber como o seu padrinho fez para encarregar-se esses quatro de uma só vez...

Prometi que o ajudaria no que ele quisesse com a condição de que revelasse os nomes. E ele os deixou sair como quem recita versos aprendidos na infância para celebrações familiares. Dois deles não significavam nada para mim, mas sim os outros dois: Arturo e Jaime Boix.

Eu acabava de confirmar aquilo que o meu instinto me disse minutos antes. Aquele homem atraente que se sentou ao meu lado na viagem desde Nova York sempre soube quem eu era e por que vinha para a Espanha. Era o filho de um daqueles que o meu padrinho levou desta para a melhor. A máfia de tráfico de obras de arte sobrevivera e, a julgar pela impressão que Artur me causou, tinha boa saúde e bom aspecto.

Enquanto nos acomodávamos na mesa do café, a conversação girava em torno dos méritos turísticos da cidade, mas tão logo trouxeram as bebidas, disparei à queima-roupa:

— Você preparou o nosso encontro no avião, não é?

— Não foi difícil conseguir lugar ao seu lado — Artur mostrava o seu sorriso de conquista. — Somente a propina adequada para a pessoa adequada. Faço isso com freqüência no meu negócio.

Eu o observava através do copo de coca *light*. Mas para mim também não foi difícil encontrar-me com ele. "Você demorou a me ligar", ele me repreendeu, como se o encontro se devesse a meu interesse pessoal e não a um suposto assunto de negócios. Pelo menos para ele. Falava como se a impressão que havia me causado no avião me fizesse usar forçosamente o seu cartão. Era um tipo presunçoso, mas devo confessar que também interessante.

— Foi você que assaltou o meu apartamento em Nova York?

Ele nem emudeceu nem perdeu o sorriso.

— Não fui eu pessoalmente. O meu sócio encarregou-se disso.

— E você confessa assim, tranqüilo?

— Por que não? — respondeu, agora completamente sério. — Tenho tanto direito ou mais que vocês três de ter esses quadros e o possível tesouro.

Estava convencido do que falava e eu fiquei muda de surpresa. Com que base Artur se acreditava com tais direitos? Esperei que ele falasse.

— Você já deve saber que o seu padrinho assassinou meu pai, meu tio e mais dois sócios deles.

— Sócios? Eu achava que eram guarda-costas.

— O fato é que se foram. Ele os matou.

— Não se pôde demonstrar, não existem provas.

— Provas? — agora Artur sorria. — As provas me serviriam de quê? Eu sei que foi ele. Sei que haviam combinado uma transação. E que o seu padrinho não só não entregou o quadro da Virgem, conforme o acordo que haviam feito, como também, depois de assassiná-los, roubou os outros dois, o de *sant* Jordi e o de João Batista.

— Ele roubou os dois quadros menores?

— Sim, roubou — Artur me observava atentamente; lia a surpresa em meu rosto.

— Mas, como...?

— O seu padrinho e a minha família pertenciam a um certo clube secreto, souberam do tesouro ao mesmo tempo e rastrearam os quadros até um lugar próximo do monastério de Poblet, de onde tudo indica que provinham originalmente. Sendo profissionais do negócio de antigüidades, eles se mobilizaram rapidamente para consegui-los, mas, por causa de um estúpido assunto de heranças, o quadro central tinha um proprietário diferente daqueles dos quadros laterais. Alguém os havia repartido há duas gerações e levou-se um certo tempo para localizá-los, com a infeliz circunstância de que, enquanto minha família encontrava e adquiria os pequenos, o seu padrinho fez o mesmo com o maior.

— E não entraram em acordo? — interrompi.

— Exatamente. Bonaplata e seu noivo se mostraram muito pouco razoáveis, eles pretendiam comprar nossos quadros, queriam o tesouro apenas para eles.

— E sua família? Queria vender?

— Não. Mas estavam dispostos a negociar.

— E o que aconteceu com o sócio do meu padrinho?

— Bem... digamos que ele abandonou as negociações de forma prematura — uma chispa irônica bailava nos seus olhos.

— Vocês o mataram!

— Foi um acidente.

— Ou uma tentativa de intimidação...

— O fato é que se havia chegado a um acordo...

— Como é que você sabe?

— A minha mãe me contou — fiquei calada, não queria questionar isso. — Bonaplata entregaria o quadro dele em troca de certa quantia. Mas não o fez. Em vez disso, matou-os e roubou nossos quadros.

— Não me parece lógico. Como é que o meu padrinho poderia enganar e assassinar esses pistoleiros?

— Não sei. Mas fez isso — Artur franziu o cenho. — Ele é responsável pela minha orfandade.

— Mas vocês começaram antes, assassinando o homem que ele amava — Artur podia ter razões para odiar Enric, mas eu precisava defendê-lo.

— Não importa quem começou — aquele homem amável e belo do avião deixava entrever um interior duro e ressentido. — Ele se comportou como um canalha, como um degenerado, rompeu um pacto, não tinha palavra.

Apertei os lábios e o olhei fixamente antes de responder:

— Enric só estava protegendo os familiares. Vocês estavam ameaçando a família dele.

Não creio que tenha escutado as minhas palavras. Seu olhar perdeu-se no fundo do lugar por um tempo, como se ele ruminasse algo que lhe custava digerir; tardou para responder e, quando o fez, cravou-me o seu olhar e disse com voz baixa e rouca:

— Entre minha família e os Bonaplata existe uma dívida de sangue — e vi uma cor vermelha nos olhos dele.

VINTE E OITO

— Enric foi meu primeiro amor, meu grande amor — eu fiquei olhando minha mãe sem poder acreditar no que acabara de ouvir. Ela disse que queria falar comigo. E falou, e como falou! Por pouco sufocava por não tomar fôlego. Eu a escutava, pasmada. Levou anos calada, o seu segredo era como um dique que nos separava, interpondo-se entre nós duas, e sem saber às vezes eu o notava. De repente, o dique rompeu-se e saiu tudo.

Obediente, fui buscá-la no aeroporto e, quando vi a quantidade de volumes, me perguntei por que carregava tanta bagagem. Por um momento temi que ela fosse ficar comigo em Barcelona por uma longa temporada. Ah, não!, ela me disse. Depois achei que o quadro estava convenientemente embalado numa das malas. Mesmo assim a bagagem era numerosa. Minha mãe sempre gostou de viajar bem apetrechada. Instalou-se no mesmo hotel onde estive hospedada antes; havia reservado um amplo dúplex num dos andares mais altos, já convencida de que eu me deslocaria para ficar com ela.

Eu observava esta intrusão com cautela, deixando-a livre para fazer o que quisesse. Tínhamos um trato e seu preço era o transporte do quadro desde Nova York. Eu tinha de cumprir minha parte, e a primeira coisa que fiz foi abandonar a casa de Alicia para instalar-me com ela.

— Minha mãe chega hoje — disse a Alicia. — Vou para o hotel.

— Ahnn! — ela murmurou, apertando os lábios num quase sorriso. Ela sabia melhor que eu qual era a opinião de minha mãe a seu respeito. — Continuará sendo bem-vinda aqui.

Mamãe esteve falando sem parar da minha viagem, da sua própria, de como deixou Daddy em Nova York, mas reservou a surpresa para o jantar.

Quando disse "Enric foi meu primeiro amor, meu grande amor", seus olhos buscaram os meus.

Fiquei estupefata. Não soube o que pensar, nem o que dizer; minha primeira reação foi de incredulidade, aquilo devia ser uma brincadeira. Mas não havia diversão no seu olhar, nem seus lábios queriam rir. Aquela cara com rugas e pés de galinha à mostra, aquela face que eu identificava como mamãe, estava diante de mim e tinha uma expressão do acusado que espera o veredicto. Larguei o guardanapo na mesa e balbuciei:

— Mas... e papai?

— O teu pai veio depois.

— Mas Enric, Enric era...

— Homossexual — ela definiu.

— Sim, isso — eu corroborei —, mas não devia ser tanto assim, porque se fosse...

— Se fosse, ele não teria tido um filho...

Calei, tratando de assimilar aquilo, enquanto ela mantinha o silêncio por alguns instantes, como se tomasse alento, para logo iniciar seu relato:

— Como você sabe, os Bonaplata e os Coll estavam unidos por uma relação muito estreita que se manteve através de gerações. O meu avô freqüentou no final do século XIX o Els Quatre Gats com o avô de Enric, e essa amizade continuou com nossos pais.

"Desde crianças brincávamos juntos quando as famílias se reuniam, nós dois nos educamos no Liceu Francês e na adolescência, quando começamos a sair para nos divertir, fizemos parte do mesmo grupinho, tanto na cidade como nos verões da Costa Brava.

"Sempre senti uma grande atração por Enric. Era inteligente, simpático, imaginativo, tinha resposta rápida e engenhosa para tudo. Eu estava convencida de que gostava dele e, quando os pares começaram a se formar na nossa época pré-universitária, eu me reservei para ele e passamos a ser de forma natural um deles. Estava loucamente apaixonada. Nossos pais se mostravam encantados com o fato de sairmos juntos; na realidade, esse enlace uniria duas famílias cujos laços de amizade não podiam ser mais estreitos, era algo esperado por gerações. Jamais os meus se queixaram quando eu saía com ele e chegava tarde.

— Vocês se beijavam? — inquiri curiosa e notei que minha mãe se movimentava de forma incômoda na sua cadeira.

Manteve-se em silêncio por alguns segundos, era óbvio que Maria del Mar sustentava a muito custo aquela conversa.

— Sim — respondeu por fim. — Mas leve em conta que isso já faz mais de quarenta anos e que em nossa esfera social era preciso chegar virgem ao matrimônio. Mesmo com data marcada para o casamento, e nunca chegamos a tê-la, mantinham-se os freios. Nossos beijos e carícias eram bastante recatados.

— E ele, por sua vez, não devia pressioná-la muito — insisti com malícia. — Não é?

— É verdade; quando refleti sobre isso me dei conta de que sempre era eu quem tomava a iniciativa — suspirou. — Eu achava que o meu natural era carinhoso e o dele, não.

— Mas como é que você não notou nada?

— Eu também já dei muitas voltas em torno disso — voltou

a suspirar, mexendo a cabeça com expressão de incredulidade. — Até então ninguém sabia de suas tendências. Mas, claro, eu era sua noiva e isso tem menos desculpa. Ele dissimulava, não queria que sua família soubesse, um filho assim naquela época teria sido uma vergonha social, uma humilhação para os Bonaplata. E eu, apaixonada por ele, era o álibi perfeito. Imagino que Enric deve ter passado por um período de autodefinição e lhe era cômodo me ter e ir tocando seus sentimentos. Comecei a notar que ele não usava o privilégio de poder estar comigo até tarde sem que minha família protestasse. A cada encontro me trazia de volta para casa mais cedo e algumas vezes inventava desculpas para não nos vermos. Minhas primeiras suspeitas surgiram porque diversas vezes liguei para sua casa, algumas horas depois de ele ter saído da minha, e ele ainda não havia chegado. Era quando aproveitava para ir aos bares da sua roda e encontrar amigos.

— E o que houve? Como é que vocês se separaram?

— Um belo dia, ao concluir que Enric tinha uma vida dupla, perguntei-lhe sobre o lugar em que havia estado na noite anterior e foi então que ele me disse que gostava muito de mim, mas somente como amiga. Eu gelei. Ele me pediu que, por favor, guardasse o segredo e me confessou sua homossexualidade. Insistiu em seu amor por mim, mas não como esposa, e disse que era muito egoísmo de sua parte me fazer perder tempo. Enric era um pouco mais velho que eu, e eu devia ser muito inocente, porque a primeira coisa que me ocorreu foi lhe perguntar como é que ele sabia que era o que dizia ser se ainda não tínhamos feito amor. Ele riu. Já te contei que o amava loucamente, e então disse a ele que não importava o tempo, que não me importava nada, mas que, por favor, não rompêssemos. Supliquei. Imagina; eu suplicando para ele. No primeiro momento, ele consentiu, mas disse que eu devia botar na cabeça a idéia de que o nosso caso precisava terminar e que eu começasse a pensar em procurar um bom rapaz para me casar. Eu devia esquecê-lo como namorado, ele não podia me dar o que eu necessitava, e nosso relacionamento arruinaria a minha vida. E começou a me contar algumas das aventuras que tinha tido pela noite, nas vezes em que me deixava em casa. Mas eu não queria renunciar a ele e cheguei mesmo a acompanhá-lo nos bares especiais que ele freqüentava, e até aceitei as cantadas de algumas mulheres para não desafinar.

"Fiquei desesperada, nada mais me importava, não desejava outro futuro que não fosse ele. Teria aceitado sua homossexualidade e casado, mesmo que ele continuasse saindo com homens, desde que ficasse comigo. Propus isso e acredito que ele considerou esta solução por um tempo.

"Ele ainda aceitava os meus carinhos, agora penso que talvez por se sentir comprometido e para não me humilhar, e me animei a preparar uma armadilha para ele. Eu sempre me arrependi disso.

"Certa tarde eu estava sozinha em casa e lhe pedi para ir até lá, e arranjei um pretexto para fazê-lo entrar no meu quarto. E ali, bem, ali fizemos amor."

— Fizeram amor? — exclamei. — Mas ele não era homossexual?

— Sim — rebateu um pouco incomodada. — Mas ele podia fazer com uma mulher, se quisesse.

— Ele resistiu?

— Resistiu, sim, mas eu me empreguei a fundo. Queria lhe dar prazer. Estava louca. Acho que eu queria engravidar. Qualquer coisa, menos perdê-lo.

— Mas você me disse que era virgem, não é?

— Claro que era. E naquela tarde deixei de ser com um ato desesperado.

— E o que houve?

— Ele não quis sair mais comigo — seu tom era triste. — Disse-me que estaria me machucando e que sempre seríamos amigos. Que gostava de mim, mas somente como amiga ou irmã. Eu me senti arrasada, recriminando-me por tê-lo violado e pensando que o perdia justamente por isto.

— Você fez amor com o homem que amava — tentei consolá-la. — O que há de mal nisso?

— Não, eu não devia ter feito, não devia forçá-lo.

— É bobagem continuar se culpando. Se, como está parecendo, você chegou até o final, ele não se sentiu tão mal assim! Mas me conte. O que houve depois?

— A notícia de nossa ruptura soou muito mal para os Coll e os Bonaplata, mas Enric e eu continuamos nos vendo nas reuniões periódicas de nossas famílias. Ele sempre se mostrava carinhoso comigo. O tempo passou, eu saía com amigas e amigos na tentativa de me recuperar, até que chegou o dia de me inteirar que ele vivia com uma mulher.

— Alicia!

— Sim, Alicia. Enric teve um encontro comigo para me contar. Disse-me que ele e Alicia viviam o mesmo tipo de vida e que haviam chegado a um acordo.

— Um acordo?

— Isso mesmo. Assim eles poderiam simular uma vida convencional e seus pais ficariam felizes.

— Mas tiveram um filho?

— Era parte do trato. Ambos o desejavam. Mas isto me causou dano. Tudo me doía, nossa separação, a união dele com Alicia, o filho que tiveram... foi uma experiência duríssima. Ele me consolava e se justificava dizendo que eu era uma pequeno-burguesa, que não estava preparada para a vida ambígua que teria com ele, que eu não agüentaria... Que eu seria muito infeliz. E que Alicia era como ele.

— Mas você conheceu Daddy e de novo se apaixonou — eu queria animá-la.

— Sim.

— E pouco depois me teve.

— Sim, querida. Pude recompor minha vida.

— Mas continuou vendo Enric.

— Nossa amizade, mesmo deteriorada, manteve-se, e assim seguimos com a tradição das famílias. Para demonstrar que não lhe guardava rancor, eu quis que ele fosse o seu padrinho. Ele aceitou, iludido, e sempre a quis como a uma filha.

— Mas, se tudo ia tão bem — aproveitei o momento de sinceridade de Maria del Mar para lhe perguntar algo que há muito tempo me intrigava —, por que você nunca quis voltar para Barcelona?

Ela me olhou em silêncio por alguns instantes. Parecia refletir sobre a minha pergunta. Enquanto eu, observando seu rosto, pensava naquela moça de trinta anos atrás. Devia ser muito parecida comigo. Outra geração, com diferentes valores sociais, mas era jovem. Como eu agora. Sentia, sofria, procurava o amor, e o amor se lhe escapava...

— Todo mundo, inclusive Enric, acreditava que nossa separação tinha sido perfeita e sem rancores. Mas, de minha parte, isso era uma farsa dolorosa. Eu continuava sentindo amor por ele e odiei Alicia desde o primeiro dia em que soube de sua existência. Doía-me muito ter que ver os dois juntos, ver a fraude daquele amor aparente, o domínio que ela sempre exercia sobre a relação, a maneira brilhante com que se mostrava... Isso me fazia pensar que Enric simplesmente tinha mais preferência por ela do que por mim. Na noite em que eu soube de sua gravidez não consegui dormir. Foi nessa ocasião que conheci seu pai e me casei.

"Continuávamos nos encontrando nas reuniões familiares; às vezes a sorte o fazia chegar sozinho ou com Oriol, outras vezes com Alicia. Para mim, esse roçar era muito doloroso, mas eu suportava, talvez porque não me resignava a perder sua amizade de todo, ou porque ainda sentia algo por ele, apesar de amar Daddy. Mas não me habituei e com os anos aquilo se tornou insuportável. Eu agüentava, mas surgiu uma razão muito mais poderosa para abandonar Barcelona e não voltar nunca mais."

— Qual?

Ela ficou em silêncio, olhando nos meus olhos, antes de responder:

— Você.

— Eu? — perguntei assombrada.

— Sim, você.

Calei. Esperei que ela falasse. Sabia que tinha vindo de Nova York para isso.

— Eram os primeiros dias de setembro. Você ainda era quase uma criança, e eu, junto com a empregada, arrumava a casa de verão naquela tarde abafada para regressar a Barcelona. De repente uma rajada de ar fez bater os toldos das janelas e vi nuvens cinzentas que vinham do mar com velocidade, anunciando tormenta. Eu sabia que você estava na praia e peguei duas toalhas e um guarda-chuva e fui buscá-la. Quando me aproximei do mar, começou a cair um dilúvio e vi como seus amigos e a moça que os vigiava corriam para o vilarejo em busca de refúgio. Você não estava entre eles e quando perguntei ninguém sabia onde você estava. Fiquei assustada e caminhei praia adentro. O aguaceiro não permitia ver direito, mas continuei procurando e no fim avistei, escondido num abrigo entre as rochas, um casal se beijando. E pude reconhecê-los; eram Oriol e você.

Fez uma pausa. Eu devia estar boquiaberta. Não podia acreditar que aquela lembrança tão íntima fosse compartilhada de alguma forma por minha mãe. Se eu tivesse sabido disso, teria morrido de medo!

— Fiquei tão surpresa que não consegui reagir de outra forma senão voltar com toda a rapidez para casa. Cheguei empapada. Sentia pânico, terror.

— Mas por quê?

— Eu tinha observado o crescimento de Oriol. Os olhos dele são como os de sua mãe. Meu Deus, como a odeio! Mas quase todo o resto é do pai dele. Ainda me dói pensar isso!

Deteve-se e seu olhar ficou perdido. Uma lágrima resvalou na mecha do seu cabelo. Envergonhada, ela escondeu o rosto entre as mãos.

Acariciei seu braço na tentativa de consolá-la. E pensei que sim, que talvez há trinta anos atrás ela fosse como eu. Mas que eu não queria chegar a ser como ela era naquele momento.

— Oriol te fazia lembrar do teu fracasso — disse-lhe com suavidade.

Ficou por algum tempo sem responder e eu respeitei o seu silêncio.

— Sim. Mas eu já estava habituada a este fracasso — olhou-me de novo nos olhos. — Era o seu fracasso que me atemorizava. Você acredita que, antes de vê-los na praia, eu ainda não tinha notado que ele gostava de você?

— Mas o que é que havia de mal em um gostar do outro?

— Eu falei que não tinha notado que ele gostava de você, não que vocês se gostavam.

— O que você está insinuando?

— Oriol não era um desses rapazes que vivem correndo e dando chutes na bola, e já lhe falei que ele era muito parecido com o pai... — fez uma pausa e acrescentou intencionalmente. — Nisso.

— Em quê? — tinha medo da resposta.

— Na sua tendência sexual.

— Esta sua afirmação é totalmente gratuita — me defendi.

— Não é, não — replicou com firmeza. — É igual ao pai, é igual à mãe. Farinha do mesmo saco. Ainda não notou? É amável, gosta de você como amiga e como irmã. Se você o seduzir, talvez ele até deixe, apenas para não ofendê-la. Mas no fim irá embora, e quando for, você vai ficar com o coração em pedaços. É da natureza dele. Mesmo que quisesse, não poderia fazer outra coisa.

— Você está equivocada.

— Não estou, não. E não estava naquela hora. Vi com terror que ia se repetir com você o que havia acontecido comigo. Percebi que durante anos, sem saber, eu havia temido que isso ocorresse. Ao descobrir vocês dois juntos, comecei a pressionar o seu pai para que ele solicitasse uma mudança para Nova York. Ou para a América Latina. Eu queria ir para bem longe. Queria afastá-la. Para que você não sofresse como eu sofri. Por isso fomos embora para nunca mais voltar.

— Mas você não tinha o direito...

— E as cartas — ela continuava excitada —, e as cartas que você escrevia. E as que ele escrevia. Fiz todas desaparecerem...

— O quê! — quase saltei da cadeira.

— Isso mesmo — olhava-me desafiante. — Fiz todas desaparecerem, uma atrás da outra... até que deixaram de sair e de chegar.

— Mas como você se atreveu! — desta vez o assombro uniase à indignação. — Você não tinha o direito de intervir na minha vida assim.

— Claro que tinha o direito! De tudo! Sou tua mãe, já tinha vivido aquilo antes e era minha obrigação te proteger... Da mesma forma que tinha o direito de mudar para a América e de te levar comigo para mudar radicalmente a tua vida e o teu destino. Era minha responsabilidade evitar o teu sofrimento, e ainda é.

Foi então que voltou de novo à carga; que eu esquecesse de Oriol, dessas histórias fantásticas de tesouros, e que regressasse com ela. Já bastava de aventuras, Mike era meu futuro e meu tesouro, não podia estropiar tudo pelas sandices do meu padrinho. E falou e falou, repetindo-se. Não sei em que momento eu deixei de escutá-la, simulando prestar atenção.

Eu me vi outra vez dentro dela trinta anos atrás, tratando de evitar que minha filha cometesse os mesmos erros. O relato que ela fez deixou-me admirada. Como é que a minha mãe pôde atrever-se a forçar uma relação sexual com Enric? Tinha sido com a mesma determinação com que agora pretendia me resgatar de um suposto erro. Eu não podia perdoá-la por ter roubado as cartas, estava indignada, mas um repentino alvoroço inundava o meu coração. Era verdade, eu não havia acreditado quando ele me disse, mas era verdade. Oriol tinha escrito para mim.

E me perguntei se quando mamãe saiu de Barcelona, quando ela deixou para trás seu passado, se isso foi realmente por mim ou para não ver mais Enric e Alicia, juntos. Terminamos o vinho e ficamos com os licores de sobremesa até que começaram a fechar o restaurante. Logo as taças passaram a falar mais alto. De repente, comecei a sentir uma estranha camaradagem.

— Conte-me de novo — disse-lhe quando o álcool já travava minha língua. — Explique para mim, como é que você esteve na cama com Enric?

Ela havia bebido tanto quanto eu e sorria, fazia caretas bem-comportadas e desculpava-se, dizendo que esteve muito nervosa naqueles momentos, e eu, maldosamente, instigava-a de novo, insistia jocosamente nos detalhes. Depois ela se pôs a chorar e, abraçando-a, também chorei. Na choradeira, amaldiçoei-a em voz alta por ela ter roubado as cartas de Oriol. Ela reagiu dizendo, entre soluços, que voltaria a roubá-las mil vezes, que não me deixaria sofrer como ela sofreu, e que tinha me afastado de um homem da mesma laia daquele do provérbio que diz que não trepa nem sai de cima.

— É verdade mesmo que você o levou para cama? — eu voltava a inquirir.

Eu não conseguia imaginar isso. Não com mamãe. Para mim, ela não era uma mulher, era a minha mamãe, e as mamães não fazem essas coisas. Mas ela nem me respondia, preferia voltar a usar seu rolo compressor a favor da pessoa fabulosa que era Mike. E assim teríamos passado toda a noite com o álcool moderando nossa conversa, ou melhor, nossa parceria de monólogos, se eu não o tivesse visto ali.

Estava num canto, com um copo na mão, solitário como a morte. O homem de cabelos brancos, com os olhos azuis embotados e um terno escuro. O velho da adaga. Ali. Quando o descobri olhando-me, estremeci.

— Urubu! — disse-lhe com mentalidade etílica, apontando-lhe o dedo. Mas duvido que com o ruído do lugar ele tivesse ouvido. — Pára de me seguir.

Limitou-se a me olhar. Por um momento acreditei que ia sorrir, mas não o fez.

— Sai fora! — enxotei-o de novo.

Minha mãe quis saber o que havia e, quando eu ia contar, o homem já tinha ido. Chamei um táxi do balcão e não me atrevi a sair para rua até que vi um veículo parar em frente ao bar.

VINTE E NOVE

Nossa enorme cama estava voltada para o sul, para a montanha de Montjuïc, e nela Maria del Mar desmoronou com sua roupa íntima. O esforço de tirar o vestido com minha ajuda fora demasiado para ela. Em poucos segundos já roncava suavemente.

Pensei comigo que os velhos agüentavam menos o álcool. Depois pensei que talvez bebessem mais. Eu me estendi ao seu lado e percebi que o móvel da televisão, único obstáculo entre a cama e a ampla penteadeira sobre o vazio, era tão baixo que não me impedia de ter, mesmo estendida no leito, uma visão completa do porto e do monte.

As primeiras luzes do dia traspassavam as nuvens plúmbeas, lutando para impor-se à obscuridade. Mas não podiam. Os faróis do cais continuavam acesos, refletindo seus fulgores nas águas negras, encimados pela iluminação do Montjuïc que percorria as ruas e as partes altas do monte. Os acinzentados opacos da vegetação ainda noturna marcavam seu limite com os acinzentados de tom azul na bruma do céu, pressagiando um amanhecer que queria chegar sem conseguir.

A presença do homem de negro despertou o meu alerta e a sonolência do álcool parecia dissipada. Meu Deus, quantas surpresas! Enric e Maria del Mar! Que história tão incrível! Como ela deve ter sofrido! Dormia ao meu lado, acocorada na posição fetal, como que para se proteger do próximo golpe que a vida lhe reservava. Levantei seu cabelo tingido de castanho-claro, vã tentativa de imitar a cor e o brilho da juventude, e beijei sua face.

Eu não podia esperar e desembalei o quadro da Virgem, achei que ela estava misteriosa como nunca esteve e comparei os anéis de rubi, o do meu dedo e o pintado, que brilhavam belos, mas sinistros. Depois lancei o meu olhar naquele amanhecer titubeante que não vencia a noite. As luzes no porto, agora um lago de negros mistérios, a cidade adormecida aos meus pés, encantada e triste, bruxa e enigmática. Como o quadro. O meu último pensamento antes de fechar os olhos foi para aquele velho agourento. Por que esse medo estranho? Ocorreu-me que já o conhecia. Mas de onde? Por que eu o continuava temendo se ele me havia protegido quando saí da Del Grial?

Artur Boix ligou no dia seguinte. Pediu desculpas por se ter deixado vencer pelas emoções, mas se em mim doeu o ocorrido com o meu padrinho, talvez eu pudesse imaginar o que foi para ele a perda do pai e do tio. Admito que também me exaltara em nosso último encontro, que não terminara muito bem.

Ele me convidou para um jantar e eu lhe disse que não jantava a sós com outro homem que não fosse aquele a mim destinado, e que, além disso, a minha mãe estava na cidade. Depois de uma vacilação, ele respondeu que lhe encantaria convidar a senhora Wilson, o senhor Wilson e toda minha família; eu podia ver o sorriso dele através do aparelho. Acrescentou ainda que era um sujeito formal e que tinha boas intenções.

— Se é assim, prefiro ir sozinha — repliquei rindo. A verdade é que os caras com senso de humor me encantam, e Artur o tem. — Mas será um almoço, quando minha mãe se for.

— Você não vai se arrepender. Tenho muito para lhe contar.

Maria del Mar permaneceu por mais três dias em Barcelona. Dias que tive de me dedicar a ela com exclusividade; fizemos um percurso nostálgico pela cidade; o lugar onde vivíamos, a casa dos avós, as ruas mais amadas... Fomos tomar chocolate nas leiterias em que íamos antes, exploramos seus restaurantes favoritos, e ela me contou muitas anedotas de sua época de criança, adolescente e recém-casada. Algumas histórias conhecidas, outras nunca antes ouvidas; rimos como menininhas e essa camaradagem nascida entre ambas ia crescendo. Até jantamos com Luis e Oriol. E foi nesse encontro que ela nos entregou um insuspeitado presente:

— Aqui está a radiografia do quadro da Virgem — ela disse, oferecendo-nos um enorme pacote cujo conteúdo não quisera me revelar até aquele momento. — Foi a sua amiga Sharon que fez e a entrego desejando de todo o coração que vocês encontrem o tesouro de Enric.

Maria del Mar estava com os olhos cheios de lágrimas, mas duvido que os primos tenham reparado nisso. Eles olhavam o pacote, hipnotizados. Eu o abri com cuidado à procura da inscrição oculta aos pés da Virgem.

E ali estava, embora eu só pudesse ler "está em uma".

— "O tesouro está em uma caverna marinha" — Oriol declamou decepcionado.

— Isso nós já sabíamos, não traz informação nova — disse Luis.

Agradecemos educadamente o presente e pensei que aquela não seria a chave esperada, que seria preciso procurar mais.

Tal como eu esperava, minha mãe não quis ver Alicia e tampouco mudou sua opinião, que ela me repetiu cem vezes, a respeito do rapaz de olhos azuis. Eu devia me esquecer dele, devia voltar para Mike.

Mas soube manter a medida adequada ao ir embora quando eu já estava começando a ficar farta da sua presença e impaciente pela interrupção da busca ao tesouro. Devo reconhecer que desfrutei de sua companhia e que aqueles dias foram bem aproveitados; no entanto, depois de acompanhá-la até o avião, fui imediatamente ao hotel, fiz as malas e voltei para a casa de Alicia.

TRINTA

— Você gostaria de ver uma galera? — Oriol perguntou de surpresa.

— Uma galera? — repeti com estranhamento. A pergunta me pegava desprevenida. Eu lembrava que galera era uma espécie de nave e que aparecia nos papéis que tínhamos lido.

— Sim, uma galera, a embarcação da qual o frade sargento da Têmpera, Arnau d'Estopinyá, era capitão — Oriol me esclareceu ao notar que eu vacilava.

— Já sei o que é uma galera — respondi ofendida.

— Você quer ver uma ou não? — ele sorria para mim; seus dentes brancos eram luz e seu olhar rasgado de azul, mistério. Esse rapaz, bem, esse homem continuava me seduzindo.

É um enorme barco de madeira que se estende por uma das alas de um antigo edifício, com grandes arcos que sustêm uma cobertura de telhas, entre os antigos estaleiros de Barcelona, hoje Museu Marítimo, onde se supõe ter sido construído o original há mais de quatro séculos.

Além da minha curiosidade de conhecer o aspecto do navio de Arnau d'Estopinyá, aquela visita tinha um interesse a mais para mim: era a primeira vez na minha vida que eu saía a sós com Oriol. Bem, se é que ir ver galeras podia ser considerado como "sair". Ele me disse que, para uma dama comprometida, como era o meu caso, essa "saída cultural" não era traição, nem sequer audácia. Olhei o meu anel de comprometida e me surpreendi ao ver outra vez o velho rubi templário brilhando muito mais, no seu interior, que o resplandecente diamante recém-talhado.

Uma galera é como uma lancha gigante de borda relativamente baixa, para que os longos remos possam chegar à água com facilidade. Não tem nada a ver com as imagens dessas naves de convés alto carregadas de canhões ou com as típicas caravelas de Colombo. Estava pontilhada de remos. Talvez centenas.

— Era um navio tipicamente mediterrânico e elaborado para a guerra — Oriol me explicou quando eu comentava as minhas impressões, apontando o trabalho em madeira. — Este é um modelo exato, em tamanho natural, igual ao que se construiu aqui para dom Juan de Áustria, o enteado de Felipe II, o imperador, e que participou da famosa batalha de Lepanto, em 7 de outubro de 1571. Lá, uma frota combinando espanhóis, venezianos e gente do papado conseguiu infringir uma derrota definitiva aos turcos. Aqueles mesmos que evacuaram os nossos templários da Terra Santa, três séculos antes, e acabaram se estendendo pelo Mediterrâneo, tomando Chipre e Creta e ameaçando a Itália, especialmente o reino de Nápoles e as grandes ilhas italianas, que naquele tempo eram possessões da coroa espanhola. Curiosamente, nessa batalha também participaram as galeras da ordem dos hospitalários, os maiores rivais dos Pobres Cavaleiros de Cristo, e herdeira de grande parte dos seus bens. Três séculos depois, a ordem hospitalária ainda sobrevivia sob o nome de ordem de Malta, que, desterrada da Terra Santa pelo avanço turco e depois de Chipre, Rodes e Creta, estabeleceu seu quartel-general na ilha de Malta, pertencente até então à coroa de Aragão, cedida por Carlos I.

Olhou-me sorridente.

— Na Espanha se diz que nós liderávamos a frota, mas, se você visitar o Museu Naval de Veneza, verá que os venezianos asseguram que os comandantes foram eles, embora eu esteja certo de que o papa pensava que quem mandava era ele. Que aliados!

Ri discretamente da ironia, desviando a vista daqueles olhos azuis que me transtornavam. Ao encará-los fixamente, notei nos meus lábios um gosto de sal, lembrança de sua boca e do sabor do meu primeiro beijo. Mas ele não parecia compartilhar o meu estado alterado e seguiu com sua lengalenga.

— A história depende de quem a escreve, mas o certo é que Veneza contribuiu com muito mais naves do que a totalidade do império espanhol, incluindo nele não somente Catalunha, Valência e Maiorca, mas também Nápoles e Sicília.

Achei que Oriol estava tão entusiasmado por visitar o passado, que as opções de uma mulher da atualidade, eu mesma, por exemplo, para desviar sua atenção das curvas sensuais de uma galera eram escassas. Ele estava ali, extasiado, contemplando o navio.

— O modelo das naves variou muito em seiscentos anos — continuava contando. — Em Bizâncio, por volta do ano mil, já havia umas formas semelhantes a esta, representando o ápice das melhores técnicas de combate da antigüidade. Era a herdeira direta das trirremes romanas e diferente das embarcações gregas e fenícias. Podemos dizer que esse tipo de nave dominou o Mediterrâneo durante dois mil anos. Ela fora planejada para a velocidade e se lançava sobre as naves inimigas para afundá-las, cravando-lhes o esporão dianteiro no costado, embora na Idade Média o esporão tenha sido usado principalmente como ponte de abordagem aos adversários. Esta que você vê aqui já portava canhões que em sua maioria se colocavam na proa e alguns na popa e nos costados, mas a artilharia ainda não era muito potente. Quando os canhões foram aperfeiçoados, as galeras desapareceram como nave de guerra; claro, se o inimigo podia ser afundado a bombas, por que se colocaria a própria nave em jogo?

"A galera de Arnau d'Estopinyá era uma das chamadas *bastardas* porque se movimentavam a vela e remo. Podia estender duas grandes velas latinas e portava trinta e seis bancos de três remadores em cada um, em cada lado. Esta que você vê aqui era um pouco maior, mais larga, embora ligeiramente mais curta; tinha trinta bancos e cada remo era movido por quatro galeotes. Os remos só eram usados para o combate, quando havia pressa ou faltava o vento. Imagine! Setenta e dois remos golpeando o mar ao mesmo tempo! Eles precisavam de um tambor que marcasse o ritmo para que todos fossem no mesmo andamento.

Os olhos de Oriol brilhavam de entusiasmo. Ele estava vendo a nave de d'Estopinyá, sua quilha partindo para o mar, lançando-se a toda velocidade contra uma galera inimiga.

— Era a mais rápida do seu tempo — acrescentou.

E assim Oriol continuou instruindo-me. Eu o seguia com dupla atenção; é verdade que sua conversa era interessante, mas confesso que era a sua pessoa que tornava o relato fascinante para mim.

Percorremos ao longo da nave, andando pelo solo, ao nível da quilha. Nessa altura só se via o trabalho de madeira do casco, no qual, em algumas extensões, faltavam tábuas para que os visitantes pudessem observar as entranhas do navio e os utensílios que cada área armazenava. Ao chegar à popa fiquei admirada com a vante da nave que, vista do chão, eleva-se muito alto, majestosa, com decoração profusa e barroca.

— Não havia nenhuma dessas pompas na nave *Na Santa Coloma*. A que você vê aqui era a nau capitânia comandada por Juan de Áustria, o irmão do imperador da coroa germânico-espanhola. O segundo homem mais poderoso do Estado mais rico do mundo. A única decoração da galera de Arnau d'Estopinyá devia ser a cruz pátea ou a patriarcal da Têmpera pintada na popa e nos escudos que protegiam os galeotes e os besteiros.

Subimos vários lances de uma rampa até nos situarmos numa plataforma que encimava os primeiros bancos de remo na mesma altura da chamada carroça, a ponte de comando da nave. Ali viajavam os oficiais da galera, junto com o piloto e o timoneiro. Não se misturavam nem com os galeotes que remavam nem com os comitres e os alguaziles que faziam com que se cumprissem as ordens.

Dali se via toda a área dos remos e o esporão na proa. Um audiovisual certamente automaticamente programado começou a projetar-se numa tela por cima de nossas cabeças, recriando os galeotes que remavam; conseguia-se que estes aparecessem quase sobre os bancos da nave real.

Então aconteceu, e me dei conta numa fração de segundos. "O anel", eu pensei. "É outra vez o anel."

Na mesma hora, as imagens e sons enlatados da película foram superados, mil vezes, por aquilo que, saindo de dentro de mim excedia qualquer realidade.

Eu ouvia a batida do tambor marcando o ritmo da remada e a pancada dos remos na água, e sentia o odor da fetidez acre e penetrante do suor e das imundícies dos galeotes que, cobertos de andrajos e encadeados ao banco, faziam suas necessidades ali mesmo. Observava a brisa e avistava os azuis no céu e na água e a brancura da espuma na crista das ondas. O dia estava claro, mas o mar estava picado e fazia o navio saltar.

Havia outra galera mais à frente, exibindo a cor verde do Islã nas extremidades dos seus mastros, enquanto nos nossos ondulava o galhardete de combate marinho templário: o estandarte negro com uma caveira branca.

Os alguaziles rondavam pelo corredor central, ameaçando com chicotadas aqueles que não empregavam força suficiente nas remadas, e um homem elevado no mastro maior gritou alguma coisa. Ouvi uma voz, talvez a minha, pedindo que disparassem as catapultas, e o som vibrante da curvatura da madeira trabalhada começou a chegar desde a proa ao recuperar sua postura natural.

Atento ao meu coração disparado, eu agarrava com muita tensão o cabo da minha espada no cinto, ciente de que a morte chegaria rapidamente para muitos, talvez também para mim.

A nave inimiga empreendia a fuga a remadas, ao mesmo tempo que arriava as velas, tal como fizéramos momentos antes. Mas eu estava convencido de que os alcançaríamos.

— Força nos remos! — gritei.

E a ordem foi transmitida a gritos pelos comitres ao longo da coxia até o tambor, que da proa marcava a cadência das remadas. As chicotadas começaram a chover nas costas dos forçados que não conseguiam adaptar sua velocidade ao ritmo máximo. Em coro, os galeotes começaram a grunhir de esforço cada vez que os remos afundavam no mar e a nave acelerava. Gritos de dor acompanhavam o estalo do chicote. Com o ar da proa, o odor dos corpos me chegava mais intenso agora, e com isso percebi o que muitas vezes já havia notado no fedor, em transes semelhantes. Esta fetidez adicional, tênue, e infame: o cheiro do medo.

A distância que havia em relação a nossa presa diminuía, mas ela também era uma nave veloz e as pedras que as nossas máquinas de guerra lançavam não a atingiam. Na proa da *Na Santa Coloma*, a amurada estava repleta de besteiros na expectativa de pegar os sarracenos a tiros. Um deles arremessou uma lança que se cravou no madeiramento da popa do inimigo, mas naquela distância o risco de erro era grande e ordenei que se contivessem para economizar as flechas.

Foi neste momento que o marinheiro elevado no mastro maior gritou: nafta! Linhas de fumaça se desenhavam no céu, enquanto cântaros com combustível ardente caíam ao redor de nossa nave.

O soldados cobriram-se com couraças, pouco úteis contra o fogo, mas os galeotes remavam sem proteção e ali, entre os bancos 18 e 19 a estibordo, um cântaro despejou-se justamente sobre um daqueles pobres infelizes, transformando o desgraçado numa bola de fogo que respingava nos seus companheiros. Uivavam de angústia e, quando soltaram os remos, a nave virou para bombordo.

O timoneiro tentava corrigir o rumo, os berros dos abrasados faziam estremecer, mas aquele momento não era para medo e compaixão.

— Lançar as folhas na cozinha! — ordenei.

Não era a primeira vez que usávamos esse estratagema. Enquanto os comitres e soldados tratavam de apagar o fogo com baldes de água, os marinheiros traziam da despensa alguns sacos com folhas e breu que lançavam no fogão que, situado ao ar livre, no banco 23, onde não havia remadores, mantinha-se em brasa. Aos poucos uma coluna de fumaça preta levantou-se sobre a nave.

— Parar os remos! — gritei. — Remos fora d'água!

A ordem foi transmitida através da coxia e a nave se deteve, interrompendo sua perseguição e balançando-se. O fogo já estava sendo controlado quando o vigia gritou que os sarracenos reduziam sua remada e a nave deles estava virando. Por um momento os traços de fumaça dos seus projéteis se detiveram, mas, ao nos fazer frente, eles retomaram seus disparos, agora a partir da amurada, na proa. Nossos comitres tiraram rapidamente as correntes dos feridos e moribundos dos bancos e os remadores voluntários, chamados *bonaboglies*, que não precisavam de grilhões, tomaram seus lugares. Coberta pelo fumaça espessa que os marinheiros se encarregavam de alimentar, nossa galera parecia ferida de morte, mas na realidade estava pronta para o combate.

A nave inimiga vinha a nosso estibordo, lançando-nos fogo e flechas; queriam aproveitar a confusão para nos danificar. Nunca teriam se atrevido a abordar uma galera como a *Na Santa Coloma* se não houvesse baixas na sua tripulação. A minha gente se mexia no meio da fumaça como se algo realmente grave tivesse ocorrido, e os dardos mouriscos já alcançavam o madeiramento e os galeotes dos primeiros bancos, que começaram a gritar.

Estávamos a uns duzentos metros quando dei a ordem:

— Disparar setas! Ativar os remos!

As ordens correram até a proa e o tambor começou a soar, e também as chicotadas e os lamentos. Uma nuvem de flechas voou até o nosso inimigo e aos poucos se ouviram gritos da outra galera, que aumentaram quando tivemos a sorte de atingir o seu convés com uma de nossas pedras.

Os sarracenos não se aperceberam do logro até que nossa nave adiantou-se e a fumaça do fogão que deixou de ser alimentada começou a ficar para trás. Cometeram então o seu segundo erro. Querendo evitar o choque, viraram a bombordo para se esquivar, mas, graças à força dos nossos remadores, que haviam descansado enquanto os deles remavam, e à nossa maior potência, conseguimos que o esporão se chocasse no seu costado a estibordo, fazendo saltar tábuas e estilhaços. Enquanto isso, tomando cuidado para não atingir seus galeotes, que certamente eram escravos cristãos, os nossos besteiros tiveram tempo de lançar uma segunda carga, agora mais certeira devido à pouca distância, sobre os guerreiros e oficiais mouriscos.

Ao grito de abordagem, os nossos homens, especialistas nessas contendas, correram pelo esporão, gritando "Por Cristo e pela Virgem", e saltaram com facilidade sobre a outra nave. Apesar das baixas por causa das flechas e sabraços mouros, esquecendo-nos da soldadesca amontoada em sua maioria na proa, atacamos ferozmente o abrigo na popa, onde em poucos instantes os oficiais e os guardas foram degolados. Quando todos os nossos estavam a bordo e começavam a avançar pela coxia até a proa, entre os bancos dos seus galeotes que nos aclamavam, eu soube que havíamos vencido.

O meu peito, inchado de júbilo e orgulho, soltou um grito de vitória.

E então eu me dei conta de que estava outra vez no museu, haviam passado apenas alguns segundos; Oriol falava:

— ... o tipo de nave de borda alta, como as caravelas de Colombo, também se usava nos tempos de Arnau. Mas eram barcos de carga e de comércio. Só navegavam a vela e seu casco mais profundo permitia transportar grandes pesos. O antecedente mais óbvio foi a chamada coca, a urca, a caravela e toda a família de naves menores conhecidas como "fustas". Quanto às galeras, podemos ter mais de doze tipos diferentes.

Agarrei-me no corrimão e, sentando-me no chão, pus a mão no meu peito. Meu coração estava disparado, o ar me faltava.

— O que está havendo? — falou Oriol alarmado, interrompendo a sua dissertação.

— Aconteceu de novo — murmurei ao recuperar o alento. — Esse anel.

TRINTA E UM

Depois dessa experiência angustiante, eu esperava compreensão por parte de Oriol. Acreditava na sua sensibilidade e no seu conhecimento do que esse estranho anel podia fazer com as pessoas; não adivinhava que fosse precisamente ele o protagonista do meu próximo sobressalto.

Ficamos nos estaleiros o tempo necessário para que eu lhe contasse o ocorrido e, quando Oriol se assegurou de que eu estava mais ou menos em condições, talvez com a intenção de me animar, disse que queria me mostrar um lugar muito especial. Atravessamos uma avenida e, depois de entrar numa zona de casas muito velhas, dobramos duas esquinas e ele me meteu num barzinho. Certamente era especial; nas suas paredes emporcalhadas havia prateleiras cheias de garrafas cobertas de sujeira de decênios e algumas pinturas deprimentes, e havia tanta imundície que só conseguíamos avistar algumas mulheres fumando e nos olhando com cara de asco infinito. Os recortes de jornais emoldurados confirmavam que aquele lugar era singular. Soava música francesa que parecia sair de um rádio velho, desses de madeira envernizada, da época que precedeu os transistores.

— Chamam este bar de Pastis — ele me informou depois de ter pedido essa bebida que é como um licor de anis ao qual acrescentam água, e de que não gostei.

Suponho que Oriol pretendia elevar o meu ânimo com essa beberagem, mas pensei comigo que não estávamos no bom caminho. Só de pensar no sofrimento que a minha visão nos estaleiros me causou, eu me arrepiava mais do que o temor e o tremor. Sem poder evitá-lo, o meu olhar desviava para o anel da sangrenta pedra macho, talvez procurando em suas transparências o fantasma do velho templário que nele parecia habitar.

— Amo o folclore deste lugar — Oriol acrescentou, distraindo-me das minhas tétricas conjeturas. Vasculhava aquele buraco com a vista e seus olhos mostravam mesmo ar nostálgico que tinham no museu, antes rememorando grandes batalhas de navios de madeira e heróis afogados no Mediterrâneo, e agora me anunciando um relato, sobre um local evidentemente antigo. Assim era Oriol, gostava de viver no passado. Lembraria também das ondas, da tormenta e do beijo?

— Foi fundado em 47 por Quimet, boêmio e pintor amador, ao regressar de Paris, para onde havia emigrado da África como *pied noir*, no final da Segunda Guerra Mundial. Lá ele andou em busca do êxito como antes fizeram Picasso e Juan Gris. Paris era então a capital da arte e Nova York ainda aspirava a isso. Carmem se foi com ele, era astuta e cheia de vigor, dizem que era sua prima, esbanjava um bom porte e uma índole ainda melhor. Ela o amava com paixão e estava convencida do talento artístico do seu namorado. Carmem trabalhava em bares, limpando, fazia qualquer coisa pelo dinheiro para que os dois pudessem viver. Mas os quadros de náusea existencialista que Quimet pintava não vendiam. Quem ia dependurar na sala de estar imagens tão deprimentes e de arte pobre.

Bebi aquele líquido esbranquiçado que Oriol tinha pedido sem me ter dado outra opção e olhei os guardanapos cobertos de cinzas de cigarro. Mulheres de olhar vazio frente a copos igualmente vazios, homens fumando. Figuras femininas na rua, claro que prostitutas à espera. Não deixei de reparar que a zona onde Oriol havia me levado pertencia ao antigo bairro chinês, baluarte da prostituição barata da cidade. Mexi a cabeça afirmativamente. Desde já, eu não teria algo assim exposto nas minhas paredes.

— Com toda certeza Quimet aspirava ser um Toulouse-Lautrec no molde existencialista dos anos cinqüenta, em Barcelona, e passava as imagens que o rodeavam para a tela. — Oriol continuou. — Assinava como Pastis. Era o tempo em que a cultura francesa era admirada e a anglo-saxônica, ignorada. Os burgueses mandavam os seus filhos para o Liceu Francês.

"Como mamãe e Enric", eu disse a mim mesma.

— O fato é que Quimet reuniu um grupo de amigos e clientes assíduos num círculo pseudo-artístico marginal para ouvir a música de Edith Piaf, Montand, Greco e Jacques Brel, bebendo *pastis* enquanto discutiam sobre as últimas tendências na capital do mundo — Oriol sorveu do seu copo e olhou ao redor antes de cravar seu olhar no meu para me confidenciar: — meu pai freqüentava este bar.

Mantive o olhar, Oriol estava com os olhos úmidos? A pequenez do local me deu a desculpa para me aproximar um pouco mais desse rapaz tímido e introvertido que havia evoluído para um bonito homem, mas ambíguo. Eu ainda o amava? Ele sentia alguma coisa por mim? Teria algum dia sentido?

Estávamos calados, olhando-nos, com essas baladas antigas de *chansonnier* sussurrando palavras de amor numa penumbra que a mim, apesar da meia dúzia de clientes que quase enchiam o lugar, se fazia íntima.

E me pareceu ter notado que ele se aproximava, que nossos lábios se desejavam, e tive saudade do sabor de sua boca. Eu me vi refletida nas suas pupilas. Uma menina de treze anos sonhando com seu primeiro beijo de amor numa tormenta de setembro. Uma mulher insensata que fantasiava reconstruir um romance que o tempo e a distância haviam arruinado. Algo que podia ter acontecido, mas que só existiu no mundo paralelo dos meus sonhos. Acerquei-me alguns milímetros mais; meu coração batia enlouquecido.

— Foi ele quem me trouxe aqui.

— Quem? — perguntei estupidamente. Era como se despertasse de repente, outra vez sem saber onde me achava, da mesma forma que havia ocorrido nos estaleiros momentos antes. Só que agora o responsável pelo encanto não era o anel e sim ele.

— Meu pai, Enric — ele respondeu.

Oriol continuava ali, bem próximo, mas o feitiço havia quebrado. Fiz isso de propósito? Ele ficou com medo do beijo que nos prometíamos com o olhar? Não se atreveu? Era homossexual como diziam? Passei a vista pelas quatro paredes para dissimular o meu sobressalto.

— Foi ele que me relatou o folclore deste lugar. Se você ler os artigos de jornal que estão dependurados nestas paredes, verá que parecem histórias diferentes, mas para mim a única, a boa, é a de Enric.

— Conte-me.

— Quimet era um tipo brilhante, com carisma, atraía as pessoas e reunia-se aqui com um grupo fiel de clientes e amigos. Mas hoje ninguém fala do seu lado obscuro.

— Um lado obscuro?

— Sim. Além de pintar, conversar, beber, boxear e fumar, não fazia muito mais. Bem, afora...

— O quê?

— O escândalo das surras que ele dava em Carmem quando ficava bêbado — e apontou para uma pequena marca atrás do balcão. — Olha, os dois estão nesta foto.

Ainda horrorizada, contemplei a foto em preto e branco amarelecida, onde um homem com um penteado para trás e uma mulher bonita com uma linda mecha no estilo dos anos cinqüenta e vestindo um imaculado avental branco olhavam sorridentes.

— Mas como ela consentia?

— Porque o amava.

— Isso não é desculpa.

— Ela o deixou em Paris e continuou trabalhando para ele aqui em Barcelona.

— Como ela conseguia agüentar que, além de vadiar, esse tipo a agredisse?

— Porque o amava.

— Isso não justifica nada...

— Quimet estava doente. E, num dia ruim, morreu, vai se saber se de bebedeira, cirrose ou sífilis — interrompeu-me. — Foi assim que este lugar e o amor de Carmem se tornaram lenda.

— Por quê?

— Carmem decidiu deixar tudo aqui tal como estava quando Quimet ainda era vivo. Olha as garrafas nas prateleiras.

— Estão cobertas de sujeira.

— As paredes não foram repintadas, a música seguiu sendo a de sempre, e quando alguém pedia qualquer coisa que não fosse *pastis* para Carmem, que trabalhava atrás deste balcão e do seu branquíssimo avental engomado, ela fazia uma cara feia e murmurava baixinho. Quando você entrava, ela o recebia com um sorriso, enquanto esfregava o balcão com um trapo e propunha: "O que vai ser? Um *pastiset*?", como se fosse um tributo obrigatório à memória do seu santo. A mim, o senhor menino, ela permitia os refrigerantes.

"A princípio, o pintor não fez falta, e um dos seus amigos do movimento *a nova canção* dedicou-lhe uma trova, gravada em disco:

"'Quimet del bar Pastis ja no et veurem mai mes...',[1] e continuava dizendo... 'peró hi ha un fet que no es enten: cada vegada hi ve mes gent'.[2]

"A lenda do bar Pastis como um monumento do amor de Carmem por Quimet havia superado o pintor do fígado arreben-

[1] "Quimet do bar Pastis, já não te veremos mais..."

[2] "Mas há um fato incompreensível: cada vez vem mais gente."

tado. Apesar de tê-lo suportado por amor, Carmem era uma senhora de briga, sempre procurou manter um ambiente bom, botando os indesejáveis para fora do bar sem contemplações. Quando ela se aposentou no início dos oitenta, o Pastis conservava sua popularidade e seus seguidores procuraram manter o espírito."

Oriol deu um trago no seu *pastis* e me olhou novamente. Um sorriso leve bailava nos seus lábios.

— Você seria capaz de amar assim, Cristina?

Pensei por uns segundos, antes de afirmar:

— Eu acredito no amor.

— Você gosta do seu noivo dessa forma? Como Carmem gostava de Quimet?

Eu me senti incomodada por ele ter metido o meu noivo nisso. E, respondendo para mim mesma, achei que, sendo honesta, a resposta seria não.

— Não sei, isto já é um exagero — murmurei.

— Eu não conheci Quimet, mas, quando se queria saber dele através de Carmem, ela dizia que ele era um artista; seu olhar voltava ao passado, um sorriso socorria os seus lábios e nas suas palavras soava admiração. Você chegaria a ter tanta consideração assim por um homem? A ponto de sustentá-lo com seu trabalho, de cuidar dele na doença e ainda por cima suportar ser maltratada?

— Não! — fiquei escandalizada.

Oriol sorriu. Estava satisfeito.

— Está vendo? — disse com ar triunfal. — Existem formas diferentes de viver. Existem formas diferentes de amar. Existem aqueles que são capazes de se sacrificar para serem queridos. Existe até quem dá sua própria vida.

Fiquei pensativa. O que é que Oriol queria me dizer? Ele se referia ao pai dele? Falava de si mesmo? De ambos?

Ao sairmos do bar, caminhamos até as Ramblas. Deixei minha mão esquerda caída, perto da dele, talvez com a ingênua esperança de que se roçassem, ou que finalmente ambas se unissem, como às vezes acontecia quando andávamos pela praia na época da meninice.

Eu não havia notado a presença dessa moça que, aparecendo por trás, deteve Oriol, pegando-o pelo braço.

— Olá, querido! — disse com sua voz estranha.

Oriol virou-se e não pude ver sua expressão.

— Olá, Susi! — ele respondeu.

Susi vestia saia curta de couro vermelho e meias negras. Era uma moça alta e bonita que abusava da maquiagem e se excedia nos saltos altos.

— Quanto tempo sem te ver, querido!

"Essa voz", disse a mim mesma.

— Eu digo o mesmo — ele replicou e acrescentou. — Esta é Cristina, uma amiga de infância que veio de Nova York para nos visitar.

— Muito prazer — ela disse, e sem soltar o braço de Oriol me deu dois desses beijos que nem chegam a roçar o rosto, fazendo soar os lábios como se os desse. Percebendo alguma coisa estranha, fiz o mesmo. Ela usava um perfume forte, muito doce.

— Encantada — disse-lhe. E já não estava. Estava, sim, surpresa de vê-lo tão íntimo com aquele tipo de moça. Era uma arrasa-quarteirão.

— É uma amiga, muito amiga? — Susi inquiriu, dirigindo-se a Oriol. A moça tinha um peito abundante.

— É uma amiga de quem gosto muito — ele afirmou, enquanto um sorriso travesso apareceu na sua face.

— Ah! — ela exclamou. Seus lábios grossos e sensuais abriram-se com um risinho de dentes amarelados de tabaco e ela me olhou. — Então podemos fazer um trio.

Fiquei aturdida por uns segundos e, por fim, perturbada, comecei a compreender o incompreensível. Susi era uma prostituta e se pôs a vender sua mercadoria, falando do bem que nós três desfrutaríamos, pormenorizando cenas, dando-nos todo tipo de detalhes escabrosos sem pudor algum. Olhei Oriol. Ele me observava sorridente, parecia à espera da minha decisão. Não me senti bem quando notei que estava ruborizada, já fazia anos que não me intimidava dessa forma, logo eu, que me presumo segura de mim mesma e capaz de me sair bem em qualquer situação. Mas devo confessar que a brilhante advogada, de respostas rápidas e inteligentes, não estava preparada para aquilo; a situação me superava. Você pode imaginar a cena?

Mas o pior estava por vir quando, ao me recuperar da surpresa, pude entender algumas das imagens que Susi descrevia. Então, fez-se luz.

— Você não é mulher! — A exclamação saiu de dentro de mim, sem que eu pudesse evitar. — É um homem!

— Na primeira coisa, você tem um pouco de razão, querida — Susi rebateu sem perder o sorriso. Agora eu notava o proeminente pomo-de-adão na sua garganta. — Ainda não o sou de todo. Mas se equivocou na outra, pois não sou homem. Com essas tetas! — e levantou-as com as mãos. Como eu percebera, eram volumosas.

— Vem, Oriol, vamos os três — insistiu, olhando-o. — Cinqüenta euros, só isso, vinte e cinco para cada um. E eu faço a cama.

Eu não podia acreditar no que presenciava, era como se acontecesse com outra pessoa, era como se ocorresse em outro lugar. Aquilo era irreal e, quando Oriol falou, o meu mundo caiu.

— Que tal o programa, Cristina? — os olhos azuis rasgados que tanto amei me fitavam e um sorriso amplo deixava seus dentes à mostra. — Vamos?

— Vamos, sim! — Susi exclamou, tomando-nos a ambos pela cintura. — Vamos, senhorita; eu sei dar prazer tanto para homens quanto para mulheres... Estou certa de que você nunca mais vai desfrutar uma experiência assim; comigo e com um rapaz ao mesmo tempo.

Somente por um momento eu me imaginei entre os dois, somente por um breve instante senti esta excitação mórbida; depois veio o horror...

TRINTA E DOIS

Naquela noite, contemplando a cidade do meu quarto, liguei para Mike. Fazia dois dias que não conversávamos e ele me censurou. E eu não aceitei sua repreensão; precisava do seu amor, da sua devoção, do seu afeto.

— Te amo, estou morrendo de saudade — disse-me depois da reprimenda. — Deixe essa bobagem de busca a tesouros de lado e volte para mim.

— Eu também gosto de você — senti profundamente estas palavras. — Daria o que fosse para tê-lo ao meu lado. Mas tenho que ficar até o final dessa história.

Essa conversa, saber que Mike continuava me amando, foi um bálsamo para minhas feridas. Porque se tratava disso, eu me sentia ferida. Muito. Oriol queria realmente armar uma cena com o travesti? Se ele fosse de verdade um desses tipos viciosos e se quisesse mesmo isso, para ter uma probabilidade mínima de êxito deveria ter esperado um aprofundamento maior da nossa relação. A proposta dele era absolutamente insultante.

Não, não era este o propósito dele.

— Eu não esperava encontrar Susi e improvisei em cima do lance — disse-me. Eu tinha caminhado quase correndo até as Ramblas sem ter respondido à sua oferta indecente. Ele se despediu de Susi e alcançou-me no centro do passeio.

— Pois não me agradou — respondi.

— Vamos, não se aborreça, eu segui a onda para ver sua reação... achei divertido.

As explicações dele não me convenceram. Estava muito machucada e, ao me trancar no meu quarto, rolaram as lágrimas. Oriol me decepcionava.

Onde é que estava o rapaz tímido por quem eu me apaixonara quando menina?

À noite, debruçada na janela, vendo as luzes da cidade e ainda ressentida pelo desgosto, não pude evitar as voltas e mais voltas que dei nesses dois episódios. Primeiro o do bar. Oriol me fez enfrentar uma forma de viver e pensar oposta à minha. A devoção da mulher ao homem, a submissão voluntária. O que é que ele queria insinuar? E depois o encontro com Susi. Ele o teria preparado? Mentiu quando disse que foi casual? Eu estava certa de que Oriol contava com a minha recusa à sua proposta; me custava achar uma situação mais inadequada para se propor sexo a uma mulher. Então, por que ele o fez? Será que buscava a minha recusa como álibi para sua homossexualidade? E Susi. Essa cumplicidade, essa confiança; sem dúvida se conheciam há muito tempo. Que tipo de relação eles teriam? Talvez fosse isso. Talvez a condição sexual deles os unisse. Talvez se deitassem juntos.

Quando me meti na cama, não consegui pegar no sono. As imagens da psicometria que me invadiram nos estaleiros se repetiam tão logo eu fechava os olhos. A linha de fumaça da nafta inflamada voando até nós, o terrível cheiro das excrescências humanas acumuladas nos corpos durante meses, o vapor de carne queimada, os uivos dos queimados e dos feridos pelas lâminas afiadas. Sentia náuseas. Levantei-me para beber água e vi o anel maléfico brilhar em sangue. Tirei-o da mão e o deixei na mesinha de cabeceira. Dormiria com o diamante puro e transparente do meu prometido. Naquela noite eu não conseguiria mais suportar outra dessas terríveis visões do passado.

Custei a dormir, não sei a que horas, e, quando o fiz, dormi mal. Desta vez não tinha como culpar o aro do rubi, mas voltei a sonhar. A princípio foi um sonho erótico, amavelmente estúpido, como tantos que às vezes nos assaltam pela noite, mas, devido a como me sentia, seu desenlace só fez aumentar a minha inquietude.

Começou de forma bem doce, com Oriol aproximando-se para beijar-me, e eu abrindo os lábios e fechando os olhos para saborear sua saliva e o sal, tal como fiz tantos anos atrás, quando nos demos o primeiro beijo na adolescência.

Ao sentir sua mão debaixo da minha saia, o meu desejo transbordou, mas fiquei sobressaltada quando abri os olhos porque era um outro homem que fazia carícias entre as minhas pernas. Eu quis protestar, desfiz meu beijo com Oriol e então vi que esse segundo homem, sem deixar de se esfregar em mim, beijava-o e ele devolvia sua paixão.

Eu não tinha como escapar desse estranho abraço a três onde, buscando amor em Oriol, acabava encontrando sexo com um indivíduo que parecia o amante do meu amigo. Não, este homem não era um travesti como Susi, mas o odor do seu perfume era igual.

Ao despertar, a minha respiração estava alterada, eu sentia um misto de excitação e angústia. Como teria continuado o sonho? Nem quero imaginar. Era um misto ambíguo de horror e prazer.

E por trás disso estava o meu medo, Oriol era homossexual? Ou será que ele gostava igualmente de homens e mulheres?

Aquela interrogação me deixava transtornada; além disso, era preciso reconhecer, eu continuava sentindo algo, talvez muito, por ele. Será que se repetiria comigo a mesma história que mamãe viveu?

Acredito que cheguei a ficar deprimida naquela manhã. Sentada na cama, olhei atemorizada o anel de rubi sobre a mesinha de cabeceira. Pensava em Oriol com desesperança. "Ao diabo com o tesouro e com essas histórias antigas de dor!", pensei. "Darei ouvidos a mamãe e a Mike." Desejava sentir-me querida, não me importava nem mesmo sentir-me mimada e comecei a planejar o meu regresso.

Acontece, porém, que soou o telefone. Era Artur que me convidava para almoçar. Aceitei imediatamente, pelo menos ele era um tipo galante e em muitos aspectos mais atraente que Oriol.

— Não entendo. Por que você não denunciou o roubo dos quadros para a polícia? — interroguei-o.

— Como sabe que não fizemos isso? — Artur me fitava sorridente. "Sim", disse para mim mesma, "é muito mais atraente que Oriol."

— Tenho minhas fontes de informação.

Ele me encarou bastante interessado.

— Foi Alicia?

— Não falei disso com ela. Falei foi com o delegado Castillo. Foi quem fez a investigação do caso. Não houve denúncia alguma de roubo. Aconteceu realmente?

— Claro que sim.

— Então, como é que você esperava recuperar os seus quadros sem denúncia?

— Temos formas de fazer isso.

— A mesma que você aplicou no amigo do meu padrinho?

— Olha, Cristina. Nós temos nosso estilo de trabalho e não queremos que a polícia meta o bedelho onde não deve.

— Vocês são da máfia, não é?

Artur meneou a cabeça com desgosto, passou a falar medindo suas palavras e o sorriso, agora um pouco forçado, retornou à sua cara.

— Esse negócio de máfia é um insulto, querida — fez uma pausa. — Somos apenas comerciantes que têm suas próprias regras nos negócios.

— Que incluem o assassinato...

— Só quando é imprescindível...

Fiquei olhando seu rosto bonito, enquanto decidia se ia embora naquele mesmo instante. Notei que meus lábios estavam apertados e isto era sinal de que estava aborrecida. Sem dúvida esse homem era perigoso. Mas esse perigo não me assustava muito, eu só ponderava sobre a conveniência de deixá-lo de novo plantado. A sua arrogância, o seu estar por cima da lei me indignava. Suponho que tenha sido a advogada que carrego dentro de mim. Ele pareceu adivinhar meu pensamento e se apressou a acrescentar:

— Não pense que eles são melhores...

— Eles quem?

— Oriol, Alicia e os outros...

— O que há com eles?

— Formam uma seita.

— O que você está falando?

— Isso, eles fazem isso — afirmou com total convencimento. — Pelo menos eu sou sincero e exponho as minhas intenções na cara. Mas eles escondem as deles.

Fiquei calada, tratando de assimilar aquilo, e disse-lhe no final:

— Conta de uma vez o que você tem para contar.

Explicou-me então que, levados pelo romantismo do final do século XIX, com toda a exaltação do medieval nas artes catalãs que ia do poético à arquitetura, o avô Bonaplata, um rosacruz assíduo dos círculos maçons, fundou seu próprio grupo secreto, ressuscitando uma versão bem *sui generis* da ordem dos templários. A esse grupo pertenciam os Coll, minha família, e também a dele, os

Boix. Mas, passadas algumas gerações, quando Enric foi nomeado mestre da ordem, o pai de Artur e o tio dele começaram a se sentir incomodados pelo caráter cada vez mais esotérico e ritualista que tomava o grupo. E não ajudou que Enric tivesse mudado os estatutos para que as mulheres fossem admitidas e que a primeira dama templária fosse Alicia, mulher de forte personalidade que gostava de bruxarias duvidosas e de lendas ocultistas sobre os cavaleiros do templo de Salomão, e que impunha seu próprio critério.

— E com as coisas assim apareceu Arnau d'Estopinyá.

— Arnau d'Estopinyá? — inquiri com estranhamento.

— Ele mesmo — rebateu muito sério. — Arnau d'Estopinyá, o templário.

— Como Arnau d'Estopinyá? — exclamei. — Como é que ele apareceu? — eu continuava assombrada. Não imaginava Artur como alguém que acreditava em fantasmas, mas sua expressão era das mais convincentes. — Apareceu para quem?

— Para o teu padrinho — percebi que o antiquário se comprazia com o meu desconcerto.

— Arnau d'Estopinyá apareceu para Enric? — meus pensamentos corriam a toda velocidade. Isso teria alguma relação com as visões que Alicia atribuía ao meu anel?

— Sim. Um belo dia esse homem apresentou-se para o teu padrinho, dizendo que ele também era templário e queria ser admitido em nosso "maestrazgo"...

— Um momento — interrompi. — Mas Arnau d'Estopinyá morreu no século XIV!

— Você acredita nisso?

— Claro!

— Então devia ser outro — rebateu enigmático.

Meneei a cabeça assentindo, sem poder ocultar minha estranheza. A brincadeira começava a me irritar, achei que o antiquário devia estar me tomando por estúpida.

— Mas o fato — Artur falou de repente — é que é o mesmo Arnau d'Estopinyá de setecentos anos atrás.

Fiquei em silêncio, esperando que ele voltasse a falar; era óbvio que tal coisa era impossível. Artur estava me gozando e eu quis saber até onde ele seria capaz de levar toda essa história sem pé nem cabeça.

— Na realidade, este homem não é o outro Arnau, o templário, mas ele acredita que é — acrescentou com um sorriso divertido. — Embora isto não seja possível, não é mesmo?

— Ele deve estar louco!

— Está, sim. Mas naquele momento Enric resolveu lhe dar uma audiência na ordem e aprovar sua candidatura. Meu pai também esteve na comissão que ouviu sua história, e mesmo com receio votou a favor dele.

— Mas por que o admitiram se ele estava louco?

— Por causa do tesouro.

— O tesouro!

— Sim, esse tipo era um frade de verdade, mas foi expulso de sua ordem por ser violento, sofria freqüentes mudanças de humor, tendo até esfaqueado um outro monge numa discussão sobre o canal de televisão que queriam assistir. Mas o fato é que ele se apresentou proclamando-se seguidor de uma estirpe de frades guardiães do segredo do tesouro templário das coroas de Aragão, Maiorca e Valença. Portava um anel que eu nunca vi, mas, se eu der crédito ao que me contaram, se parecia bastante com o que você tem.

Olhei a jóia que brilhava esmorecida, como se adormecida, à luz do restaurante.

— Será que é este? — interrogou-me.

— É, sim.

— Pois ele é muito importante para eles.

— Para eles?

— Sim. Para essa seita de Novos Templários, a de Oriol e Alicia; este anel representa o poder dentro da ordem. Segundo Arnau d'Estopinyá, o sinete provém do próprio mestre marechal da ordem, Guillermo de Beaugeu, que morreu lutando em Arce e cujo anel, símbolo da autoridade templária e semelhante a um outro que pertencia ao papa, foi recolhido por um dos cavaleiros templários que, mesmo ferido seriamente, conseguiu embarcar na nave de Arnau e acabou confiando-o ao próprio Arnau d'Estopinyá quando os templários aragoneses e catalães foram esmagados pelo rei.

Ao ouvir essa história, que se encaixava perfeitamente com os escritos deixados por Enric, eu me alarmei. Artur seguiu com seu relato sem perceber minha perturbação.

— Após a morte deste, sucedida em Poblet, o anel, o quadro e a lenda do tesouro foram passando de frade para frade, de um para o outro, numa curiosa sucessão de eleitos até chegar a nossos dias.

— Mas o teu pai e Enric acreditaram que era mais que lenda.

— Com efeito, e ambos lançaram-se na busca dos quadros na zona dos monastérios cisterciences de Poblet e Santes Creus. Mas o teu padrinho fez a grande jogada.

— Qual?

— Sendo o mestre da ordem dos Novos Templários, custou-lhe pouco convencer o frade louco de que essa seita era a herdeira direta da ordem da Têmpera. Assim, acolheu Arnau como membro e concedeu-lhe uma pensão para o resto de sua vida, que passou a pagar do seu próprio bolso. O frade ficou encantado, jurou obediência eterna a Enric, e entregou o anel para o teu padrinho por sua condição de mestre da ordem. Parece que esse homem nunca se considerou proprietário da jóia, ele só era um depositário.

— E o que fez depois da morte de Enric?

— Meu pai e meu tio abandonaram a seita meses antes de serem assassinados pelo teu padrinho. A discussão com Enric pelo assunto dos quadros e o desacordo com o crescente poder de Alicia os levaram a isso. Quando Enric morreu, Alicia tomou para si o cargo de mestre, contra toda tradição templária a respeito das mulheres e graças a um grupo de bobos fascinados por ela. Manteve a promessa de seu marido, pagando pontualmente a pensão para Arnau, que na sua loucura lúcida também lhe jurou fidelidade. Mesmo a contragosto de alguns, no fim das contas todos acabaram aceitando a liderança dessa mulher que eu, aliás, não conheço; no entanto, parece que ela tem um carisma especial e soube inserir com competência a tradição ocultista que envolve o mito templário nos seus próprios manejos para fazer-se respeitar e admirar pelo resto dos irmãos da ordem.

— Explique a parte do ocultismo e dos templários.

— Houve todo tipo de histórias, o final trágico da ordem, as acusações de heresia, suas grandes riquezas, e tudo isso excitou a imaginação de milhares de pessoas. Se você agregar a esse cenário a intimação frente ao tribunal de Deus que Jacques de Molay, o último dos grandes mestres da ordem, fez ao rei da França e ao papa quando o queimaram na fogueira, e também a morte de ambos antes de findar o ano, terá um quadro misterioso e inquietante. Outros dizem que eles guardavam o Santo Graal e as Tábuas da Lei que Deus entregou a Moisés, e que eram proprietários de *veracruzes*, cruzes relicárias com fragmentos da verdadeira cruz de Cristo, que produziam milagres fantásticos...

— E o que há de verdade nisso tudo?

— Quer a minha opinião sincera?

— Claro.

— Nada. É tudo história.

— Mas você acredita no tesouro.

— Isso é diferente. Está escrito nas cartas ao rei Jaime II, ainda conservadas, que, quando os templários se renderam em Miravet, sua última fortaleza na Catalunha e quartel-general dos reinos de Aragão, Valência e Maiorca, os agentes reais não acharam a fortuna que esperavam. Somente os livros que foram encontrados, naquele tempo artigo de luxo, agradaram ao monarca. Mas a fabulosa fortuna que se suponha entesourada no castelo havia desaparecido. E nunca, pelo que se sabe, apareceu.

Essa intriga ficou no ar e, como se o tema estivesse esgotado, Artur passou a mostrar interesse pela minha vida em Nova York e a me contar anedotas da grande maçã. E logo estávamos rindo.

Artur é um tipo sutil e acho que ele só queria plantar uma

semente nesse encontro; semear a dúvida em mim sobre os meus anfitriões, os Bonaplata. E certamente tinha suas razões: eram pessoas misteriosas. O que mais eles estariam ocultando de mim?

Pensei comigo que, fossem ou não verdadeiras as histórias de Artur, ele havia conseguido elevar o meu ânimo que andava em baixa por culpa de Oriol. Artur me olhava sorridente e não se reprimia em fazer elogios à minha mente e ao meu corpo. Em circunstâncias normais eu não teria dado atenção a esse adulador, mas a minha autoestima precisava exatamente disso. Era como se ele estivesse me cortejando, e ao despedir-se beijou a minha mão.

— Não seja cafona — censurei-o, secretamente comprazida. E dei-lhe um beijo em cada face.

Mais tarde, telefonei para mamãe.

— Sim, é verdade — ela confirmou. Tanto o teu avô quanto o pai de Enric pertenciam a uma espécie de clube religioso. Lembro que se autodenominavam templários e o normal seria que Oriol, como filho varão primogênito, seguisse a tradição.

Naquela noite fiquei outra vez revirando-me na cama. Artur podia ter razão e o sorriso dele surgia à minha frente na obscuridade. Que embrulhada!

TRINTA E TRÊS

Acordei de madrugada, era uma das noites mais curtas do ano e eu não sabia de onde tinha vindo aquele grito. Logo me dei conta de que era eu quem havia gritado. Eu ainda estava nesse instante de lucidez em que se consegue lembrar do que foi sonhado e esse sonho fôra tão real, tão impressionante, que não tive medo de esquecê-lo. Acendi a luz para saber se já estava realmente acordada. O anel queimava o meu dedo e vi sua pedra brilhando como se fosse um olho sangrento. Senti necessidade de tirá-lo, e de me aproximar da janela para respirar o ar fresco. As luzes da cidade ainda em trevas confirmavam que eu estava acordada. Bem, acordada se tudo que eu estava vivendo não fosse um sonho maior, uma alucinação de alguém, de alguém que estava morto há alguns anos e que, como na época em que éramos crianças, fazia do seu sonho de busca a tesouros uma realidade, ainda que apenas momentaneamente, para aqueles três chorões, nós mesmos.

Não vi o meu rosto. Somente uma porta onde eu batia, carregando uma maleta. Sabia que por trás dessa porta o meu fim me aguardava, a minha chegada ao porto, à morte. Não tinha chance de sobreviver, era um suicídio. Mas ia fazer o que tinha de fazer: cumprir a promessa que me unia ao meu namorado até para além da vida. Como os antigos templários, como os jovens nobres tebanos de Epaminondas. Não se abandonam os companheiros e eles devem ser vingados quando são mortos. Isso eu havia jurado e isso eu cumpriria. Era o que tinha sido feito pelos tebanos daquele tempo, um tempo fulgurante e breve como uma estrela fugaz, e os gregos mais poderosos, os heróis mais brilhantes da história. Assim também foram os templários antes de sua decadência. Eu era daquela raça de paladinos e aquele era o torneio final. O meu coração apertou-se ao pensar no meu amigo assassinado e no filho que eu não veria mais, enquanto a vigilância do olho mágico observava a minha espera paciente. Senti um nó na garganta, meus olhos encheram-se de lágrimas e comecei a balbuciar uma oração por eles.

Quando a porta se abriu, dois indivíduos que eu não conhecia, trajando terno e gravata, me esperavam. Um deles ficou à distância, enquanto o outro, o que havia aberto a porta, sem nenhuma palavra, me empurrou de costas contra ela, obrigando-me a soltar a maleta. E me revistou. Uma, duas, três vezes. Revistou minha carteira, a caneta-tinteiro e minhas chaves. Quando se asseguraram de que eu não portava armas, inspecionaram a maleta.

— Tudo bem, pode passar — disse o de mais idade. Tomou a maleta e a dianteira.

— Um momento — eu falei, segurando-o. — Isto é meu e continuará sendo enquanto a transação não terminar.

O sujeito olhou nos meus olhos e deve ter visto neles a determinação de não ceder.

— Tanto faz — ele disse, dando de ombros, ao outro tipo que já me ameaçava. — Que ele fique com a porra da maleta. Não tem perigo.

A sala era grande e estava decorada com peças de valor e de estilo eclético. Jaime Boix, o mais jovem dos irmãos, aguardava sentado num belo sofá *chippendale*, ao passo que Arturo estava atrás de uma imponente escrivaninha de estilo imperial.

Ambos se levantaram ao me ver entrar e Jaime, sorrindo debaixo do seu bigodinho acinzentado, ofereceu-me a mão, dizendo:

— Fique à vontade, Enric.

Não lhe dei a mão e rebati:

— Vamos acabar logo com isso.

O sorriso de Jaime apagou enquanto seu irmão, sério, apontou-me uma cadeira.

— Sente-se, por favor — apesar da cortesia, não era um convite.

Eu obedeci, mantendo a maleta aos meus pés. Jaime sentou-se no sofá à minha direita, e o mais velho fez o mesmo atrás do móvel napoleônico. Às suas costas, na parede, pude ver dependuradas as outras duas peças do tríptico; os quadros de são João Batista e de são Jorge. Fixei os olhos neles por um instante. Estava certo, eram estes. Os dois indivíduos ficaram em pé; observei-os com curiosidade ressentida: eles deviam ser os assassinos materiais do meu querido Manuel. Um colocou-se à minha esquerda e o outro, diante de mim, bloqueando a saída.

— Já viu se ele não está com gravador? — Arturo interrogou o rufião da porta.

— Nem gravador nem armas. Com toda certeza — e logo disse com sorriso torcido: Revistei até os ovos.

— Antes de finalizar a transação, temos algo para lhe dizer — disse Arturo, cruzando o olhar do seu irmão. — Nós não queríamos que acontecesse. Lamentamos a morte do seu noivo; ele ficou histérico, resistiu e o que aconteceu foi um acidente. Estamos contentes por você ser mais sensato e saber fechar um trato de cavalheiros. De cavaleiros templários — acrescentou, ressoando uma certa ironia.

— Você ameaçou a minha família — eu sentia que o sangue me subia à cabeça. Odiava, detestava aquele indivíduo com todas as minhas forças —, isto não é coisa de cavalheiro, é ruim, indigno.

— Quero que você saiba que não temos nada contra os seus, contra a sua família. Assim como não tínhamos nada contra esse rapaz — fez uma pausa. — Acontece que você não foi razoável; a culpa do ocorrido é sua. Nós lhe demos uma oportunidade atrás da outra. Somos gente de negócios e este é nosso negócio. Não podíamos deixá-lo escapar por causa de sua teimosia. Lamento.

Fez uma pausa para abrir uma gaveta. E retirou vários pacotes de notas azuis.

— Meu irmão e eu decidimos acrescentar meio milhão a mais de pesetas na cifra inicial. O preço que havíamos combinado dobra assim o valor de um quadro gótico de princípios do XIV. Não temos por que fazer isso, mas é nossa forma de dizer que sentimos pelo teu amigo e de saldar as contas.

"Saldar as contas", eu repeti para mim mesmo, e minhas entranhas se retorceram de indignação. "Meio milhão de pesetas e acreditam que estão saldando as contas." Minhas mãos tremiam e prendi uma com a outra.

— Bem, é hora de você mostrar a mercadoria — disse Jaime. — Estamos impacientes para ver essa famosa Virgem.

Abri a maleta e tirei o quadro, apoiando-o cuidadosamente sobre os meus joelhos. Todos os olhos se voltaram para a imagem e não dei tempo para que eles descobrissem que era falsa; rasguei a cartolina que cobria o reverso e tirei do vão o revólver ali escondido. A minha mão tremia ao pegá-lo e fiquei em pé ao mesmo tempo que a pintura caía no chão.

Eu tinha pensado em matar Arturo primeiro e depois, Jaime. O meu cálculo era que teria tempo suficiente antes de os guarda-costas me liquidarem. Mas talvez por medo, ou mesmo por instinto de sobrevivência ou por tudo isso, no último instante eu mudei de plano.

O primeiro disparo foi na barriga do facínora à minha direita. Estranhamente, recuperei a calma ao ouvir o estampido e, acertando-lhe um segundo tiro no meio do rosto, pude encarar com tranqüilidade o valentão à minha frente. O homem já estava com seu revólver nas mãos. O meu pai me fez praticar tiro olímpico quando criança, e olímpico foi o disparo que lhe atravessou a testa. Restavam cinco balas. O que era bastante para terminar o trabalho. Enfrentei, então, Arturo, que havia esparramado as notas na mesa, numa frenética tentativa de usar uma arma que acabara de sacar da gaveta. Desfechei dois tiros no peito dele.

E ali estava Jaime de boca aberta. Ele tinha urinado no sofá *chippendale*. Que desperdício!

— Por favor, Enric — ele suplicava com voz trêmula.

— Você não queria ver a Virgem? — fiz uma pausa.

— Por favor... — gaguejou.

— Já viu? — ele estava com os olhos esbugalhados. Contemplava sua morte nos meus olhos e movia a boca sem dizer nada.
— Pois agora você vai ver Satanás — sentenciei.

Ao disparar, me senti tão bem como jamais me senti antes. E, em poucos segundos, tão mal como jamais me senti. Eu não podia acreditar que ainda estivesse vivo e, desabando no sofá, comecei a chorar.

TRINTA E QUATRO

Já disse antes que não sou nada medrosa. Embora o meu pai acredite no contrário. O fato é que algumas vezes eu me meto em situações tensas... bem, perigosas. Quando me encontro nisso acabo achando que não devia ter me metido naquele lugar e naquele momento. Devo reconhecer que desta vez eu me meti na boca do leão e houve uma hora em que rezei para sair bem de semelhante encrenca.

Vi Artur Boix mais duas vezes, ele era divertido, sedutor e sempre trazia detalhes novos sobre os Bonaplata e suas atividades secretas.

Ele confessou que havia organizado o assalto na saída da livraria e que não aceitava a recusa de Oriol em negociar a partilha do tesouro. Jurou que os seus valentões não teriam me ferido sob hipótese alguma e que ainda estava furioso com aqueles ineptos por eles terem fugido, mas que parte da culpa era sua por não ter pensado na possível reação daquele sujeito que me seguia.

Isto o levou a proclamar que os Novos Templários eram uma seita perigosa, uns fanáticos, uns fanáticos desequilibrados. Ainda desconhecendo como funcionava a ordem e pela simpatia que tinha por Enric e Oriol, disse que ele exagerava em seu próprio interesse e que os chamava de maus por conveniência.

Essa minha defesa dos templários o deixou irritado e ele me disse que o pessoal celebrava cerimônias secretas das quais somente os iniciados sabiam e que a prova disso era que tinham me mantido à margem da ordem, mesmo eu sendo parte interessada, quando o meu anel me dava autoridade para isso e com um *status* elevado. Ele insistia que quem tinha me mantido propositalmente ignorante era Oriol e não Alicia, e, de certa forma incomodada com essa hipótese, comecei a ridicularizar sua história.

O belo sorriso desapareceu da face de Artur, que ficou com cara de menino zangado. A verdade é que Artur deixava de ser atraente para ser apenas bonito quando apertava os lábios. E então, ele me disse:

— Você não se atreveria a se apresentar numa de suas sessões secretas!

Repliquei dizendo que seria mal-educada se fosse onde não me convidassem. Ele respondeu dizendo que eu podia ir para observar sem que me vissem, e eu disse que isso não ficava bem, e ele, que eu estava era com medo. Acrescentou ainda que sabia como se podia entrar sem ser visto e que tudo era uma questão de fazer o que precisava ser feito.

Perguntei-lhe se ele se atreveria a ir comigo e ele disse que sim, mas somente até a porta, já que, por razões óbvias, eu devia entender que, se fôssemos descobertos, eu era amiga e portava o anel da autoridade máxima dos templários, ao passo que o tratamento que essa gente lhe daria em tal circunstância seria bem mais agressivo.

— A verdade é que, mesmo negando, você acredita em mim e desconfia deles — acrescentou.

Não sei se este era o terceiro ou quarto desafio que ele me lançava, o seu sorriso irônico potencializava a sua atração; esse toque sarcástico era como o ácido no sorvete de limão. Tornava-o mais apetecível. Então, eu lhe disse:

— Claro que me atrevo! — fiz uma pausa com um olhar desafiante. — Embora a sua ousadia não chegue além de abrir a porta para a minha entrada, eu me atrevo.

Ele estava me manipulando e eu sabia disso. O que ele queria me mandando para essa igreja à meia-noite? Sem dúvida, que eu observasse os supostos ritos templários e que a credibilidade dele aumentasse e a de Alicia e Oriol abaixasse. Fiz uma pergunta direta sobre isso. Ele disse que me queria do lado dele no assunto do tesouro. E que, se me descobrissem, não se importaria se soubessem que foi ele quem me levou, que se inteirassem de uma vez por todas que ele estava de olho vivo e disposto a negociar. Pois, por direito, a ele correspondia boa parte daquela fortuna e que era melhor para todos que se chegasse a um acordo. "Bem", pensei, "isso é o que você acha."

Era noite de são João, a vigília mais curta do ano, a do solstício de verão, a do velar das bruxas, a da obscuridade mágica, a das sombras luminosas. São João Batista, o patrono decapitado da Têmpera; nessa noite, segundo Artur, a seita se reuniria numa vetusta igreja gótica próxima da praça de Catalunha. Ele me disse que a liturgia católica sempre celebra as mortes dos seus santos e o nascimento de apenas um deles, o de Batista, e que este se situa no calendário precisamente no ponto oposto ao do Natal, celebração do natalício de Jesus, no solstício de inverno. As datas não foram escolhidas por acaso, pois se superpõem às celebrações populares dos solstícios que arrastam consigo os ritos pagãos e esotéricos pré-cristãos. E ainda disse que os cavaleiros do Templo de Jerusalém participavam plenamente neles.

Eu sentia a cidade vibrando com uma energia excepcionalmente intensa, era uma festa popular e ninguém se preocupava com o dia seguinte; chegassem da forma que quisessem e atingissem o estado que fosse, tudo seria festa. Os fogos de artifício estalavam no céu e pelas ruas, concorridas como se fosse de dia, grupos de jovens lançavam bombinhas entre risos e correrias. Era noite de fogueira, de vinho e desse bolo de consistência dura, caramelizado e coberto de frutas cristalizadas e pinhas chamado *coca*.

Artur me entregou um mapa do templo e me explicou sua disposição interna. Os fiéis têm acesso à igreja de Santa Anna através do que hoje é a entrada principal, situada na extremidade à direita do cruzeiro e cujo pórtico está limitado por cinco arcos góticos apoiados em estreitas colunetas. Uma estátua da Virgem preside esse acesso que dá para a pracinha de Ramón Amadeu. A segunda entrada situa-se ao pé da cruz latina formada pela planta original do templo, cruz bastante desfigurada na atualidade por causa das capelas laterais que se foram acrescentando. Essa entrada se comunica com o claustro, uma bela construção de projeto e piso góticos cobrindo um corredor que rodeia um jardim quadrado. Pode-se também entrar no claustro através da pracinha, mas essa entrada é fechada com uma cancela de ferro e só é aberta para o público em ocasiões especiais.

Edifícios altos e modernos rodeiam a igreja e a praça, encerrando-as numa zona atemporal, oculta e nostálgica dos tempos muito mais prósperos do passado. A praça de Ramón Amadeu também é fechada de noite com duas cancelas metálicas; uma fincada num portal que se abre no centro de uma casa vizinha, com centenas de anos de existência, e dando para a rua de Santa Anna, e a outra muito mais moderna, que sai na via Rivadeneyra, que por sua vez se comunica com a praça de Catalunha.

Num lugar escondido, com uma proteção aparentemente excessiva, mas compreensível quando se conhece a história de vicissitudes econômicas e violências sofridas por esse venerável edifício, está o que primeiro foi o monastério, depois a colegiada, e, por fim, a paróquia da Ordem do Santo Sepulcro. Todos os terrenos onde se erguem as casas ali incluídas foram propriedade do monastério em seu tempo e foram sendo vendidos conforme requeriam as necessi-

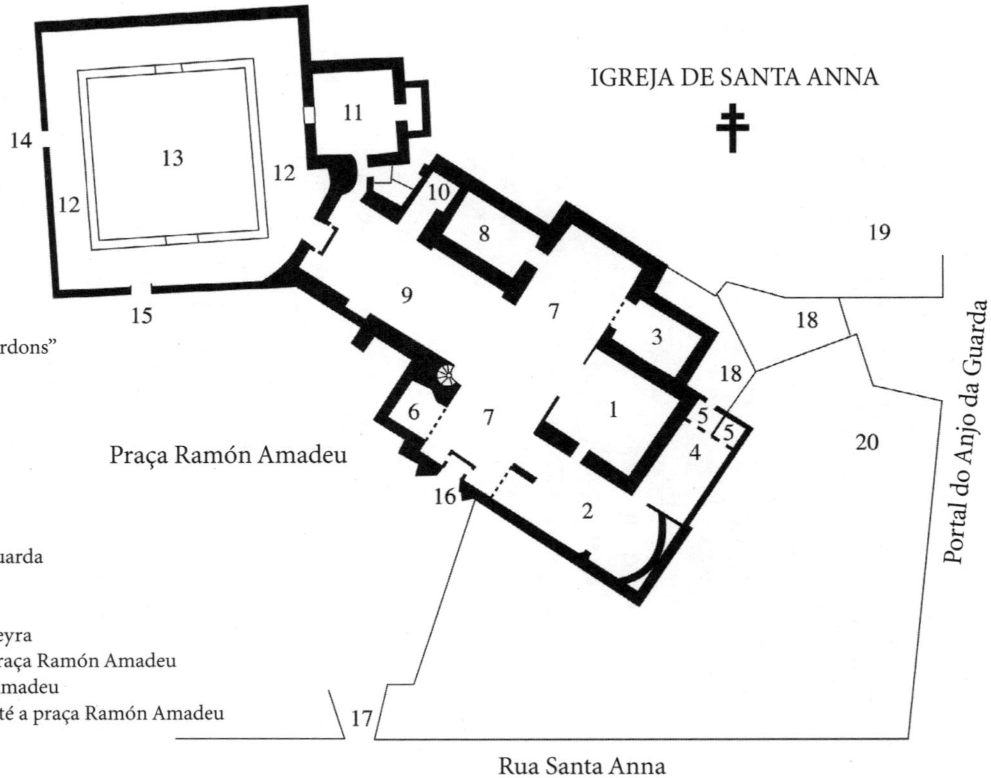

1. Presbitério
2. Capela do Santíssimo
3. Capela do Santo Sepulcro ou “dels perdons”
4. Sacristia
5. Escritórios
6. Capela da Puríssima
7. Nave transversal
8. Capela da Virgem de Montserrat
9. Nave central
10. Capela de são Daniel
11. Sala capitular / Capela do Anjo da Guarda
12. Claustro
13. Jardins
14. Passagem que conduz à rua Rivadeneyra
15. Entrada para o claustro a partir da praça Ramón Amadeu
16. Entrada principal na praça Ramón Amadeu
17. Entrada a partir da rua Santa Anna até a praça Ramón Amadeu
18. Pátios internos
19. Edifício bancário
20. Prédio de apartamentos

dades monetárias de cada período e depois da venda das extensas posses em Catalunha, Maiorca e Valência. A igreja foi fechada pelos franceses durante a invasão napoleônica e sofreu diferentes ataques antes e depois disso. Poucos sabem que, numa parte daquilo que hoje é a praça, erguia-se no início do século XX uma estilizada igreja neogótica de altos pináculos, extensão da igreja atual, que só se manteve em pé durante vinte e dois anos, até que foi queimada e dinamitada durante a Segunda República.

O velho edifício tampouco se livrou do fogo e, apesar de ter sofrido a derrubada de algumas de suas abóbadas, escapou da dinamite, certamente por sua condição de monumento nacional. Mas o reitor e diversas pessoas relacionadas com a igreja tiveram menos sorte, pois foram assassinados naqueles tempos convulsionados.

O templo possui um terceiro acesso, somente usado pelo pessoal religioso, que começa na passagem Rivadeneyra, onde se encontra a casa paroquial, e passa ao lado desta, separando-a do edifício vizinho e desembocando no claustro. Está fechado com algumas cercas de madeira, servindo de estacionamento para o carro do pároco, e uma porta também gradeada limita-o na extremidade do claustro.

A sala capitular, antes chamada capela do Anjo da Guarda, era onde se reuniam os Novos Templários para oficiar suas cerimônias, e tanto se comunica com a nave da igreja quanto com o claustro. Era este o meu objetivo.

Existe, no entanto, um quarto acesso que quase ninguém conhece. Encostadas no altar-mor, e situadas no braço curto da cruz, há duas capelas, e, através da do Santíssimo, a da direita, pode-se alcançar a sacristia. E esta tem dois escritórios no fundo. Um deles possui uma porta de vidro que dá para um pátio rodeado pelas paredes da igreja e pelo conjunto de um edifício bancário e de um prédio de apartamentos de vários andares, que ocultam a totalidade da construção medieval desse lado. O pátio está dividido em dois por um muro que delimita a zona pertencente à igreja e ao banco. Nesse muro existe um velho portão fora de uso. Enquanto na zona da instituição uma sólida porta de metal se comunica com uma passagem formada pelo edifício bancário e pelo prédio vizinho que desemboca na ampla área de pedestres do Portal do Anjo. Por ali se supunha que eu devia entrar.

O táxi nos deixou no lado leste da praça de Catalunha e andamos os poucos metros que nos separavam dessa misteriosa entrada.

Pelo caminho, Artur repassou comigo a disposição interna do templo e me deu as chaves do portão que separa o pátio da entrada traseira da sacristia. E ainda disse que me aguardaria na passagem. A essa altura eu já estava receosa e somente o meu amor-próprio não me deixava voltar atrás. E se eu ficasse trancada nesse velho prédio? Entre os detalhes interessantes do lugar que o antiquário havia me contado destacava-se o seu caráter de antigo cemitério. Agradeci pelo gesto cavalheiresco que ele teve em me esperar na parte de fora, mas exigi que a chave da porta metálica que dá para a rua ficasse comigo. Ele me olhou com seu sorriso cínico de cítrico sabor e perguntou:

— Com medo?

— Prudência — rebati, embora fosse difícil distinguir entre um e outro em tal situação.

— Desejo-lhe sorte — ele continuava sorrindo e, acariciando a minha face, aproximou seus lábios dos meus e me beijou na boca, um beijo de língua. Eu não esperava esse carinho, mas o aceitei. A verdade é que não prestei muita atenção nisso, as minhas preocupações nesse momento eram outras.

— Procure desfrutar a experiência, querida — acrescentou. E eu me perguntei se, na sua presunção, ele se referia à aventura que eu ia viver ou ao seu beijo.

TRINTA E CINCO

Quando a porta se fechou atrás de mim, achei que estava em outro lugar e outro tempo. Não sei se foi devaneio, mas eu sentia uma vibração estranha no meu anel de rubi. A luminosidade dessa noite me permitiu encontrar, sem ajuda da lanterna, a porta que separava o pátio do banco e o da igreja. A mureta era baixa e não ocultava as paredes do templo, e ali, no contraforte de pedra, me pareceu ter visto na penumbra um relevo esculpido que me assustou. Rapidamente o iluminei; era uma cruz. Estava desgastada pelo tempo e exibia um travessão duplo; era idêntica à que eu havia visto na do báculo do Cristo ressuscitado saindo do Santo Sepulcro, no quadro de Luis... E então, ainda não sei por quê, ao apagar a luz, olhei para cima e vi outra cruz de pedra recortando-se contra o céu estrelado, coroando um telhado. Esta era igual à do meu anel; foquei-o e ele respondeu à luz da lanterna com um brilho encarnado. Se me afigurou como um semáforo advertindo perigo. Estremeci, enquanto pensava que as coincidências eram muitas, e notei um movimento no pátio. Alguém estava lá! Meu coração disparou, enquanto minhas costas buscavam proteção no muro e minha mão agarrava-se à lanterna. Lancei um clarão naquela direção e uns olhos brilharam como faróis.

— Um gato — disse-me —, um gato de merda que quase me mata de susto.

Não sou nem supersticiosa nem medrosa, mas eu juraria que o maldito gato era negro e lembrei das histórias de bruxas transformando-se em negros gatos. Que diabo eu estaria fazendo na noite das bruxas, a ponto de entrar nessa igreja cemitério, cheia de lunáticos que se acreditavam templários e praticavam o ocultismo? Botei a mão no peito para frear um pouco o meu coração disparado. Respirei fundo e, quando senti que já recuperava o controle, pus a chave, um pedaço de metal tão grande que parecia um martelo, na fechadura. Foi difícil girá-la e também abrir o portão. O chiado da dobradiça me fez dar um salto. Era escandaloso e denotava uma entrada em desuso.

— Maldita seja! — censurei-me. — Ainda não entrei e já estou com os nervos à flor da pele.

Ponderei sobre a possibilidade de voltar à rua, mas me dei conta de que tinha mais medo de enfrentar o sorriso cínico do bonito Artur do que todos os templários vestidos com túnicas e capuzes ao estilo da Ku Klux Klan, tal como os imaginava então, que supostamente estavam no edifício. Sem falar na minha curiosidade, que estava tão aguçada que eu jamais me perdoaria se fugisse. Só havia, portanto, um caminho a ser feito.

De onde Artur teria tirado as chaves? Lembrei do que ele disse a respeito de subornar as pessoas.

Resolvi deixar a porta entreaberta. Em parte para evitar mais ruído e também porque eu não queria obstáculos se precisasse sair correndo. Encontrei-me num pátio estreito onde se amontoavam pedras esculpidas, talvez os restos de algum edifício antigo. Havia uma outra porta que tinha a parte superior de vidro e era protegida com trava. Era muito mais moderna que a anterior e abriu-se sem dificuldade com uma chave pequena. Ali estava o escritório indicado no mapa e segui por uma grande sala com móveis presos nas paredes que me pareceram ser para guardar os objetos de culto. Era a sacristia. Atravessei outra porta e já estava numa capela que, segundo o meu mapa, seria a do Santíssimo. Devagar, usando a lanterna por uns segundos apenas para me orientar, andei até aquilo que devia ser um dos braços da nave transversal, à minha esquerda havia uma estrutura de madeira que, segundo o mapa, indicava o vestíbulo de acesso pela praça Ramón Amadeu, e girando à direita cheguei ao cruzeiro. Fiquei ali no escuro por um instante para perceber o interior da igreja. Afora uma chama que marcava a posição do altar-mor à minha direita, não havia outra luz no presbitério. Orientei-me com facilidade. Na direção contrária, à minha esquerda, estava o maior espaço do templo, a nave central, e ao fundo desta, na base da cruz que forma a planta do edifício, a saída para o claustro. Ali, à direita, se supunha estar a capela onde se reuniam os templários. Achei que tinha visto nessa área uma certa iluminação e que ouvia murmúrios. Não havia dúvida: tinha gente ali.

Iluminei ao longo da nave para ver a colocação dos bancos e orientar meus passos. Depois fui avançando no escuro, tomando cuidado para não tropeçar e, ao chegar ao final, deparei-me com a origem da luz. À minha direita, no fundo de um pequeno corredor, havia uma porta de madeira arredondada em cima como um arco, que formava uma cruz no seu centro e deixava entre os lados da cruz e a borda da porta quatro zonas de cristal opaco, porém translúcido, protegido por espirais artísticas de ferro trabalhado. As vozes vinham dali, era a sala capitular. Estava sendo celebrada uma missa, mas não se podia entender o que se dizia. Grudei a minha orelha na porta para escutar. Não falavam nem catalão nem castelhano, e concluí que seria forçosamente latim. Eu queria espiá-los e pensei que, se abrisse essa porta, acabaria chegando por uma lateral do oratório, próximo do altar, e que imediatamente todo o mundo me veria. A idéia me pareceu pouco atraente e assim decidi observá-los, sem ser vista, da entrada do claustro, pois eles deveriam estar de costas para ela. Voltei então para a parte principal da igreja e cheguei ao pequeno vestíbulo de madeira que liga o templo ao claustro. Nenhuma das portas estava fechada à chave e segui sem problemas até o pátio, onde avistei através, do jardim central, a iluminação da cidade refletida no céu e o resplendor de um foguete contra o perfil de uma palmeira, o que me fez lembrar em que noite estávamos. Podiam-se distinguir, sem usar lanterna, as sombras mais densas das finas colunas que, ao levantar seus arcos góticos, limitavam o claustro. Vi, à minha direita, a porta entreaberta da sala capitular, com duas janelas ogivais de cada lado; os seus vidros exibiam múltiplas cores de luz tênue. Andei até essa entrada e de repente percebi um movimento no escuro às minhas costas. Minha primeira reação foi me espremer na parede. O meu coração estava de novo acelerado. Outro gato? Lancei um facho de luz naquela direção e não vi nada; me aproximei das colunas que rodeiam o claustro, iluminando o corredor da lateral à direita, e também não consegui ver nada. Girei para inspecionar o outro lado e, através da vegetação, acreditei ter visto com o rabo do olho uma sombra que buscava refúgio atrás dos pilares no lado oposto do pátio. Alguém estava ali! O meu coração acelerou ainda mais e me dei conta de que estava morrendo de medo. Que diabo eu estava fazendo naquela igreja cemitério à meia-noite de São João? Amaldiçoei o estúpido orgulho que me levara até aquele lugar e naquela hora. Achei que não devia acender a minha lanterna, para me esconder de quem quer que fosse aquele espectro, e me desloquei para buscar um esconderijo atrás das colunas. A sombra se moveu em dupla! "Quem foi que me mandou me meter nisso?", disse-me. Avancei por entre algumas colunas e aquela coisa me seguiu em paralelo. Estive a ponto de sair correndo, e o teria feito se soubesse para onde. Mas fiquei quieta, observando a escuridão com os olhos esbugalhados, na parte em que eu havia percebido o último movimento, e com o coração na garganta tentei respirar fundo e acalmar-me. Naquele momento eu teria dado qualquer coisa para estar em outro lugar, tanto que decidi entrar no oratório. O que aconteceria se me descobrissem? Na realidade, isto é precisamente o que eu deveria ter feito desde o início, perguntar cara a cara a Alicia e Oriol se era verdade esse negócio de seita neotemplária.

Fui com cuidado até a porta entreaberta e abri mais alguns centímetros para observar o interior. Um grupo de pessoas vestidas com capas brancas e cinzentas estava de costas para mim, fitando o altar. Não tive tempo de ver mais. Alguém me agarrava pelas costas e senti a picada fria da lâmina de uma faca no meu pescoço. Ouvi o som de minha lanterna chocando-se no solo e em terror silencioso lutei para ver a cara de quem me atacava.

Deus! Eu quase morri. Essa expressão de louco furioso! Essa barba branca e rala. Era o homem do aeroporto! Sim, esse mesmo que me seguia.

Não é da minha natureza levantar a voz em demasia, mas dessa vez saiu de mim um clamor de terror, desgarrado, agudo, vergonhoso... Não lembro de ter grunhido assim em toda a minha vida.

Todos se viraram sobressaltados e esse homem, com sua adaga na minha garganta, empurrou-me para dentro da capela. Custo a imaginar que alguém possa apresentar-se a um grupo de pessoas de forma tão espetacular como essa, mas, para ser sincera, naquele momento eu tinha outras preocupações e pouco me importava fazer papel ridículo. Ficamos por alguns segundos a nos olhar, eu a eles e eles a mim, como se se tratasse de uma imagem congelada de um filme.

Por fim, lá do fundo, vestindo uma capa branca que exibia a mesma cruz de braços duplos, em vermelho, que eu havia visto esculpida na pedra, Alicia se pronunciou:

— Seja bem-vinda, Cristina — ela sorria. — Nós esperávamos por você — e dirigiu-se ao homem: Obrigada por sua presteza, frade Arnau. Pode soltar a senhorita.

Veio até mim e beijou-me, em ambas as faces.

— Irmãos — ela disse para o grupo de umas cinqüenta pessoas que enchiam a capela —, apresento-lhes Cristina Wilson, a portadora do anel do mestre e membro de pleno direito da nossa ordem.

Alguns fizeram um gesto de saudação com a cabeça. Atentei para a cruz vermelha de duplo travessão que todos tinham sobre o ombro direito. Vi Oriol que, como o resto dos homens, vestia terno e gravata sob a capa branca. Ele sorria divertido. Também pude reconhecer o velho livreiro irritadiço da Del Grial, que, franzindo o cenho olhava-me com cara de poucos amigos, e Marimón, o tabelião vivaz que sorria paternalmente.

— Bem — acrescentou Alicia. — Ela será admitida nesta comunidade se assim o desejar e se seguir nossos ritos de iniciação.

— Encantada por conhecê-los. Lamento ter interrompido — balbuciei como uma estudante que erra de sala na universidade. — Continuem, por favor.

Alicia me pôs sob sua proteção, onde ela se sentava, fez um gesto ao sacerdote, e este seguiu com a missa em latim. Arnau, eu fiquei pensando, Arnau d'Estopinyá. Eu havia suspeitado desde que Artur me contara a história, mas agora já era certo. O homem do aeroporto e o ex-frade que acreditava ser Arnau d'Estopinyá eram o mesmo louco.

TRINTA E SEIS

Ele não queria, mas insisti tanto que no final aceitou. Eu já tinha recebido dois convites para a verbena, mas não o dele. Um foi de Luis, que me propôs ir a uma festa perto de Cadaqués, numa mansão espetacular em uma escarpa sobre o mar. Não me custou nada lhe dedicar um carinhoso não. Foi mais difícil com Artur. Sua festa era num casarão, em Sarriá; *smoking* ou terno escuro para os senhores e vestido longo para as senhoras. Devo confessar que me sentia atraída por aquele tipo, mesmo sabendo que era um sem-vergonha. Convenhamos, era um delinqüente de fino trato, e talvez fosse isso que o tornava tão apetecível.

Mas o convite que eu desejava não chegou, de modo que falei para Artur que resolveríamos com o andamento dos acontecimentos, que ia depender do humor com que eu saísse do covil templário. E ele foi tão amável, ou estava tão interessado por mim ou por seu negócio, que aceitou minha ambigüidade. Na realidade, eu ainda nutria a esperança secreta de ir à verbena com Oriol.

No final da missa, Alicia terminou a festa com poucas palavras. Imagino que já haviam tratado anteriormente das coisas ocultas ou esotéricas. Todos dobraram suas capas com cuidado e saíram pela porta que dá para a rua Santa Anna. Frade Arnau exigiu que eu lhe entregasse as chaves que me fizeram entrar e Alicia me disse sorrindo:

— A partir de agora, trancaremos com o ferrolho.

Ao sair, vi Artur observando a certa distância e lhe fiz um sinal de que tudo estava bem. Fiquei colada em Oriol, procurando saber dos seus planos para a noite. Ele me disse que voltaria para casa com sua mãe para trocar de roupa e que depois sairia para uma verbena com uns amigos. Tendo em vista que ele não mostrava qualquer intenção de me convidar, tomei a iniciativa e lhe pedi que me levasse com ele. A idéia não pareceu entusiasmá-lo e Alicia, que não havia perdido uma palavra do que era falado, interveio para dizer que isso era o mínimo que se esperava de um Bonaplata. No final, ele aceitou, mas eu sabia que não podia esperar que ele abrisse gentilmente a porta do carro para mim.

Na volta para casa, Oriol ficou em silêncio e Alicia mostrou-se amável. Eu me sentia incomodada pela cena que protagonizara na igreja, mas Alicia encarava tudo com naturalidade.

— O homem que te viu no claustro é Arnau d'Estopinyá — ela confirmou.

— Eu sei disso, tudo se encaixa com a história que Artur me contou. Esse homem tem me seguido desde que cheguei a Barcelona.

— Sim, querida — Alicia rebateu. — Te seguido e te protegido. É só lembrar do que houve na saída da livraria Del Grial. Ele os livrou dos sequazes do teu amigo Artur.

— Você disse na igreja que já estava me esperando...

— Era provável que esse homem lhe propusesse fazer o que

você fez. Sabíamos que você viria e suspeitávamos que ele tinha as chaves da rua.

— E por que vocês não mudaram as fechaduras?

— Pensei que talvez interessasse ao teu amigo alguma das peças antigas da igreja — Alicia sorria. — Se ele tivesse caído em tentação, já estaria agora na prisão.

Calei, pensativa. Aquela mulher parecia controlar tudo. Havia preparado uma cilada para o seu inimigo. Fiquei contente por Artur ter sido mais esperto do que ela.

No carro, a caminho da festa, com ele e eu a sós, pedi desculpas a Oriol pela minha aparição intempestiva na igreja e ele sorriu, dizendo que não tinha se surpreendido, que eu era assim mesmo. Disse ainda que lhe parecia que sua mãe tinha previsto e que, sabendo da minha relação com Artur, ela procurou manter segredo sobre as reuniões templárias à espera de que ele mostrasse suas cartas. Eu me senti violentada. Parecia que todo mundo me manipulava. Para contra-atacar, ironizei o terno dele, com gravata e capa.

— É a tradição — assegurou-me sem perder o sorriso. — É assim que nossos avós queriam que se fizesse.

— Como é que alguém tão pouco convencional como você se presta a fazer este jogo?

Ele ficou calado por um instante e disse:

— É para honrar meu pai.

E nós dois ficamos em silêncio; era um argumento definitivo. O tráfego estava intenso, eu não sabia para onde ele me levava, mas estava com ele e isso era suficiente.

— Quero que você saiba que não tenho relação alguma com Artur — não sei por que senti necessidade de dizer isso. — Ele tem insistido que ninguém pode vender as peças do tesouro melhor que ele, e que ele tem tanto direito quanto nós e que quer chegar a um acordo...

— É o tesouro do meu pai — Oriol me cortou, taxativo. — Se ele não quis acordos, eu não posso aceitá-los.

Surpreendeu-me sua determinação, seu tom dizia "você está comigo ou contra mim". Eu começava a ter uma imagem mais clara da situação e lembrei das palavras de Artur dizendo que existia uma dívida de sangue. Suspirei ao pensar que aquele assunto do tesouro podia terminar muito mal. Só esperava que a tragédia não visitasse as famílias Bonaplata e Boix tal como fizera anos antes.

TRINTA E SETE

Era um pinheiral espesso que chegava até a praia e o chão estava coberto por uma areia finíssima, atapetada pelas agulhas das árvores. Quando chegamos, uma fogueira ardia na areia, ao lado do mar, separada vários metros da vegetação. Algumas mesas portáteis exibiam cocas, bebidas e copos de papel, mas não havia cadeiras e as pessoas sentavam-se no chão. Seriam talvez umas sessenta e todas saudaram Oriol, sem dúvida um personagem popular no clã. Elas bebiam, batiam papo e Oriol iniciou uma conversa com um grupo de estética *rasta* sobre o programa de ações a respeito de uma casa desabitada que, pelo que parecia, eles haviam tomado à força; *okupar* era como chamavam essas invasões. Ele discutia enfaticamente e parecia liderar. Eu custava a crer que era a mesma pessoa que horas antes vestia terno e gravata e uma capa branca com a cruz vermelha patriarcal do cavaleiro templário. Por não conhecer ninguém, e como não tinha outra coisa a fazer, eu escutava o debate, embora pouco me importasse e nada tivesse a me acrescentar. A não ser que eu soltasse a advogada que existe dentro de mim e lhes informasse que o tal do *okupar* era um delito. Como se eles não soubessem! "Que bola fora!", pensei comigo, "se é esta a idéia que Oriol tem de uma festa, fui pega."

Nesse momento, uma moça ao meu lado que participava da conversa passou-me um cigarro, que deve ter percorrido um longo caminho. Feito a mão e com uma ponta fumegando e a outra sem filtro, tinha um aspecto ruim e babado. Armei um sorriso amável para dizer:

— Não, obrigada.

Atentei nessa moça. Seria impossível ela passar pela inspeção de segurança de qualquer aeroporto decente. Exibia numerosos pingentes dependurados nos furos de uma só orelha, *piercings* nas sobrancelhas, no nariz e abaixo dos lábios, e imaginei que ela ainda ocultava algumas tantas incrustações metálicas adicionais que ornavam suas partes mais recônditas; convenhamos que, mesmo atravessando as portas do controle tal como sua mãe a trouxe ao mundo, ela faria soar todos os alarmes. Mas ela também atentou em mim. Foi um escrutínio de cima a baixo, com as mãos nas cadeiras e chupando uma guimba que ela sustinha com admirável equilíbrio na ponta dos lábios. Ao terminar, ela já havia me catalogado e, sem devolver o meu sorriso cortês, espetou-me:

— E você, o que faz?

Oriol não tinha se dado ao trabalho de me informar com quem nos encontraríamos, nem como me vestir, nem nada, e me dei conta de que quem destoava ali era eu, e não a minha inesperada oponente, que devia estar me vendo do mesmo jeito que eu própria a veria se ela me tivesse sido apresentada na minha festa de aniversário, no meu apartamento de Manhattan com vista, embora distante, para o Central Park.

De fato, o meu *amigo* se desinteressara de sua conversa sisuda para nos observar. Fazia isso com um sorriso nada dissimulado, e eu achei que ele desfrutava aquilo que, certamente, aos seus olhos, era um castigo merecido pela forma com que eu lhe havia imposto a minha companhia naquela noite. Mas devo reconhecer que, mesmo que tivesse sido advertida e procurado nas minhas malas, eu não teria conseguido me camuflar para aquela gente.

— Bem, eu... — repliquei, incomodada. — Estou de visita a Barcelona.

— Uma turista! — exclamou ao mesmo tempo em que Oriol tirava a guimba de sua mão para dar uma tragada. — E que droga de coisa uma porra de uma turista faz aqui?

Sou bastante agressiva quando é preciso ou se me provocam, mas naquele momento eu me sentia intimidada e olhava para Oriol sabendo que ele não ia me ajudar, e que até estaria gostando de me ver encrencada. Mas no outro lado da fogueira começou a soar o tamborilar de alguns bongôs, que foram imediatamente acompanhados por outros e logo por outros mais, até que deixei de me interessar pela minha adversária que, recuperando o seu cigarro da mão de Oriol, achou por bem se ocupar de outra coisa. E a sisuda polêmica sobre o ministério de ajuda social do governo *okupa* daquela casa, antes vazia e agora habitada em excesso, também havia terminado pela incapacidade dos conferencistas para fazer chegar aos ouvidos das outras pessoas a utopia de plantão. O pessoal foi se sentando e para minha surpresa apareceram mais instrumentos de percussão. Quase todo mundo tinha um deles e batia com um ritmo acelerado, que pouco a pouco atingiu uma cadência frenética.

O rumor das ondas perdia-se naquele fragor e as chamas que a fogueira alçava para o alto formavam uma coroa de fagulhas que brincavam de ser estrelas por alguns instantes. Luzeiros fugazes, fogos fátuos da resina do pinheiro. Era belo, e eu achei que estava em outra civilização, em outro mundo. Uma moça com o cabelo cheio de tranças, com camiseta e uma saia longa e justa, levantou-se e como em transe, começou a mover os braços e as cadeiras no compasso enlouquecido que a multidão marcava em uníssono. Sua silhueta se recortava contra as chamas de fundo, tal como uma sacerdotisa de um culto pagão, uma sereia bailarina que atraía os navegantes da noite para o fogo. Lembrei de minha amiga Jennifer em nossas festas de Nova York. E como ela, com o ritmo de suas nádegas, essa moça também fez com que a festa chegasse ao seu apogeu. Ocorre o mesmo em Nova York, disse para mim mesma com um assombro pueril, só que aqui num plano troglodita, sem luz elétrica. Os que não tocavam, dançavam, e a noite tornou-se um rito vodu. Eu me vi então compartilhando aquele frenesi multitudinário, com meu corpo movimentando-se no mesmo ritmo. Foi quando o ar vibrou com um som agudo, que penetrava e perfurava cada um de nós por dentro, e se o ritmo da percussão fazia mexer os pés, aquilo mexia com a minha alma.

— É uma *gralla* — Oriol me disse antes que eu o tirasse para dançar.

Pouco importava que o instrumento fosse uma *gralla* ou outra coisa qualquer, aquilo era contagioso, eu estava ensandecida, joguei meus sapatos para longe, sentindo-me uma troglodita, e me uni com entusiasmo à dança.

Não sei quanto tempo ficamos dançando. Os meus pés descalços fundiam-se na areia fina e fria, que os freava e massageava ao mesmo tempo. Os rostos brilhavam à luz e ao calor da fogueira, e um céu estrelado que era periodicamente festejado pelas pequenas luzes multicoloridas de fogos de artifício distantes nos cobria com sua benevolência e festividade.

Oriol não foi um parceiro fiel no baile e se movimentava entre uns e outros, e tanto dançava com homens quanto com mulheres, com uma só pessoa ou em grupo. Era uma forma de se relacionar. Eu o observava com atenção, era óbvio que ele não tinha um par fixo, fosse homem ou mulher, ou pelo menos não naquele grupo, mas o meu amigo movimentava-se entre várias tribos ao mesmo tempo e falava com muitas pessoas diferentes entre si. As chamas da fogueira já tinham minguado e o rufar das percussões se apaziguava quando vi Oriol pegando um rapaz pela mão, enquanto cochichava no seu ouvido. O rapaz sorriu para ele e o meu coração rodopiou. Apesar do vinho bebido em copo plástico e da euforia rítmica, eu não perdia nenhum detalhe do que se passava ali e já havia reparado em vários casais, alguns do mesmo sexo e outros de sexos opostos, entrando no pinheiral com toalhas de praia que sem dúvida serviriam de lençóis sobre uma cama nupcial de areia e agulhas de pinha.

— O que está havendo? Sua estúpida! — censurei-me a meia-voz. — Você está comprometida com Mike. Você o ama. O que mais fazer se Oriol está feliz com um homem?

Mas não deixei de sentir um nó na garganta e as lágrimas inchando os meus olhos quando os vi dirigindo-se para o bosque de mãos dadas. Adeus, minhas queridas recordações: o mar, a tormenta, o primeiro beijo, o sabor salgado e doce da sua boca...

— Minha mãe está cheia de razão! — murmurei novamente. — Ela entendeu tudo desde o princípio.

Acontece que eles deram a volta e ainda de mãos dadas saíram correndo até a fogueira e começaram a brincar. Caíram ao lado, quase dentro do fogo, levantando um repuxo de fagulhas. E, já distanciados das chamas, sorrindo eles palmearam as mãos umas contra as outras para celebrar a pirueta. Depois foram seguidos por outros casais. Oriol voltou a pular tanto com homens quanto com mulheres. E sempre faziam isso na mesma direção, do bosque até a praia. Vi muita lógica nisso, a fogueira ainda estava viva e se duas pessoas se chocassem, pulando em direções opostas, não sofreriam apenas o golpe, como também ficariam expostos a queimaduras graves. Afora isso, era óbvio que, no caso de alguém se chamuscar, a melhor direção para se correr era para o mar.

Naquele momento, depois de me ter abandonado por quase toda a noite, Oriol veio até mim.

— O fogo simboliza a purificação, a renovação, a queima do velho para iniciar o novo. Trata-se de jogar fora toda merda — falou-me sorrindo. — Quando você pula a fogueira com alguém na noite mágica de São João, você faz a paz com essa pessoa, queima os desentendimentos, aperfeiçoa sua amizade, ou seu amor. Você também deve ter visto que jogam objetos na fogueira; representam as coisas das quais você quer se livrar, as que estão sobrando na sua vida.

— Você quer pular comigo? — perguntei-lhe.

— Não sei ao certo — piscou um olho para mim. — Tudo aquilo que se perdoa, tudo aquilo que se pede brincando sobre a fogueira da noite de São João, é registrado pelas bruxas num grande livro. É um compromisso para sempre.

— Você tem medo de se comprometer comigo? Ou existe alguma coisa que eu devo lhe perdoar?

— Isso nunca se diz antes. Senão, não vale.

Fui procurar meus sapatos, perguntando-me como é que eles se sairiam com aquele fogo, e, feliz, me disse que o risco valia a pena. Demo-nos as mãos e fomos na direção do pinhal onde se formava a fila de casais. Somente uns poucos bongôs continuavam retumbando, agora mais baixos e com um tom apagado. Respirei fundo e, apertando a mão quente de Oriol, senti que vivia um momento único, um momento extraordinário de minha vida. Ébria de felicidade, o meu coração palpitava com toda a potência, tudo enchia os meus sentidos de júbilo: o odor da fumaça e da resina queimada, a noite clara de estrelas, a música. Lembro daquele pulo quase com a mesma emoção do meu primeiro beijo. Oriol tem mãos grandes e ele acolhia a minha mão com a sua, rodeando-a de forma suave, porém firme.

Voamos por cima das chamas e eu caí um pouquinho mais atrás dele, nas brasas, mas não fiquei retida ali nem meio segundo, tanto pelo impulso da corrida que demos quanto pelo puxão que ele me deu.

Fiquei com vontade de lhe perguntar qual tinha sido o seu pedido e de beijá-lo, tal como alguns faziam depois da brincadeira. Mas ele se virou para falar com alguém.

Os pulos sobre a fogueira continuavam quando uma moça aproximou-se do fogo e lá jogou um monte de papéis, e logo um rapaz arremessou o que parecia ser uma caixa de madeira. Depois a odalisca que iniciou o baile tirou a camiseta e jogou-a no lume, deixando a descoberto seus peitos firmes e abundantes. Não sei se aquilo era costume da tribo ou invenção do momento, mas o fato é que o gesto triunfou e outras mulheres seguiram seu exemplo, ficando desnudas da cintura para cima, embora não tenham oferecido resultados tão espetaculares.

Alguns rapazes também queimaram suas camisetas e vi como Oriol fazia o mesmo com alguns papéis. Naturalmente me senti intrigada.

Quando a queima do que se supunha negativo cessou, os bongôs aceleraram outra vez o ritmo e todos os que se pretendiam músicos concentraram-se em organizar a maior barafunda possível na tentativa de conseguir a mesma cadência. O baile ficou animado e a moça que esteve em destaque no início voltou a fazer o que tinha feito antes, desta vez balançando os seios. Ela apresentava uma grande tatuagem que lhe cobria um ombro e parte das costas. Sentado na areia a certa distância do folguedo, Oriol contemplava as chamas e os perfis dos dançarinos à contraluz. Sentei-me ao seu lado sobre a areia.

— O que você queimou?

Ele me olhou como se estivesse surpreso, como se tivesse esquecido de minha presença, como se ignorasse a sua própria naquele lugar. No brilho dos seus olhos, com a luz das chamas dentro deles, pude ver suas lágrimas.

— Não se pode dizer — sorriu timidamente para mim.

— Se pode dizer, sim — coloquei uma de suas grandes mãos entre as minhas. — Antes de pular não se podia, mas agora pode. Uma pena compartilhada pesa menos. Você se lembra que tudo era falado entre nós quando crianças?

— Era uma carta — confessou no final do silêncio.

— Que carta? — já suspeitava de qual seria a resposta.

— A carta do meu pai, a da herança.

— Mas como você pôde queimá-la? — perguntei preocupada. — A última carta do seu pai! Você vai se arrepender.

— Já estou arrependido.

— Mas, por quê?

— Porque eu queria esquecer. Ou, pelo menos, não lembrar dele com tanta freqüência, com tanta dor. Ele acabou sendo a tragédia da minha infância. Sinto que ele me abandonou.

Veio-me a imagem de quando éramos pequenos e o pai dele chegava ao vilarejo. Oriol saía correndo para beijá-lo, procurava pela mão dele e a pegava em sinal de propriedade, e o levava de um lado para outro. Olhava para cima com um sorriso de prazer: "Este é o meu papai", ele parecia dizer. Admirava-o.

— Ele tinha suas próprias razões — procurei consolá-lo. — Você sabia que ele não gostava de ninguém como gostava de você? Ele não quis abandoná-lo.

Oriol não respondeu e pôs um cigarro de maconha nos seus lábios. Eu fiquei ao seu lado, calada, e o tirei de sua mão para dar uma tragada.

— Sabia? — perguntei-lhe em seguida.

Ele não disse nada.

— Lembra das cartas? — insisti pouco depois.

— Que cartas? — ele respondeu no final, disfarçando.

— As nossas! — irritei-me ligeiramente. Como que cartas? Que cartas poderiam existir no mundo que importassem mais que essas? — As que eu lhe escrevi e as que você me escreveu.

— Sim?

— Já sei por que nunca as recebemos.

Ele voltou ao silêncio. Mas eu não. Contei para ele o amor de minha mãe pelo pai dele e que mamãe tinha medo de lembrar daquele tempo e que a experiência dela pudesse se repetir comigo, e que por isso ela quis evitar que houvesse amor entre nós, por isso ela havia interceptado o correio, por isso ela ficou com as cartas e por isso mesmo jamais as recebemos. Não mencionei a crença de Maria del Mar na homossexualidade dele.

— Foi uma lástima — Oriol disse em seguida. — Eu pus muito sentimento no que lhe escrevi, especialmente quando o meu pai morreu. Lembro muito bem. Eu me sentia muito sozinho e insistia com as minhas cartas, de forma desesperada, apesar de não receber suas respostas. Eu me iludia pensando que pelo menos você as lia, precisava me comunicar com você. Eu teria gostado tanto de poder conversar! Mas nem sequer tinha o seu telefone!

Fiquei mais junto dele e disse-lhe:

— Talvez tudo aquilo que nós escrevemos e se perdeu possa ser contado de novo agora...

Nesse momento, a bailarina de corpo escultural, agora também brilhante de suor, aproximou-se e sentou-se do outro lado de Oriol. Depois de dar uma tragada no baseado, do qual só restara uma ponta, ela começou a cochichar no ouvido dele. Até parecia que mordia a orelha dele. Ela soltava risinhos e vez por outra ele fazia o mesmo. No fim, ela se levantou e tomou-lhe a mão. Eu estremeci. Aquela vadia queria que ele a acompanhasse até o bosque. Ficaram brincando e se agarrando e no fim, sem soltá-lo, ela o levou.

Ninguém pode imaginar o meu desgosto. Momentos antes eu estava desesperada com a hipótese de que ele era homossexual e agora estava mais ainda, porque ele tinha saído com essa moça escultural. "Eu deveria estar alegre", pensei, "ele não é *gay*!" "Mas o que isso tem a ver comigo? Não devia me importar de jeito nenhum. Eu estou comprometida e vou me casar com Mike logo que voltar para os Estados Unidos, ele é maravilhoso e supera com sobras qualquer um daqui."

Mas, quando o vi regressar minutos depois, sem tempo para que tivesse acontecido alguma coisa, carregando uma guitarra, o meu coração pulou de felicidade. Quanto me alegrava que aquela tia não tivesse se dado bem! Pensei com meus botões que aquela vaca encontraria ali mesmo, naquele obscuro pinheiral, algum touro que satisfizesse seu furor uterino. Às vezes, eu sou bem malvada.

Oriol sentou-se na areia a um metro de onde eu estava e começou a tanger algumas notas nas cordas baixas. De repente, veio-me esta pergunta: "Será que ele é homossexual? Claro, deve ser, só assim se explica que um homem possa resistir a uma fulana como essa". E depois indaguei a mim mesma: "Estou sendo idiota?".

Ainda soavam alguns timbales do outro lado da fogueira, mas ninguém estava mais dançando e depois da queima de objetos o entusiasmo decaíra paulatinamente. A percussão era suave, reflexiva, e íntima. Oriol começou então a dedilhar sua guitarra e em seguida tocou uma peça clássica que não reconheci, seguindo adiante com um melancólico *Cant dels ocells* cheio de sentimento. E logo passou a cantar, como se o fizesse apenas para nós dois, acompanhando-se de acordes.

"Cuan surts per fer el viatge cap a Itaca..." Vi lágrimas nos seus olhos e soube que aquela não era uma canção qualquer. Não seria uma daquelas que Enric ouviu antes de morrer? Escutei atentamente.

Ele cantava suavemente, cantava baixo, íntimo e solitário, mas algumas pessoas se aproximaram e formaram uma roda ao seu redor. Havia respeito nos ouvintes e notei que alguns poucos eram cúmplices de um segredo que eu desconhecia.

No final todos aplaudiram e quiseram mais, mas ele negou-se a seguir cantando; tive a impressão de que achava que o público havia invadido sua intimidade quando ele insistiu em passar a guitarra para uma outra pessoa. Foi parar na mão da moça que havia me enfrentado no início da noite. E ela, por lhe faltar mãos para se desincumbir de ambos os negócios, passou o seu baseado babado para outra pessoa e entoou uma canção muito mais alegre a respeito da casa de uma tal de Inês que pedia para que lhe fizessem o que bem entendessem ou algo assim. Um rapaz a acompanhava com os bongôs. Identifiquei a intérprete com a protagonista da canção. Eram da mesma laia.

Aproveitei o fato de Oriol ter deixado de ser o centro da festa para sussurrar no seu ouvido:

— Você estava pensando em Enric quando cantava?

— Meu pai adorava esta canção. Escutou-a antes de morrer.

— Como é que você sabe?

— Estava no toca-disco dele quando o encontraram. Com toda certeza ele a ouviu. Deu para compreender a letra?

— Claro que sim, refere-se a Ulisses e à sua viagem de volta de Tróia. Ele navegou durante anos até chegar à sua ilha, Ítaca.

— Isso mesmo, a letra baseia-se no poema do grego Konstantinos Kaváfis — e lentamente, como se recordando, começou a recitar: — "Quando fores para Ítaca, pede que o caminho seja longo, não apresses tua viagem, que ela dure muitos anos, e quando tu desembarcares na ilha, já velho e douto pela aprendizagem que tiveste no caminho, não esperes que Ítaca te enriqueça. Ítaca te deu a viagem e mesmo que nela tu chegues pobre, ela não terá te enganado, e assim, já sábio, tu saberás o que significam as Ítacas".

Ele não me olhava, sua vista repousava no encarnado brilhante das brasas e ele aproveitou seu tempo de reflexão antes de continuar falando.

— Passamos a vida desejando encontrar alguma coisa, perseguindo sonhos, acreditando que quando os conseguirmos teremos a felicidade. Mas não é assim. A existência está no caminho que se faz, não no fim dele. Não importa quão belo, importante e espiritual seja o que pretendemos. A última parada é sempre a morte. Se não sabemos como ser felizes, como ser melhores, como ser quem queremos ser durante o trajeto, tampouco encontraremos isso no final. Esta é a razão pela qual devemos desfrutar o momento. A vida está cheia de tesouros que as pessoas perseguem, são coisas que elas acreditam que poderão proporcionar a fortuna, mas acabam se habituando a viver como num jogo de espelhos e às vezes, mesmo realizando o desejo sonhado, só encontram entre suas mãos o vazio.

— Você está insinuando que o seu pai está nos enganando com o tesouro? Que nos faz jogar agora o mesmo jogo que jogávamos na época de nossa infância?

— Não sei — disse com um suspiro. — Mas sei que na filosofia dele o verdadeiro tesouro era o caminho em si, a emoção da busca, a tensão do desejo em vez do relato da saciedade. Ele acreditava em desfrutar o momento, no *carpe diem* latino. Lembro que, quando brincávamos de tesouros, no final só achávamos umas poucas guloseimas. O importante era a emoção, os instantes vividos na busca.

As pálpebras me pesavam, minha fala estava lenta e meu pensamento, embotado; eu estava adormecendo. Tinha sido uma noite de emoções extraordinárias e agora, de repente, me dava uma baixa. A entrada clandestina na igreja de Santa Anna, a captura por Arnau d'Estopinyá, a apresentação aos templários, o baile troglodita, o salto na fogueira e a inquietude com quem ia para o pinheiral com Oriol. Era muita coisa junta para uma única noite de vigília. Isso era o *carpe diem*? Talvez fosse o *carpe* noite.

Oriol deixara de conversar e falava apenas com a cantora. E eu, sentada na areia e coberta com uma das toalhas de praia que ele tinha tirado do carro, tentava me resguardar do relento e afastar o sono. Não conseguia enxergar os ponteiros do relógio, mas já deviam ser seis horas. Alguém apontou para o horizonte sobre o mar. Uma linha azul-acinzentada desenhava-se entre o negro e o azul-marinho. Vários timbaleiros animaram-se e voltaram a bater seus instrumentos tentando obter um ritmo coerente. Nos momentos em que o céu irrompia com tons claros e nos instantes intermináveis em que a luz parecia não aumentar e até mesmo diminuía de intensidade, como se o mar a tivesse tragado para clarear suas próprias cores, todo aquele que tinha alguma coisa que soasse com as batidas estava fazendo isso em meio a uma impressionante algaravia de entusiasmo exaltado. Logo um ponto de ouro resplandeceu na linha de um mar adormecido e de um céu sem nuvens. A azáfama chegou mesmo a intensificar-se por um momento e todos se puseram a gritar para saudar o astro rei. Eu também fiz isso. Eram trogloditas adorando o seu deus, e eu era mais uma entre eles. Pouco a pouco, criando uma linha de luz dourada sobre o horizonte, multiplicando-se sobre as ondas mansas e chegando até nós, o sol, que já feria os olhos quase fechados, foi subindo até despregar-se do oceano. Nesse momento um rapaz e uma moça desnudos entraram entre gritos e saltos na água. E outros os seguiram e logo outros mais. Vi que Oriol tirava a sua roupa e, já completamente recuperada da minha sonolência de minutos antes, pensei que o meu amigo até que era bem dotado.

— Você vem?

Até então eu nunca tinha ficado nua em público, afora umas poucas vezes com *topless*, mas não esperei o convite nem mesmo por um segundo. Joguei a toalha de lado, pus a minha roupa sem muito cuidado em cima dela, e com meus dois anéis como únicas prendas corri para o mar de mãos dadas com Oriol.

Contrastando com a temperatura da noite, a água estava morna e podíamos andar metros e metros sem que ela nos cobrisse, a não ser quando surgia alguma vala inesperada. Todo mundo mergulhou nu, fazendo espuma e rindo.

Terminado o banho, muitos ficaram dormindo na praia, mas nós resolvemos voltar para Barcelona. Quando fui me vestir, não encontrei meus sapatos. Eu estava em sua busca quando ouvi às minhas costas:

— E você, lourinha, o que queimou na fogueira?

Virei-me e vi que era aquela Inês das incrustações metálicas. Ela estava se secando com uma toalha e uma simples olhada confirmou minhas suspeitas do início da noite. Tinha *piercings* nos mamilos, no umbigo e certamente havia outros mais ocultos.

"Essa aí cismou comigo", disse a mim mesma enquanto decidia se respondia ou não. Estava cansada pela noite e nem um pouco bem-humorada. Mas quis ser amável e respondi:

— Nada.

— Engano seu — rebateu sorrindo. — Você queimou uns sapatos de luxo.

— O quê? — pensei que ela estava brincando comigo.

— A lição desta noite é que se pode andar pelo mundo sem um par de sapatos de duzentos euros — a safada se mostrava triunfante. — Fui eu que os joguei no fogo quando você se meteu na água.

— Você está curtindo com a minha cara.

— Não estou, não, lourinha. Você já vai ver que se anda bem melhor descalça.

Eu estava certa de que era uma brincadeira. Mas fui até a fogueira que ainda ardia em alguns pontos, e lá estavam os meus sapatos entre as brasas, no lado onde eu havia deixado minha roupa, um apenas chamuscado e o outro, carbonizado, cheirando a couro queimado. Até mesmo os vendo, custei a acreditar.

A sujeitinha ria sem parar, talvez comentando sua façanha com sua turma. Mas devo reconhecer que ela estava certa. Pode-se, sim, andar sem sapatos. E também correr. Não lembro dos detalhes, mas a minha irritação explodiu sem qualquer limitação, convenção social, cansaço ou prudência. Ela não esperava isso da "lourinha", estava de costas falando com seus colegas, ainda por vestir-se, e com um puxão agarrei suas tranças e derrubei-a no chão. Agarrando bem os cabelos dela e chamando-a de filha da puta, arrastei-a com todas as minhas forças pela areia enquanto ela tentava reagir. Não sei o que teria acontecido depois se Oriol não tivesse me agarrado e outras pessoas não tivessem feito o mesmo com ela. O que eu queria mesmo era jogá-la no fogo, junto aos meus sapatos, ou pelo menos arrancar os *piercings* dos seus mamilos com um puxão, mas, passado o primeiro arrebatamento, deixei que Oriol me separasse daquela desordeira. A *metaleira* já havia se recuperado e gritava impropérios, olhando-me com uma gana louca de quebrar a minha cara, mas por sorte ela foi logo controlada.

Oriol passou a viagem toda para Barcelona rindo. E eu apalpava com os dedos dos meus pés a viscosidade do chão do carro para fazer um balanço da situação. Troglodita. Eu tinha me comportado pior que os trogloditas.

— Você vai mesmo poder andar por toda sua vida sem sapatos de duzentos euros? — ele me interpelou divertido.

Eu me uni aos risos dele. A aventura valia muito mais. *Carpe diem.*

TRINTA E OITO

Fui despertada pelo som do meu celular. "Preciso mudar essa musiquinha", disse para mim mesma. Eu já estava farta dela e naquele instante muito mais. Quem estará chamando tão cedo? Nem mesmo podiam me esperar acordar? Era Artur Boix para me perguntar como tinha sido minha noite. Noite? Para mim ainda era noite. Claro que me deitei tarde! Tanto que ainda era muito cedo. Não, os templários me trataram bem. Sair para comer? Não, desde já, não. Já é uma hora? Sinto muito, quero dormir, me chama quando eu estiver acordada. Não fui amável, lembrei que tinha ido para a festa sem o meu recém-adquirido celular e que Artur devia ter me chamado para saber se eu estava bem. Fiquei pensando no amanhecer, na bagunça que se fez no mar e na nudez de Oriol. E fiquei sonolenta. Acho que nem cheguei a dormir porque o maldito telefone soou de novo. Como não me ocorreu desligá-lo? Dessa vez era Luis. Ele estava excitado.

— Achei! — ele berrou.

— O quê?

— A chave, a chave para continuar.

— Continuar o quê?

— Foi esta noite, a inspiração me veio com muita rapidez! — exclamou entusiasmado. — Pude vê-la com toda a clareza. A carta de Enric explica.

Fiquei em silêncio, tratando de assimilar aquilo, mas Luis não estava disposto a me dar uma trégua para que eu recuperasse meus sentidos.

— Estou em Cadaqués e vou direto para a casa de Oriol. Ainda está hospedada na casa dele?

— Sim.

— Então o avise, e até já.

Subi a persiana e vi Barcelona já banhada pelo sol da tarde e achei que ela estava mais entorpecida do que nos dias festivos habituais. Talvez fosse o reflexo do meu próprio estado. Tomei um banho e ao descer já passava das três horas da tarde. "Se não fosse o Luis, eu ainda estaria dormindo", falei comigo, e não lhe agradeci pelo seu serviço de despertador.

> Querido Luis
>
> Você se lembra de quando brincávamos com Oriol e Cristina de procurar tesouros e eu escondia pistas no jardim da casa da avenida Tibidabo?
> É a mesma brincadeira. Só que agora é de verdade.
> Que você seja feliz junto a Cristina e Oriol.
> Seu tio.
>
> Enric

Somente isso. A carta de Luis só dizia isso. Ele a leu em voz alta e passou-a para nós, para que verificássemos o bem que nos faria ler com nossos próprios olhos. E, como não podia ser mesmo de outro modo, primeiro eu, depois Oriol, ambos analisamos a carta em detalhes e em silêncio. Só tinha isso e mais nada. Sentados à mesa do jardim, talvez com a intenção de evitar Alicia, talvez porque desde pequenos o jardim era nosso território, ficamos calados e olhando Luis, que por sua vez nos fitava com o rosto radiante de quem sabia ou acreditava saber mais.

— Não está claro? — ele inquiriu.

Eu não via nada claro e parecia que tampouco Oriol; entreolhamo-nos em silêncio, dando de ombros.

— As pistas, ele escondia as pistas no jardim — explicou em seguida. — E qual era o lugar favorito dele?

— A pedra do poço — exclamamos ao mesmo tempo.

Apenas a alguns metros de onde estávamos existe uma área de árvores desimpedida e no seu centro um poço, que cumpria a sua incumbência no final do século XIX quando a água corrente não chegava àquele local. Nós sempre o vimos em sua função decorativa, mas ele era possuidor de uma característica mágica: uma das pedras da artística guarnição do poço, uma pedra pequena rente ao chão, movia-se, deixando um buraco que protagonizava muitas de nossas brincadeiras de busca ao tesouro e cuja existência só era conhecida por um adulto: Enric.

— Você acredita que ele deixou uma pista ali? — tão logo lhe disse, eu me dei conta de que era óbvio e redundante.

— Claro! A carta diz isso, não é?

Diz, sim, tive que concordar; dizia isso, se isso se quisesse ler.

— Vamos lá? — Oriol propôs, e só a menção de ir até lá já me deixou um vazio de emoção no estômago. Como na minha meninice.

Ficamos em pé com um salto e chegamos ao poço correndo como moleques. Sempre que isto acontecia todos queriam mover a pedra e, sem dúvida recordando da última vez, Luis deixou claro que desta vez o mérito correspondia a ele. Não houve disputa e cuidadosamente ele começou a deslocar a pedra para fora, com a ajuda do buraco que sempre esteve ali. O meu coração batia freneticamente e, no final de um instante eterno, e de uma lentidão irritante, ele retirou a pedra. Meteu a mão e nos olhou sorrindo, primeiro para um, e depois para o outro. Eu o teria matado; tem gente que não muda e ele continuava sendo o gordinho insuportável que se deleitava em ser o centro das atenções.

— Tem alguma coisa aqui — ele disse finalmente.

E puxou um embrulho de plástico. Eu o desfiz com cuidado e apareceu um revólver. Também havia um bilhete. "Desta vez não é uma brincadeira. Use-o se for preciso."

Fiquei toda arrepiada e tive um pressentimento sinistro que não quis compartilhar. Aquela arma devia ser a mesma que o delegado Castillo procurava. Aquele revólver tinha matado quatro pessoas, era o revólver do meu sonho. E Enric sugeria que ele podia voltar a matar.

Mas a arma não apresentava qualquer pista sobre o tesouro.

— Tem mais alguma coisa aí? — perguntei impaciente.

Tivemos que suportar a mesma cerimônia de busca e, no fim, ainda com a mão no buraco, Luis disse:

— Tem.

— Então tira essa porra de uma vez, droga! — eu estourei.

Luis olhou-me ressentido, mas obedeceu. Era outro embrulho, bem menor. Continha um papel que dizia:

"TU QUI LEGIS ORA PRO ME"

— É latim — Oriol esclareceu. — Diz o seguinte: "Você que me lê, reze por mim".

— Como se esperava de um cavaleiro templário — murmurei.

Nos entreolhamos. Havia surpresa e pesar na expressão dos meus amigos. Enric pedia que rezássemos por ele. E o fizemos, eu com lágrimas nos olhos. Imaginei-o escondendo o revólver, talvez com remordimento de consciência, sabendo que ia morrer e que seus pecados eram tantos, e que precisava de nossas orações. O que teria sentido ao nos deixar essa súplica póstuma? Talvez uma solidão infinita e medo; pelo que fez, pelo que ia fazer e pelo que viria depois. Mas por quê? O que o levou a consumar o suicídio?

— Proponho que a gente vá à missa — disse Oriol, extirpando minhas cabalas lúgubres.

Ao entrarmos na igreja, o sol ainda brilhava, mas os edifícios que a rodeavam impediam que a luminosidade chegasse a ela.

Sondei a luz daquele lugar por onde eu havia saído na noite anterior sem nenhum humor para contemplações. A pracinha tem um aspecto tranqüilo. Ela já teve uma cruz em frente da entrada pela qual se vai da esplanada para o claustro. Só resta dela um longo tronco de pedra; talvez tivesse perdido a parte superior num desses motins anticlericais tão freqüentes na Barcelona do final do século XIX e início do XX, provavelmente com um ato de vandalismo. Uma pena. Eu gostaria de ter visto como eram seus braços. Quatro eram os braços daquela cruz que exibia uma folha que comunicava o horário das missas, igual às outras lavradas em pedra em diversos lugares da igreja. A mesma cruz apresentada nas capas dos novos templários.

— Os Pobres Cavaleiros de Cristo usavam dois modelos de cruz — Oriol informou quando fiz o comentário. — A cruz de quatro braços é chamada de patriarcal, por causa do patriarca de Jerusalém, e também de Lorena, de Calatrava e possivelmente de mais dois outros nomes. Afora esta, os templários também utilizavam o formato de hóstia, com todos os seus lados iguais e as extremidades patadas. Como no seu anel.

— E por que esta igreja apresenta cruzes da Têmpera?

— Porque a cruz patriarcal foi muito disputada. Ela era ostentada tanto pelos cavaleiros da ordem do Santo Sepulcro como pelos templários, e por um certo tempo pelos hospitalários e naturalmente pelos de Calatrava. O que ocorre é que a igreja de Santa Anna foi sede dos cavaleiros do Santo Sepulcro em Barcelona. Atualmente essa ordem usa como distintivo uma cruz vermelha rodeada por quatro cruzes menores, recordando as cinco chagas de Cristo. E esta igreja continua sendo oficialmente o seu quartel-general em Catalunha.

— E extra-oficiamente?

— Você já sabe — Oriol rebateu com uma piscadela cúmplice.

Fazia tempo que eu não presenciava um ofício religioso com tanta intensidade. A súplica do bilhete de Enric me perfurara a alma. E o revólver me causou uma tristeza profunda, e lúgubre, que me trazia lembranças dolorosas de minhas vivências com o assassinato dos Boix. Como é que alguém como Enric, um amante apaixonado pela vida, pôde matar e suicidar-se? Ele devia estar desesperado. Completamente só. E como é que ele pôde abandonar Oriol? Passei boa parte da missa chorando em silêncio, ao mesmo tempo que rezava por sua alma. Vez por outra eu observava os meus amigos. Oriol parecia tão concentrado quanto eu, enquanto Luis se distraía, ora olhando para um lado, ora para o outro, mas logo se esforçava em fazer suas orações da melhor maneira possível. Bem, se é que ele ainda se lembrava delas.

O serviço religioso fez bem para mim. Ao terminar, sentia-me muito melhor; alguns suspiros profundos e ainda um resto de choro subiam do meu ventre, mas eu estava relaxada, quase feliz. Havia cumprido as minhas obrigações com Enric, rezando e rezando, e me prometia voltar a fazê-lo periodicamente. O que eu esperava era ter ajudado a alma dele da mesma forma que a cerimônia e a oração tinham ajudado o meu espírito.

Oriol nos fez um sinal e nos conduziu até a porta que dava para o claustro. À direita estava o corredor que se estendia da entrada da igreja até a sala capitular, onde se faziam as celebrações templárias, e senti um calafrio ao lembrar da minha aventura e do encontro com Arnau d'Estopinyá.

— O bilhete do meu pai não era só uma súplica por sua alma

— Oriol nos disse em voz baixa. — Estou certo de que nossas rezas caíram-lhe muito bem, mas acredito que o bilhete era uma pista.

— Uma pista? — Luis perguntou quase exclamando.

Eu tentava pensar a toda velocidade.

— Olhem à esquerda de vocês.

E fizemos isso. Havia uma estátua que jazia ali na parede. Era de um tal Miguel de Borea, um almirante-general das galeras espanholas que já estava morto há séculos. Lembrei do que Artur havia dito: aquela igreja também era um cemitério. Aproximamo-nos. Oriol apontou para uma lápide no chão com a seguinte inscrição:

"TU QUI LEGIS ORA PRO ME"

Luis e eu ficamos mudos de assombro.

— Quando é que você se deu conta disso? — Luis logo lhe perguntou.

— Foi rápido — ele estava com um sorriso astuto. — Venho nessa igreja desde menino. Conheço todos os seus detalhes.

Eu não disse nada. Tinha me esganiçado rezando e chorando por causa daquele bilhete e agora ele não passava de um degrau a mais do jogo. E o safado do Oriol esteve se divertindo com os meus sentimentos. Depois ele me disse que não fora tão mal assim rezar e achei que ele também o fizera. Mas estava me devendo uma.

— E o que vamos fazer agora? — Luis interrogou.

— Por ora, vamos sair do claustro. Se o monsenhor me flagrar cochichando na igreja dele, vai se aborrecer como fazia quando eu era menino.

Saímos para discutir o passo seguinte numa leiteria da rua Santa Anna.

Luis e eu achamos que teríamos de levantar a lápide para ver o que havia dentro. Um morto, Oriol contestava. E daí, nós dois respondíamos, é preciso ver se tem mais alguma coisa ali. Oriol dizia que isso era profanar uma tumba e que abrir tumbas tinha suas conseqüências éticas, legais e religiosas. Luis lhe respondia que, se ele costumava ocupar propriedades alheias, não deveria ser ele a se preocupar por entrar em semelhante habitat; seu proprietário não apresentaria denúncia. E Oriol retrucava que o proprietário não, mas o cura sim.

— Então vamos fazer isso de noite, quando ele não estiver — Luis insistia.

Oriol argumentava que ele não podia enganar o monsenhor, que era um dos seus. "Se ele é um dos seus, que nos ajude", lhe dissemos. E ficamos nisso.

Quando fomos ver o cura, ele gritou para o céu:

— Vocês querem abrir a tumba do almirante? Nem pensar! — disse para Oriol. — O teu pai também quis fazer isso e eu o impedi. Mesmo porque, debaixo da estátua não tem nada, ela ficou exposta por muitos anos no Museu Marítimo.

— O meu pai quis abrir esta tumba? — Oriol inquiriu.

— Foi o que eu disse; ele queria colocar alguma coisa dentro. E eu não deixei.

— E o que ele fez?

— Entregou para mim, para que eu desse para vocês quando também quisessem abrir.

Em poucos minutos tínhamos em nossas mãos um maço de papéis com o mesmo estilo e o mesmo lacre daquele da livraria Del Grial.

Entreolhamo-nos radiantes. A peça que faltava!

TRINTA E NOVE

Voltamos a ser crianças. Na realidade, ao lembrar daqueles dias me dou conta de que regressávamos à infância continuamente.

Luis dirigiu até o seu apartamento enquanto todos conversávamos excitados. Lá, rompemos selos de lacre iguais aos do primeiro maço, e nos deparamos com a mesma letra e o mesmo tipo de papel. Oriol insistiu para que começássemos a ler a partir das últimas frases do primeiro documento. Luis assim o fez e as palavras do velho frade Arnau d'Estopinyá voltaram à sua boca:

— "Mas os frades Jimeno e Ramón reservavam uma honra muito especial para mim. Eles queriam proteger o que havia de melhor em cada comenda. Uma vez tudo reunido em Miravet, se a situação piorasse, eu partiria para Peñiscola com o tesouro, para embarcá-lo em nossa *Na Santa Coloma*, uma nave que nenhuma galera real era capaz de alcançar, e escondê-lo num lugar seguro enquanto durasse o tempo de incerteza. Prometi, pela salvação da minha alma, não deixar que ninguém que não fosse um bom templário jamais pudesse possuir tais jóias. E Ramón Saguardia me deu seu anel, o da cruz pátea no rubi, como lembrança da minha promessa e da minha missão. Eu estava emocionado pela fé que aqueles altos frades depositavam em mim e passei os dias de espera, enquanto chegava o tesouro, em jejum, rezando ao Senhor para ser digno de tamanho empreendimento.

"Eu daria a minha vida, daria tudo para triunfar em meu empenho."

Luis fez uma pausa e, pegando a primeira folha do segundo maço, continuou:

— "No dia 5 de novembro, o frei Jimeno de Lenda se encontrava com nosso rei para lhe pedir seu apoio e este assegurou que acreditava em nossa inocência, embora não tenha decidido se nos ajudaria antes de tratar do assunto com seus conselheiros. Mas Jaime II censurou nosso mestre por estarmos aparelhando belicamente os castelos; sem dúvida, ele nos estava vigiando.

"Este encontro com o monarca não tranqüilizou o frade Jimeno de Lenda e fez com que o seu lugar-tenente e amigo, o frade Saguardia, postergasse a volta para sua comenda de Masdeu, no Rosellón, e ficasse no quartel-general de Miravet. O mestre permaneceu junto ao monarca para interceder pela ordem, entrevistando-se de novo com ele em 19 de novembro, em Teruel. Enquanto isso, em Miravet, nós estávamos intranqüilos; tinham chegado notícias para o frei Saguardia de que o rei havia solicitado a presença do dominicano Juan de Lotger, o grande inquisidor, e que este queria que nos encarcerassem. Ele enviou imediatamente um bilhete para o seu superior: 'Acreditamos, senhor, que vós e qualquer outro frade que esteja na corte correm grande perigo'. Mas ao frade Jimeno não importava a segurança de sua pessoa, ele só se preocupava em salvar nossa congregação e, sem ouvir a prudência, resolveu continuar próximo do monarca.

"Depois da primeira missa do dia seguinte e com a bênção do frei Saguardia, fui até Peñiscola com uma escolta numerosa; avançamos com a maior velocidade que os carros podiam empreender e não me senti seguro até encontrar sob os meus pés as sólidas tábuas da minha galera e até que todo o tesouro estivesse nela. Solicitei ao comendador de Peñiscola, Pere de Sant Just, uma guarda especial para a noite e partimos no amanhecer do dia seguinte. Dias depois eu regressava, a vela. Estava satisfeito por haver cumprido bem o encargo do mestre, mas triste porque tinha sacrificado os meus galeotes sarracenos, os que me ajudaram a ocultar o tesouro. Alguns dos mouros tinham sido nossos escravos durante anos e degolá-los nos causou uma grande dor."

— Espera um momento! — pedi para Luis.

Eu já tinha passado por isso antes e somado experiência. Fechei-me no banheiro e sentei no vaso. Meu Deus! Estava acontecendo de novo! O sonho dos degolados. A praia, o mar inquieto, as nuvens fugindo no céu, e os frades fatiando o pescoço daqueles acorrentados, infelizes. Que terrível! E Arnau d'Estopinyá contava com toda naturalidade, sem dar muita importância. Respirei fundo, tratando de serenar meu espírito. Não havia como me acostumar com aquilo; era impossível. Olhei o anel, o culpado pelas minhas angústias, que brilhava moribundo, em calma. Não me surpreendia que Arnau d'Estopinyá, não o do século XIV, o que ditou o que havia nos papéis, mas o moderno, o demente que acreditava ser o outro, tivesse fundido os miolos. Mas ele não devia estar tão louco assim, porque foi capaz de se desfazer do anel com a cruz de sangue e dá-lo para Enric em troca de uma pensão. Quanto a Enric, será que ele tinha sido induzido por esse anel perverso ao assassinato e ao suicídio? Olhei-o de novo. Ali estava, intrépido e com aspecto inocente, mas era belo, com a estrela de seis pontas brilhando em seu interior. Então lembrei das advertências que Alicia me fez sobre ele, concluindo que ela estava certa: Marte, a violência e o sangue mandavam naquele rubi macho.

Voltei e Luis preparava um café comentando com Oriol que

Arnau devia se achar misericordioso degolando apenas os seus remadores, já que era crença comum no Islã que os descabeçados não podiam entrar no paraíso. Ele devia estar se sentindo espirituoso, porque fez em seguida um comentário jocoso com seu típico toque impertinente sobre as minhas visitas ao banheiro. Oriol sorria para mim, apertando seus olhos rasgados como se dando crédito às troças do seu primo.

— O seu dedo ainda está doendo? — ele inquiriu, apontando para a minha mão. Compreendi que o sorriso dele não era um apoio para Luis, mas para mim; ele sabia do anel e intuía minhas penas.

Luis retomou a leitura e ouvimos novamente a voz de Arnau d'Estopinyá através dos séculos:

— "Ao regressar, eu soube que, apesar do perigo, o nosso mestre resolveu acompanhar o rei até Valência para continuar intercedendo pela ordem. E lá, em nosso convento da capital, ele foi encarcerado em 5 de dezembro por ordens do monarca, apesar das boas palavras anteriores deste. Dom Jaime não se restringiu a isto; dois dias depois aprisionava todos os frades de Burriana, e logo tomava o castelo de Chirivet, que não ofereceu resistência, e foi subindo na direção norte até a fortaleza de Peñiscola. Os enganos do rei aragonês, semelhantes aos do miserável rei da França, fizeram com que muitos irmãos fossem tomados pela surpresa ou pela falta de vontade para resistir. Quando eu soube que eles estavam chegando, estive a ponto de zarpar outra vez com minha nave rumo ao sul. Não era a estação própria para isso e havia falta de galeotes, mas a *Na Santa Coloma*, fiel a seu nome, sabia navegar a vela com perfeição, e minha tripulação me era fiel.

"Mas esta fuga implicava não poder atracar em nenhum porto catalão, valenciano ou do reino de Maiorca. E possivelmente em nenhuma terra cristã. Eu teria então que sobreviver pirateando contra o reino de Granada, ou então contra o de Tremercén ou o de Túnis, porque jamais o teria feito como corsário a soldo dos mouros. E assim esperar que fossem devolvidas a liberdade e a honra à ordem da Têmpera. No entanto, se o papa Clemente V apoiava a ação dos monarcas, conforme os rumores, se eu me mostrasse rebelde, ele me castigaria com a excomunhão e tanto o meu destino quanto o dos meus homens seria assaltar naves sarracenas até encontrar a morte em combate, decapitados em mãos mouras ou, pior ainda, enforcados nas sogas cristãs. Mas eu não temia isso, pois qualquer pirata com minha galera e meu saber teria conseguido grandes riquezas e poucos ousariam lhe fazer frente. Com isso, me dei conta de que jamais poderia abandonar os meus irmãos em semelhante transe.

"E o que posso lhes contar? Falei com o frei Pere de Sant Just, comendador de Peñiscola, e ele me disse que era muito mais velho e havia decidido entregar a praça ao rei. Então lhe pedi permissão para viajar, junto aos que quisessem me seguir, até a fortaleza de Miravet, onde certamente o frei Ramón Saguardia enfrentaria esse rei traidor. Com sua bênção, três sargentos, um cavaleiro e sete leigos, entre os marinheiros e os soldados, partimos a galope. Apesar de saber que dez dias antes o rei Jaime havia dado ordem de prisão para todos nós e de indisponibilidade dos bens da ordem, exibíamos com orgulho os nossos hábitos, ornados pela cruz encarnada da Têmpera, e não escondíamos nossas armas. Ninguém, nem os soldados nem as milícias locais, atreveu-se a nos deter em nenhum dos postos de controle do caminho.

"Dois dias depois, em 12 de dezembro de 1307, com a tomada sem resistência de Peñiscola e das fortalezas e comendas dos seus arredores, todas as propriedades da nossa ordem no reino de Valência tornaram-se indisponíveis e todos os seus frades foram encarcerados.

"Como eu já esperava, frei Saguardia rechaçou a ordem real de entregar o castelo de Miravet e, quando chegamos, o sítio já tinha iniciado. Tampouco as milícias de Tortosa e dos povoados das cercanias que, seguindo as instruções reais, estavam formalizando os últimos detalhes do cerco, se atreveram a nos deter.

"Frei Saguardia nos recebeu com alegria, me deu um abraço e se mostrou aliviado pelo cumprimento da minha missão. Ele quis que fosse eu a guardar o anel e disse que ninguém devia saber por que o tinha comigo, e naquele momento, mesmo tendo perdido para sempre a minha querida nave, eu me senti feliz e convicto de que estava onde devia estar. Lutando junto a meus irmãos. Ali também haviam se refugiado os comendadores de Saragoça, Grañena e Gebut, e todos nos preparamos para um longo sítio.

"No final do ano chegou a notícia de que Masdeu, a comenda do frei Ramón Saguardia, junto com as demais comunidades templárias de Rosellón, Sardenha, Montpellier e Maiorca, tinham sido confiscadas pelo rei Jaime II de Maiorca, tio do nosso rei Jaime II. Não houve resistência e, embora tivessem detido todos os frades, o regime era de relativa liberdade.

"Ao iniciar-se o ano de 1308, somente dois castelos ainda resistiam em Catalunha: Miravet e Ascó. A fortaleza de Monzón e vários castelos ainda agüentavam em Aragão. Um deles, Libros, foi capaz de suportar heroicamente o assédio durante seis meses, com um único templário, frei Pere Rovira, ajudado por um grupo fiel de leigos.

"Em 20 de janeiro, o rei enviou uma carta impondo-nos o cumprimento das ordens do papa e frei Saguardia pediu para negociar, mas o monarca não respondeu. Depois Jaime II ameaçou com a forca, confisco de bens e represálias às famílias dos soldados que nos defendiam. Frei Berenguer de Sant Just, comendador de Miravet, propôs que se liberassem os soldados dos seus serviços, pagando-lhes o que se devia a eles na data; Saguardia concordou e negociou com os oficiais do rei a saída dessa tropa sem dano nem ofensa às suas pessoas ou bens. Não queríamos que aqueles inocentes e os seus sofressem por sua fidelidade à nossa ordem. E, com tristeza, eu me despedi dos meus últimos marinheiros.

"O frei Saguardia pediu então ao rei o envio de mensageiros a Roma para defender nossa causa diante do santo pontífice. Jaime II respondeu mandando construir máquinas de ataque e que se começasse a apedrejar nosso castelo. Fez com que viessem reforços de Barcelona e solicitou ajuda do seu tio, o rei de Maiorca.

"E assim foi transcorrendo o ataque com infrutíferas tentativas de negociação, com traições, os víveres minguando e uma pressão real crescendo sobre nós diariamente. De nada serviu lembrar ao monarca os serviços prestados a ele e aos seus antecessores na reconquista dos seus reinos, e que tivéssemos nos mantido fiéis ao seu pai quando o papa o excomungou e enviou uma cruzada contra ele. Em outubro, conseguimos que nossos sitiadores aceitassem a saída, sem danos e com respeito, dos cavaleiros jovens e de outros noviços que ainda não haviam feito seus votos eclesiásticos. Eles puderam regressar livremente para suas famílias.

"Frei Saguardia desconfiava do rei, mas ainda acreditava no papa. Nossa comunidade rezava e rezava para que o pontífice enxergasse a luz de nossa inocência e nos devolvesse seu favor. Com o apoio de Clemente V, aquele bravo templário, ele se achava capaz de vencer o próprio rei de Aragão. Frei Sant Just e os demais comendadores pensavam que o mal emanava do próprio papa e queriam que aceitássemos as condições negociadas com o monarca.

"No fim, a opinião majoritária se impôs e o lugar-tenente Saguardia, com muito pesar de sua parte, depois de mais de um ano de resistência, teve que deixar Miravet e Ascó se renderem, em 12 de dezembro. A esta altura Monzón e Chalamera ainda resistiam e agüentaram mais alguns meses.

"No princípio nossa prisão foi suportável, eu estava recluso junto com outros quatro frades, um cavaleiro, um capelão e dois sargentos, na comenda de Peñiscola, que solicitei como destino de reclusão para poder ver o mar. *Na Santa Coloma* já não estava ali, tinha sido levada para Barcelona.

"Dois meses depois chegou a minha vez de ser interrogado pela Inquisição. Tinham um questionário com perguntas tais como se eu havia cuspido na cruz, se reneguei Cristo Nosso Senhor, se havia beijado os meus irmãos nos traseiros e outros lugares pudendos, se havia cometido atos impuros e indecências parecidas com outros frades.

"O que posso lhes contar? Ainda que eu já tivesse recebido notícias sobre tais perguntas, não pude deixar de me indignar. Eu, que havia visto a morte dos meus companheiros em abordagens de naves sarracenas, presenciado a forma com que os egípcios destruíram os muros de Acre, que sabia de centenas de irmãos templários que morreram na defesa da fé verdadeira e que tinha no meu corpo as cicatrizes que serviam de prova para o sangue que derramei por Nosso Senhor Jesus Cristo, justamente eu é que teria de responder às perguntas imundas desses dominicanos, esses clérigos que nunca haviam visto o seu próprio sangue, a não ser quando se feriam acidentalmente com os instrumentos que eles usavam para atormentar outros cristãos.

"Nós, os frades que resistimos ao rei, negociamos com este o respeito a nossas pessoas. Pois bem, este monarca traidor faltou de novo com sua palavra, não somente éramos mais vigiados do que aqueles que se entregaram voluntariamente, como também, no verão seguinte, ele mandou nos encarcerar a todos.

"O que lhes direi? Se não se viveu a experiência, não se pode saber o que se sente por ficar durante meses e meses esmagado pelos ferros sem poder se movimentar, com a pele ferida pelo metal e seus membros inchando. É preciso sofrê-lo. Os bispos reuniram-se em Tarragona e pediram ao rei que nos libertasse dos grilhões, mas, ao contrário disso, os inquisidores dominicanos demandaram ainda mais rigor com nossas pessoas.

"Levaram-nos para Tarragona para um novo concílio, onde de novo os bispos solicitaram ao rei que relaxasse o rigor com que nos tratavam, mas em seguida chegou uma carta do papa pedindo que nos aplicassem o tormento.

"Eles nos levaram para Lleida e fui submetido à tortura do potro numa manhã de neve intensa do mês de novembro."

Dessa vez não interrompi a leitura de Luis. Desde a vez anterior eu estava certa de que a vivência da tortura apareceria no relato de Arnau. Limitei-me a fechar os olhos, respirar fundo e, dominando o meu sobressalto, escutar com atenção.

— "Sabíamos que era necessário resistir e não ceder à dor,

conforme alguns dos nossos irmãos franceses fizeram" — Luis continuava com seu relato, sem se dar conta de minha amargura.

"Foram horas intermináveis nas quais os verdugos tomavam dois descansos na sua jornada, de forma que cada frade recebia três sessões de tormento. Os inquisidores me perguntaram as mesmas obscenidades da primeira vez, só que agora também estavam ali os oficiais do rei que queriam saber onde havíamos escondido os tesouros que não encontravam. Monarca mentiroso, ladrão e assassino! Nenhum de nós confessou ter transgredido a regra, renegado o Cristo Nosso Senhor, ter adorado o "Cão-Tinhoso" ou fornicado com nossos irmãos. Tampouco reconhecemos ter escondido qualquer tesouro. Antes teríamos morrido que permitir que esse rei indigno, esse papa covarde e cruel e esses inquisidores ignóbeis se apoderassem de nós.

"Nenhum frade catalão, aragonês ou valenciano cedeu em seu suplício e todos nós mantivemos nossa inocência. Alguns morreram depois de tais rigores, outros ficaram aleijados, e Jaime II, monarca hipócrita, para reconciliar-se com os que nos apoiavam, passou a enviar médicos e remédios. Farsante.

"Quase um ano depois nos reagrupamos, em Barberá, e o concílio de Tarragona nos declarou inocentes.

"Mas a Têmpera já não existia, Clemente V havia promulgado a bula *Vox in excelso* alguns meses antes, suprimindo para sempre a nossa ordem, que trouxe tantas glórias para a cristandade. Além disso, ele ordenou que 'ninguém se fizesse passar por templário' sob pena de excomunhão. Nem templários podíamos nos chamar!

"O rei assinou uma pensão para nós segundo o cargo de cada um, a mim, como sargento, correspondiam quatorze dinheiros. Teríamos que viver em casas administradas por clérigos que não tinham sido templários e manter nossos votos de castidade, pobreza e obediência. Podíamos renunciar ao quarto voto, o de lutar contra o infiel. De fato, não dispúnhamos mais de meios para fazê-lo.

"Já fazia cinco anos desde que eu havia pisado nas tábuas da

Na Santa Coloma pela última vez e durante todo esse tempo de terrível penitência eu fechava os olhos e via as velas volumosas da minha nave, com sua cruz vermelha no centro, iluminadas pelo sol da manhã a caminho de Almeria, Granada, Túnis ou Tremacén para abordar ou afundar os sarracenos. Esta visão me assaltava nas minhas rezas matinais, quando eu comia, passeava, em qualquer momento. Ao recuperar a liberdade, rondou pela minha cabeça a idéia de fugir com alguns dos frades, conseguir uma galera e voltar a lutar contra os infiéis; eu sonhava com isso e passava o tempo fazendo planos junto com outros irmãos. Alguns jamais tinham embarcado antes. Mas todos nós queríamos de volta nossa utilidade, recobrar nosso decoro. Era a liberdade. No entanto, no fim acabamos não fazendo nada. Eram quimeras de velhos. Eu já havia passado dos quarenta e cinco anos e tinha o corpo vergado pela tortura e pela prisão. Eu me sentia covarde e a idéia de rezar até o final dos meus dias se fazia cada vez mais doce. Um frade me ensinou os rudimentos da arte de pintar e minha pensão dava para a madeira, o estuque, a cola e a tinta. Eu pensava que assim a minha obra humilde e desajeitada podia servir melhor ao Senhor, divulgando os seus santos para que o povo pudesse lhes dedicar orações.

"Enquanto isso, nos chegavam notícias de que o papa e o rei Jaime II se digladiavam como abutres sobre os despojos do nosso patrimônio. O rei havia conseguido que a bula *Ad providam Christi* daquele ano, na qual o pontífice outorgava os bens da ordem aos frades hospitalários, excluísse expressamente os reinos hispânicos. Depois, obteve do papa a criação da ordem de Montesa, que lhe seria fiel e herdaria as propriedades templárias no reino de Valência. Por fim, ele aceitou a entrega do restante dos bens de Catalunha e Aragão aos frades do Hospital, mas ficou com tudo que pôde com a desculpa dos gastos que lhe havíamos ocasionado. Apropriou-se de dinheiro e jóias a tal ponto que em algumas igrejas não se podia mais celebrar o culto por falta de objetos litúrgicos. As rendas de nossas propriedades também foram transferidas para o seu pecúlio, que ele administrou durante os dez anos de disputa com o papa, além de alguns castelos estratégicos. No fim, encarregou os frades de São João do Hospital a nos pagarem as pensões até nossa morte.

"Não podíamos usar o nome da Têmpera em público, mas nenhum de nós quis se unir a outra ordem.

"Quase dois anos após nossa liberação chegou uma notícia da França. Felipe, o Belo, esse rei miserável, tinha levado a toda pressa para a fogueira o mestre da Têmpera, Jacques de Molay, e mais dois dos seus dignitários. No fim, entre a prisão e as torturas, o velho recobrou o seu decoro perdido, proclamando a pureza e a integridade da ordem e fazendo acusações ao rei e ao papa. Morreu gritando a sua e a nossa inocência entre as chamas. Dizem que ali no suplício ele intimou o rei francês e o papa perante o tribunal de Deus. E ambos pereceram de forma estranha naquele mesmo ano.

"O rei Jaime viveu muito mais e só morreu faz um ano, no monastério de Santes Creus, próximo daquele outro de Poblet. Contam que ele entregou sua alma quando a noite chegava e se acendiam os candeeiros. O seu registro mortuário diz *Circa horam pulsacionis cimbali latronis*. Não entendo bem o latim, mas esta é a hora da penumbra. Que é chamada a hora do ladrão.

"E assim, com a justiça final, a justiça de Deus, termina o meu relato. Eu também espero comparecer ante Ele dentro em pouco e rezo por sua piedade. Também lhe suplico que permita que no futuro a ordem da Têmpera possa voltar de alguma forma a lutar pela luz, pelo bem.

"E o que lhes direi? No final da minha caminhada, depois de orgulhos, soberbas, vitórias e derrotas, sofrimentos e paixões, acabei descobrindo que o segredo daquilo que guardei encontra-se em Deus. Está escondido na terra que os santos pisaram e na divindade da Virgem. Que Deus Nosso Senhor perdoe os meus pecados e se apiede de minha alma."

QUARENTA

Entreolhamo-nos em silêncio, eu estava comovida pela narrativa. Por fim, Oriol falou e o fez como especialista em História.

— O relato parece autêntico. É como se um verdadeiro frade da Têmpera nos tivesse oferecido seu testemunho, mas em linguagem moderna. São inclusive usadas as formas de interrogação dirigidas ao leitor que Ramón Muntaner, o caudilho catalão e cronista da epopéia dos almogávares na Turquia e na Grécia, e contemporâneo de Arnau, utilizava. São frases como "o que posso lhes dizer?" ou "o que lhes direi?".

"Talvez o texto seja uma cópia de traduções de escritos mais antigos, ou então alguém pôs no papel uma tradição oral. Eu me inclino para a primeira hipótese, existem detalhes demasiadamente precisos. Conheço muito bem este momento histórico e realmente tudo ocorreu tal como Arnau descreve. E embora retrate Jaime II como um miserável, a verdade é que ele foi um rei muito hábil. Em vez de enfrentar o papa como haviam feito seu pai e seu bisavô, ele o manejou perfeitamente bem, conseguindo dele a assinatura da transferência da Córsega e da Sardenha. Fingiu fazer a guerra contra o seu irmão segundo o desejo de Clemente V, mas retirou-se quando a ganhava e o deixou seguir reinando na Sicília, de onde Jaime II fora rei. Assim, a ilha continuava em mãos da família e longe da coroa francesa. Com ele, o poder da casa de Barcelona e Aragão no Mediterrâneo consolidou-se de forma definitiva. O papa não pôde ficar com nenhuma das posses templárias de Aragão e Valência, e, por seu lado, Jaime II bem que saiu lucrando! Defesa lógica frente a seu rival francês, que obteve fortunas graças aos templários. O dinheiro era e continua sendo um elemento estratégico fundamental e imprescindível para equipar exércitos.

"E por fim, apesar de Arnau ter descrito seus camaradas como heróis que resistiram à tortura, a verdade é que Aragão encobriu o expediente e lá se torturou, mas somente para agradar ao papa, que se lamentava continuamente de que ali os verdugos não se aplicavam a fundo. Foi tortura, não nos enganemos, mas a certos suplícios se pode resistir e a outros, não. O rei Jaime II estava convencido de que tudo era uma grande patranha de Felipe, o Belo, que tinha seqüestrado o sumo pontífice, mas ainda assim desejava ficar bem com o papa. Em contrapartida, na França ocorreram as piores formas de tormento, e com isso conseguiu-se que muitos confessassem tudo o que o rei pedia. "Se quiserem que eu confesse que matei Cristo, farei isso", disse um cavaleiro templário francês, "mas não consigo agüentar mais."

— Toda essa história foi muito boa — Luis interveio. — Mas não oferece pista alguma.

— Talvez ofereça, sim — Oriol replicou pensativo.

— Na penúltima frase, não é? — interroguei.

Luis pegou de novo os documentos e procurou a última página.

— "O segredo daquilo que guardei encontra-se em Deus.

Está escondido na terra que os santos pisaram e na divindade da Virgem" — ele leu.

— A terra que os santos pisaram! — exclamou. — Sob os pés dos santos e da Virgem foi onde encontramos as inscrições ocultas.

— Isso mesmo — afirmou seu primo.

— Oriol — eu intervim; tinha uma idéia. — Nós não fizemos uma aplicação completa dos raios X nos quadros.

— Claro que fizemos — ele rebateu. — Você viu as radiografias.

— Vamos vê-las outra vez.

Oriol nos mostrou as radiografias dos três quadros. As pinturas estavam sendo reconhecidas com dificuldade e lhe perguntei:

— É verdade que, quanto mais opaca é uma área do quadro aos raios X, mais esbranquiçada ela aparece?

— Sim.

— E se ela aparece completamente branca é porque um metal impede a visão?

Oriol sorriu:

— Já sei onde você quer chegar.

— Onde? — Luis perguntou impaciente.

— Fácil — rebati radiante. — Existe uma parte do quadro central que não se submeteu aos raios X. Você está vendo esta área totalmente branca na radiografia?

— A coroa da Virgem! — Luis exclamou.

— Sim — Oriol interveio. — O texto diz: "A divindade da Virgem". Isto deve ser uma pista. Devia ser "a santidade da Virgem", já que a Virgem é humana e não divina. Na iconografia cristã a santidade é representada por um círculo dourado ao redor da cabeça, que é chamado de auréola ou coroa. Quando apareceu na radiografia, não reparei nisso, achei normal. Em algumas pinturas da época, especialmente as italianas e alguns ícones gregos, a auréola não é de estuque com painel de ouro, e sim de metal; estanho dourado onde se gravavam previamente desenhos florais ou uma inscrição.

Oriol foi pegar uma caixa de ferramentas enquanto nós contemplávamos a coroa da Virgem no quadro. Com certeza, bem que podia ser uma peça de estanho.

— Fui tonto — disse Oriol. — Se, em vez de usar raios X, como indicava meu pai no seu testamento, eu tivesse utilizado os infravermelhos, teríamos visto se também há algum desenho ou inscrição debaixo do metal. Mas não vamos esperar até amanhã para usar o aparelho de reflectografia...

Ninguém quis esperar. Ajeitamos o quadro sobre uma mesa e Oriol começou a passar um cutelo os lados da auréola. E aos poucos levantou uma borda. Era verdade! Era feita de um metal fino e algo elástico! Com extremo cuidado ele foi levantando a coroa, que saiu como uma peça inteira. E abaixo, a um simples olhar, podia-se ler: "*Illa Sanct Pau*".

— Ilha de São Paulo! — exclamei. — O tesouro está numa gruta marinha, na ilha de São Paulo!

— Ilha de São Paulo? — Luis interrogou. — Nunca ouvi falar.

— É verdade — Oriol corroborou. — Eu também não.

O sorriso gelou nos meus lábios.

São Paulo. Uma ilha desconhecida! Devia ser muito pequena ou estar bem distante. Começamos a procurá-la, eu com todo tipo de mapas e atlas, e meus companheiros interrogando qualquer um que pudesse saber, de chefes de barco a geógrafos. Quando nos reunimos pela tarde, ninguém tinha indícios sobre a localização da tal ilha.

— Não pude deixar de pensar nela por todo o dia — disse Luis. — Será que mudou de nome? Será que, devido a sua condição religiosa, os templários nomeavam as ilhas com nomes de santos?

— É bem possível — Oriol concordou.

— No mapa, São Pedro e Santo Antônio aparecem na Sardenha — recitei olhando os meus apontamentos. — Mais distante, na Itália, existe uma outra ilha São Pedro, num pequeno arquipélago do mar Tirreno chamado ilhas Lipari, e no golfo de Tarento existe uma tal de São Ântico. Depois teríamos que ir ao mar Adriático ou ao Jônico para buscar outros santos.

— Não, é muito distante — Oriol afirmou.

— Também procurei os nomes no guia de um atlas, sem encontrar qualquer ilha São Paulo, Sant Pau, Sant Pol, Saint Paul, Santo Paolo, nem sequer usando os mesmos nomes retirando-lhes o santo — concluí com eficiência.

— Tem que estar relativamente próxima de Peñiscola — disse Oriol.

— Por quê? — quisemos saber.

— As datas indicadas no relato dão a pista — explicou nosso historiador. — Arnau d'Estopinyá menciona a entrevista de frei Jimeno de Lenda com o rei Jaime II, em Teruel, em 19 de novembro, como sendo o momento em que se tomou a decisão de esconder os tesouros. Esta data é muito tardia para uma galera. Esse tipo de embarcação só operava de maio a outubro. Eram naves muito rápidas, mas de pouco calado, e não estavam preparadas para um mar turbulento e picado. Além disso, elas ofereciam pouca cobertura a seus tripulantes; os galeotes viviam no convés, e quase desnudos. Este foi um elemento decisivo na batalha de Lepanto, quase trezentos anos depois. Uma frota mista de cristãos caiu sobre as galeras turcas no golfo de Lepanto, onde elas haviam se refugiado para passar o inverno. Foi no início de outubro e parte da tripulação otomana já havia regressado para suas casas.

"Um capitão de galera especialista como era Arnau não arriscaria a nave e a carga indo muito longe nessa época do ano. Além disso, em 5 de dezembro, quando o rei mandou prender o mestre, já fazia tempo que Arnau havia regressado, de modo que ele só pôde ficar no mar por uns dez dias no total. Eu concentraria a busca num raio de dois dias de viagem em galera a partir de Peñiscola; esta área inclui as costas que eram mais familiares a Arnau. Vejam...

Ele foi até o mapa do Mediterrâneo que tínhamos estendido na mesa e, pegando um compasso, fixou a agulha em Peñiscola e o estendeu de forma que seu outro extremo chegasse a Cap d'Agde, e depois traçou um arco dentro do qual entravam as ilhas Baleares e chegava pelo sul até Mojácar.

— Não creio que tenha se aproximado de Cap d'Agde. Uma nave templária em território francês corria perigo e o norte era uma área de frio e tormentas. Um especialista náutico como ele, bom conhecedor de sua nave, jamais teria se arriscado a cruzar nessa época do ano a zona da Tramontana. Acho que ele foi para o leste ou para o sul. Isto inclui as ilhas Columbretes, bem próximas de Peñiscola, as Baleares e toda a costa meridional, mas não mais além de Guardamar, talvez até o cabo de Palos. A partir deste ponto era zona mourisca.

— Não existe ilha com nome de santo nas Columbretes, nem nas Baleares, nem na costa de Valência ou de Múrcia — afirmei. — Mas existem umas ilhotas antes de chegar ao cabo de Gata: São Pedro, Santo André e São João.

— São distantes, e nosso santo não aparece — disse Oriol.

— Há um vilarejo na costa catalã que é chamado de Sant Pol, e em Alicante, Santa Pola — Luis comentou.

— Existe uma ilha em frente a Santa Pola que é uma boa candidata — eu os fiz saber. — Mas não tem nome de santo; aparece no mapa como Nova Tabarca ou ilha Plana.

— Sei algo disso — disse Oriol. — No século XVIII, já cansado de ver a ilha sendo base permanente de piratas, Carlos III fez construir um vilarejo amuralhado e o repovoou com cristãos livres de ascendência genovesa, cativos dos argelinos e procedentes da ilha de Tabarca, antiga possessão espanhola no norte da África, onde exerciam a pesca do coral. Este nome vem daí.

— Então a ilha era um ninho de piratas, de piratas sarracenos, não é? — perguntei. — E o que acontecia na ilha quando ela não era cristã?

— As crônicas muçulmanas do reino de Múrcia, ao qual pertencia essa zona antes da Reconquista, contam que era desabitada, mas que tinha um bom porto que era aproveitado pelos inimigos do Islã para piratear.

— Isto incluía Arnau d'Estopinyá?

— Com certeza — afirmou Oriol. — Em meados do século XIII, o rei de Múrcia passou a render vassalagem ao de Castela, até que uma revolta mudéjar fez com que Jaime I, o avô de Jaime II, interviesse para ajudar os castelhanos. A zona foi anexada definitivamente pela coroa aragonesa graças ao tratado com Castela no início do século XIV, dois anos antes da queda dos templários. Certamente Arnau conhecia bem a ilha, fosse para proteger terras cristãs ou para atacar e saquear os muçulmanos.

Na manhã seguinte recebi uma ligação no meu celular.

— Tome nota — disse-me, sem mesmo esperar que eu fosse pegar uma caneta. — Os historiadores Mas i Miralles e Llobregat Conesa acreditam que o nome de Santa Pola é pré-árabe e que antes devia ser Sant Pol, pois os árabes mudavam os topônimos para o feminino. Eles os escreviam Shant Bul, que é a pronúncia mais parecida com Sant Pol. O nome do santo vem do seu suposto desembarque em Portus Ilicitanus, denominação romana de Santa Pola, no ano 63 de nossa era, para evangelizar a Espanha. Por aproximação, a ilha passou a chamar-se ilha de São Paulo e, segundo outros historiadores, a zona habitada de Tabarca apareceu por muito tempo nos livros paroquiais como povoado de São Paulo.

Tive um aperto no coração.

— Achamos — murmurei.

QUARENTA E UM

Nós a vimos ao cair da tarde. O sol iluminava a ilha que se expandia, quase em paralelo, contra um horizonte desimpedido que flutuava sobre as águas de um azul profundo. A muralha eleva-se na sua parte direita, por cima do mar, acolhendo dentro de si o povoado, cujo maior edifício é uma igreja com aspecto de fortaleza. As edificações, os muros e os telhados brilhavam com a luz alaranjada do fim do dia, com um contraste de sombras que produziam volumes cubistas nas casas do vilarejo que, de nossa perspectiva, parecia extraído de uma história de piratas. A ilha é bem mais longa do que larga e se estreita no centro, onde há um porto que dá de frente para o norte, para o continente. A sua parte esquerda rala e amarronzada mostrava duas torres, uma das quais era um farol.

Estávamos em cima do monte de Santa Pola e Luis nos havia conduzido até o farol; a vista era espetacular e a ilha cheia de luz contrastava com as sombras da praia que vislumbrávamos ao pé do despenhadeiro com o qual o monte terminava bruscamente pelo lado do mar. Só em chegar à beira dava vertigem.

— A ilha do tesouro — eu pensei em voz alta. — É linda!

O lugar cheirava a pinheiro e, de repente, emergindo da parte inferior do escarpado, elevou-se em silêncio uma gigantesca borboleta multicolorida e de rijas asas, que flutuou no ar por cima de nossas cabeças. Era uma mocinha voando em parapente, seguida por um rapaz e depois por outro. Surgiam das sombras de baixo para que o sol do entardecer pudesse iluminá-las. Era lindo.

Luis explicou que o choque da brisa do mar contra o monte provocava uma corrente de ar quase vertical e que por isso elas eram capazes de elevar-se bem acima do farol. Não sei por que identifiquei aqueles aprendizes de anjos com nós três. Eles, dependurados no abismo pelas teias frágeis das asas, e nós, flutuando numa aventura construída de velhas palavras e antigas histórias. Dava medo só de vê-los. Eu estaria intuindo o perigo da nossa própria situação? Fiquei com vontade de abraçar Oriol que, tal como Luis, contemplava a vista em silêncio. Eu estava entre eles e os estreitei pela cintura; não queria discriminar nenhum dos dois. Eles apoiaram os braços nos meus ombros e senti seus corpos quentes e aquela camaradagem que sentíamos na infância quando estávamos de bem com a vida. Lembrei das palavras do poeta Kaváfis em *Ítaca* e percebi que tinha de usufruir aquele momento de ilusão, de esperança; teria de desfrutar cada instante dos dias que estavam por vir. Prestei atenção na beleza da paisagem e no calor dos meus sentimentos pelos meus amigos, e depois enchi de ar os meus pulmões na vã tentativa de reter tudo, de guardar para sempre a luz, a amizade, a emoção, a cor do mar, o brilho dos muros da ilha... e suspirei.

— O que será que esta aventura vai nos trazer agora? — falei.

Nós a avistamos da proa da embarcação que fazia o trajeto de Santa Pola para Nova Tabarca, que se aproximava. O dia estava claro, o mar em calma, e o sol, ainda baixo, reverberava sobre as águas, de tal forma que a ilha parecia estar em meio a um lago de luz. Alguns recifes precediam a ilha daquele lado e logo aparecia a população empoleirada nas muralhas e, em seguida, o pináculo da igreja sobre tudo mais. Seus quatro vitrais barrocos por cima dos telhados das outras edificações me lembravam as troneiras de um bergantim pronto para exibir seus canhões. As gaivotas voavam sobre nossas cabeças e nas águas diáfanas vimos flutuar uma água-viva púrpura quase do tamanho de uma bola de futebol.

No barco, não muito cheio naquela hora, viajavam turistas que iam passar o dia e em sua homenagem, ao chegar ao porto, os marinheiros jogaram pão na água para que chegassem às centenas, aglomerando-se ao redor da comida, belíssimos peixes prateados e vorazes.

— Não perca tanto tempo com os peixes — disse-me Oriol. — Nós o veremos o tempo todo.

Desembarcamos e ao nos encaminhar para o vilarejo atravessamos uma porta aberta na grossa muralha de pedra calcária amarelecida e desgastada. Eu me senti como na época de menina quando visitava a atração dos piratas num dos parques da Flórida. No interior daquela entrada existem dois nichos, um dedicado à Virgem e o outro com várias imagens santas e flores de plástico. Deixamos as coisas no hotel e nos apressamos a dar uma volta para uma inspeção. A ilha não era desconhecida para os primos, pois eles a tinham visitado duas vezes com suas famílias quando meninos.

Nova Tabarca faz jus ao seu segundo nome de ilha Plana. Na realidade, são como duas ilhas que na sua totalidade estendem-se através de 1300 metros com uma planície central em cada uma, que se eleva numa média de sete ou oito metros sobre o nível do mar. A menor, situada a oeste, é a mais elevada e abriga o vilarejo, e é rodeada de muralhas. Os muros estão construídos na sua maioria ao longo de sua extensão, bem em cima dos precipícios que mergulham como chumbo sobre o mar. No centro, o istmo, mais baixo, aloja uma praia ao sul e o porto ao norte, olhando o continente. Ali os meus amigos apreciaram as mudanças: uma zona urbanizada com várias rampas e restaurantes de frente para a praia. Na outra parte da ilha, a maior, há uma torre de defesa do povoado cuja construção é contemporânea, mas os alicerces são romanos, e ainda um farol e um cemitério na sua extremidade mais distante. Ali também estão os restos de uma antiga granja, mas tudo que hoje cresce com certo êxito nessa área, afora o mato, são algumas palmas forrageiras. Concordamos que a existência de cavernas estava garantida por causa da brusca elevação da ilha a partir do mar e da forma caprichosa que tomavam as rochas.

Nossa exploração, partindo da água, iniciou-se pela tarde. Equipamo-nos com simples óculos de mergulho, tubos de respiração e sapatilhas, que não dificultam a natação, permitem andar nas margens e protegem os pés dos espinhos dos ouriços e dos cortes das rochas submersas. Exatamente como em nossa infância, com a diferença de que usávamos sandálias de plástico. Nosso aspecto era semelhante ao dos muitos turistas que desfrutam o fundo marinho que rodeia a ilha.

Saímos do vilarejo pela porta que se abre no muro oeste e nos encontramos com um esporão quase unido a uma ilhota, chamado de Pedreira, muito baixo para ocultar cavernas e por isso não o exploramos. Pela tarde, como geralmente ocorre nessa época do ano, chegou o *lleberig*, o vento sudoeste que picou o mar no lado sul. No entanto, no norte da ilha, as águas continuavam calmas e lá, debaixo da muralha que se elevava verticalmente por cima de nossas cabeças, começamos a nadar.

Estávamos excitados, com um excelente humor, e de vez em quando os rapazes competiam para ver quem era melhor e me deixavam para trás. Mais alto e com um estilo melhor, Oriol ganhava, embora Luis, que ainda mantinha uma certa robustez, aparentasse ser mais musculoso. Em dado momento, quando eles estavam distraídos contemplando um grupo de salpas, de cujas costas cintilavam franjas de ouro e prata ao sol, saí disparada para tomar distância e compensar a minha lentidão. Eu me sentia como uma menina, mas, ao ver aqueles corpos de homens plenamente desenvolvidos, pude perceber a passagem do tempo.

Percorremos uns trezentos metros na direção leste, até que chegamos ao porto e registramos dois pontos onde a muralha apresentava buracos ao nível do mar que talvez fossem antigas cavernas submersas, e resolvemos inspecioná-las com mais detalhes posteriormente. Ainda descobrimos uma pequena gruta mais afastada sem muitas possibilidades e, depois de inspecioná-la, já próximos do porto, continuamos o trajeto até chegarmos atrás do dique.

O trecho seguinte começava num ponto onde havia uma ilhota e um litoral acidentado com placas rochosas adentrando no mar e uma escarpa de três ou quatro metros que separava a linha do litoral da planície superior. Num trecho mais à frente, achamos um arco submerso que separa os arrecifes de uma grande depressão rochosa com água morna. A ilha nos oferecia ali uma bela paisagem submarina formada por rochas cheias de vida, anêmonas verdes e amarelas, estrelas-do-mar avermelhadas, ouriços, corais... que depois se abriam em quedas de azuis nas profundezas, ou nos extensos bancos verdes da posidônia oceânica, também chamadas equivocadamente na ilha de campos de algas, pois são plantas completas com raízes, caules, folhas e fruto. Elas crescem sobre a areia branca, a pouca distância da superfície, e ali, entre suas folhas, se alimentavam peixes tranqüilos e incontáveis. E bandos de galanas, salpas, dourados e sargos prateados. E também peixes transparentes e julianas multicoloridas, que algumas vezes se aproximavam por sua própria conta para bisbilhotar através do vidro dos meus óculos. O mar estava tranqüilo e o sol era filtrado através da superfície, graduando vermelhos e amarelos nas maiores profundidades, mas mantendo as cores perto da superfície, onde nadávamos. Foi uma tarde deliciosa e, embora não tivéssemos encontrado qualquer outro rastro de cavernas, quando chegamos à chamada roca da Tanda, extremo oeste da ilha, resolvemos terminar a exploração por aquele dia, com nosso humor em maré alta.

Antes do jantar, conversamos num bar com um velho pescador da ilha, cujo apelido, Pianelo, evidenciava a história do lugar. Ele nos falou da "Cova del llop marí", situada a poucos metros de onde estávamos, por debaixo das defesas do sul daquele vilarejo-fortaleza. Contou-nos as lendas da gruta, onde a última foca monge se refugiara no primeiro terço do século XX; histórias de piratas, de contrabandistas, de pescadores e de donzelas seqüestradas que se lamentam ululando nas longas noites de ventania de inverno. Ao nível do mar, a cova adentra vários metros até o interior da ilha e Luis queria ir logo pela manhã até ela. Já Oriol queria seguir com nossa exploração de forma sistemática, iniciando na roca da Tanda e avançando pelo litoral sul na direção oeste até encontrar a cova, quando chegaríamos ao recinto amuralhado. A mim coube decidir. E a proposta de Oriol ganhou.

Lembro daquela cena com especial carinho, o meu corpo estava cansado e dolorido pelo esforço, mas comemos e bebemos bem, e rimos muito, apesar das brincadeiras ou graças às brincadeiras e insinuações sexuais que Luis me lançava. Ele estava sendo de novo o galinho do terreiro, mostrava-se divertidamente agressivo e parecia descartar Oriol como um possível rival na hora de me cortejar. Era como se visse claramente a opção sexual do seu primo. Claramente até demais, diga-se.

Eu olhava para Oriol, esperava dos seus comentários, sua reação às bobagens do seu primo, seu sorriso que surgia continuamente, ora olhando para mim, ora para Luis, e sua risada às vezes ruidosa que exibia belos dentes. É verdade que seus gestos podiam parecer amaneirados em algumas ocasiões, mas eu não conseguia deixar de sentir no meu estômago uma sensação especial quando nossos olhares se cruzavam e assim permaneciam, sentindo o prazer em explorar outros olhos.

Resolvemos dar um passeio antes de nos deitar e Luis disse que precisava subir por um momento ao seu quarto.

E lá estava eu andando ao lado de Oriol até a porta, atravessando resolutamente o umbral, com minha má consciência desculpando-se por não esperar o nosso companheiro com a frase:

— A ilha é pequena, ele nos encontrará logo.

QUARENTA E DOIS

Andamos até a muralha norte, atravessando ruelas com muros que ocultavam jardins recônditos dos quais fugiam, saltando suas cercas, buganvílias e cheirosos jasmins, que a iluminação pública estampava com cores de malva e canela e branco sobre verdes. As maravilhas da noite abriam-se na pracinha da igreja e uma palmeira recortava seu perfil exótico contra um céu estrelado. Era uma noite cálida do início de julho e a ilha, depois que os turistas a deixaram no último barco, mostrava-se íntima, familiar, solitária.

Dei a mão para Oriol e o meu coração disparou de excitação, pelo meu atrevimento e pelo prazer de sentir a minha mão envolvida pela dele, grande e quente. Em silêncio, caminhamos até o mirante no ponto elevado do muro.

Diante de nós estendia-se a baía, de águas negras singradas por alguns barcos de pesca e marcadas pelas luzes do litoral. À frente,

Santa Pola, à direita, o farol coroando o monte, e, mais distante, a cidade de Alicante.

Sentamo-nos no parapeito do mirante que arremata a muralha, a muitos metros acima de onde as ondas golpeavam mansamente a parede, com rumor contínuo e sossegado.

Após alguns minutos de silêncio, em voz baixa, de repente ele começou a falar, talvez continuando nossa conversa da noite de São João.

— A morte do meu pai ainda me dói, o seu abandono.

— Estou certa de que ele não quis abandoná-lo. Talvez ele tivesse um compromisso de honra — Oriol me olhou interrogativamente. — Talvez uma promessa feita a um amigo — eu não estava disposta a lhe contar aquela visão pela qual fiquei sabendo que o pai dele estava decidido a morrer para vingar seu amante, pelo menos naquela hora.

— Você sabe — continuei ante seu silêncio —, o juramento dos templários, o da sagrada legião tebana que você me contou.

Eu lembrava daquilo que o próprio Oriol dissera. "Não é lindo amar tanto uma pessoa a ponto de dar a vida por ela?"

— Aquela história não terminou — disse-me em seguida, meditabundo, talvez adivinhando meu pensamento. — Entre nós e os Boix ainda pode correr sangue.

Estremeci. Eram as mesmas palavras de Artur.

— Concentre-se nesta paz, na beleza deste momento — continuou. — Sinto-a como a calma que precede a tempestade. Artur Boix não vai renunciar ao tesouro. Não sei como, mas tenho certeza de que ele nos vigia.

Sua mão continuava envolvendo a minha, e apertou-a com mais força quando pronunciou essas palavras e, ante o meu silêncio, disse:

— A promessa, a dos cavaleiros templários. Você juraria comigo?

Sua proposta me deixou estupefata e pensativa. Historicamente era um pacto entre pessoas do mesmo sexo. Oriol estaria insinuando que era este o nosso caso? Eu não sabia se queria lhe perguntar isso, ao menos não com palavras, e resolvi me arriscar com um beijo, que eu desejava. Com o coração disparado, aproximei a minha boca do seu rosto, eu queria sentir outra vez o sabor do mar, da adolescência.

— Então vocês estavam aqui!

Entre as centenas de vezes que odiei Luis, sem dúvida essa superou todas. É esse dom para a discórdia que ele é capaz de exercer até quando não quer. Ali estava ele, no outro lado do mirante, aproximando-se de nós, mas ainda distante para avaliar nossa situação na penumbra.

A minha distância de Oriol, que segundos antes se encurtava, aumentou de repente e soltei sua mão. Eu não achava que Luis tivesse percebido alguma coisa, mas não queria lhe dar margem para suas brincadeiras insensatas.

Ao voltarmos pouco depois para nossos quartos, eu ainda sentia o calor da mão de Oriol na minha e o desejo daquele beijo frustrado. E suspirava por ele, apoiada no parapeito da janela que dava para o sul, para o mar aberto, contemplando as luzes longínquas de um barco, quando ouvi batidas discretas na minha porta. O meu coração deu uma volta.

Pensei comigo que devia ser Oriol, que ele também sentia o mesmo que eu, e que a aparição de seu primo o tinha aborrecido tanto quanto a mim. Fui correndo até a porta e, ao abri-la, dei de cara com Luis. Sorria meio zombeteiro, meio sedutor.

— Fico um pouco com você? — ele se ofereceu.

— Vai pra merda! Cretino! — dei-lhe uma espetada, fechando a porta com toda intenção de bater no nariz dele. O estúpido havia acreditado de verdade nas suas próprias brincadeiras?

Indignação, frustração, ânsia, não sei como expressar o que sentia naquele momento, mas a raiva logo passou. Eu estava alterada, desejava aquele beijo com a certeza de que minutos antes Oriol o teria aceitado com encantamento. Algo dentro de mim me dizia isso. Não, eu não podia ficar assim, com esse fracasso. Fitei meus anéis. O de diamante brilhava com inocência, pureza, recordando-me a obrigação que tinha com Mike, e o de rubi vermelho, agora de paixão, cintilava com ironia. Tirei os dois e coloquei-os na cabeceira da cama, tapando-os raivosamente com a almofada. Eu não queria vê-los.

Pensei na minha mãe e no seu caso com Enric. Pelo menos ela teve a ousadia de tentar. Saiu-se mal, mas não foi sua culpa. Eu seria então covarde?

Abri a porta e andei cautelosamente pelo corredor, não havia nem rastro de Luis e me detive frente à porta de Oriol com a mão já levantada para bater. E assim fiquei, imóvel, abobada. O que ia lhe dizer? "Fico um pouco com você?", tal como seu primo havia me proposto? Você me deve um beijo? Percebi que aquilo era o que Maria del Mar tinha tentado evitar nos últimos quatorze anos. De repente, fiquei apavorada. O que Oriol pensaria? Será que ele era mesmo *gay* e me rechaçaria? Ou, pior ainda, ele me aceitaria da mesma maneira que Enric fez com minha mãe? E Mike?

Tenho vergonha de confessar que bati em retirada até meu quarto. Pensei na mamãe. Era preciso coragem para fazer aquilo! Especialmente quando se sente algo pela outra pessoa e se tem medo de estragar tudo. Naquela noite chorei pela minha covardia sobre o travesseiro e com os dois anéis guardados na gaveta da cabeceira da cama.

O dia seguinte amanheceu brilhante e limpo, com o mar calmo, e quando abri a janela o mau humor da noite saiu por ela. Resolvi desfrutar o dia e, depois de um bom desjejum, cheio de risadas, não isentas de olhares carregados de intenção, nós três estávamos exuberantes.

A manhã acabou sendo a continuação da inolvidável tarde anterior. Um sol que acariciava a pele, até debaixo d'água, iluminando os bancos verdes de posidônia sobre areias brancas que contrastavam com paredes rochosas que descaíam quase verticais nas profundezas invisíveis, com centenas de peixes flutuando em diferentes alturas, em surpreendentes transparências de um azul crescente. E com o gosto de sal na boca que fazia lembrar o sabor do primeiro beijo. Era um Mediterrâneo amável e carinhoso que me transportava para trás, para os dias encantados de verão da minha infância.

Afora o desfrute do mar, a exploração da extensão que ia do extremo leste de Tabarca até a praia não levou a qualquer descoberta. Mas, na zona sudoeste, debaixo de algumas rochas enormes onde se assentam as muralhas do vilarejo, uma surpresa nos aguardava. No lugar em que esperávamos achar a "Cova del llop marí" não havia apenas uma gruta, e sim duas, ambas separadas por uma vala. Eram semelhantes, embora uma fosse mais profunda que a outra. Podia-se entrar nadando e o chão estava submerso nos primeiros metros e depois se elevava acima do nível do mar, oferecendo um fundo de rocha coberto de pedras em alguns trechos. Em ambas, aos poucos podia-se chegar a uma área onde grandes penhascos terminavam o fundo da caverna. Estávamos equipados com lanternas, mas a exploração das grutas não forneceu qualquer resultado esperançoso.

Para ficar em paz com a consciência, nos dias seguintes investigamos todas as cavernas, até mesmo escavando com ferramentas os fundos de areia ou de pedra miúda no solo do mar. Os ânimos sofreram uma deterioração progressiva conforme se perdiam as esperanças de achar algo, as risadas foram acabando pouco a pouco, e junto ao desânimo veio o cansaço, o desengano. Nós resistíamos, mas no fim chegamos à dolorosa conclusão de que aquilo era o fim da nossa aventura.

QUARENTA E TRÊS

Na volta, Oriol quis parar em Peñiscola, para visitar a base marítima templária onde Arnau d'Estopinyá castigava os infiéis.

— Talvez encontremos alguma pista — ele argumentou para nos convencer.

A verdade é que não estávamos para visitas turísticas; nosso moral estava no chão. A história de tesouros e piratas havia desvanecido com uma última volta pela ilha sem que nada de novo nos tivesse chamado a atenção em qualquer das cavernas, que foram localizadas antecipadamente e depois exploradas em cada milímetro. Nenhum indício que nos permitisse supor que Arnau havia ocultado seu legendário tesouro por ali. Tampouco conseguimos localizar outras cavernas. Investigamos meticulosamente, nos detivemos em cada greta, removemos pedras, escavamos na areia. E nada. Era como em nossa época de criança, quando brincávamos com grandes e belas bolhas de sabão que iam formando um arco-íris na sua superfície e que, ao estourar, nos deixavam com a cara molhada e a expressão de desilusão.

— Aqui não encontraremos nada — Luis falou desanimado. — Voltemos o quanto antes para Barcelona.

Eu estava de acordo, mas outra vez apoiei Oriol. Ele sempre tinha razão ou seria eu que queria agradá-lo? A resposta era óbvia.

Percorremos a parte antiga do povoado e sua fortaleza. Oriol estava bem-humorado e com uma energia surpreendente, enquanto Luis e eu praticamente arrastávamos os pés de puro desânimo. Examinamos o castelo do Papa Luna, o dissidente, duzentos anos posterior a Arnau e ao velho comendador Pere de Sant Just que fez com que sua fortaleza, porto e povo se rendessem às tropas de Jaime II sem oferecer resistência, no dia 12 de dezembro de 1307. Foram feitas muitas construções desde os tempos dos templários, mas alguns elementos arquitetônicos do século XIII ainda podem ser identificados, as mesmas pedras que Arnau d'Estopinyá, se é que algum dia existiu tal personagem, viu.

Depois Oriol propôs que se contemplasse esse conjunto monumental da praia, e Luis mal-humorado, e eu cansada, o seguimos. Foi ali na beira do mar, olhando a fortaleza à distância, que Oriol nos disse:

— Acredito que encontramos a caverna.

— O queeê!? — exclamamos ao mesmo tempo.

— Já encontramos — ele sorria satisfeito, vendo nossas caras.

— Mas não achamos nada! — exclamei.

— Achamos, sim — ele ampliou o sorriso. Estava contente.

— Achamos o quê? — o tom agressivo de Luis denotava seu pensamento: seu primo estava fazendo uma brincadeira.

— Uma pista. Uma pista importante.

— Que pista?

— Pedras.

— Pára com isso, Oriol — Luis se aborrecia. — Nós vimos milhões de pedras. Minhas mãos estão destroçadas de tanto removê-las.

— É verdade, mas poucas eram de granito ou de mármore.

— Granito ou mármore? — repeti, tentando obter mais informações.

— Pedras arredondadas, de três a quatro quilos.

— Vimos montanhas de pedras arredondadas — repliquei.

— Mas têm de ser de granito ou mármore! — Oriol repetiu.

— Não estamos entendendo. E aí? — Luis gesticulou. — Onde você quer chegar?

— Pedras arredondadas de granito ou de mármore numa ilha onde não existe esse tipo de rocha. Diz alguma coisa?

— Que não se encaixam — eu retruquei. — Que estão fora do lugar.

— Elas devem ter sido removidas pelas correntes — Luis aventurou.

— Você acredita que as correntes levam pedras até o fundo do mar e depois as trazem para cima?

— Talvez.

— Não. O homem é que trouxe estas pedras e elas estão tapando a entrada de uma das cavernas submersas.

Luis e eu nos entreolhamos assombrados.

— É isso, e elas têm forma arredondada porque eram projéteis — Oriol continuou. — Projéteis de catapulta que serviam como lastro das galeras.

E ficou em silêncio, observando-nos.

— Conta tudo de uma vez — Luis impacientou-se.

— Bem. Eis minha teoria. Na parte sul da ilha, do lado leste, frente a uma escarpa, e submersos a meio metro em maré baixa, há um montão de pedras arredondadas muito parecidas entre si. Apresentam o mesmo tamanho e são de minerais que não existem em Tabarca. Naquela área só há rochas metamórficas de cor verde-escura e uma ou outra ocre; esse mineral foi extraído da ilha no passado. Isto despertou a minha atenção em nossa primeira volta e verifiquei nas outras vezes. As pedras às quais me refiro foram trazidas pelo homem. Quem poderia trazer essas rochas tão uniformes e de constituições diferentes? O lógico é pensar que não foram carregadas à toa, e sim que alguém que as utilizava habitualmente tenha resolvido se livrar delas por alguma necessidade pontual. Eu cheguei à conclusão de que deve ter sido uma galera; eram usadas como lastro e como projéteis.

— Explica isso de projéteis — Luis quis saber.

— As galeras tinham um equipamento regulamentado, dependendo do seu tamanho. Os inventários escritos que chegaram até nós são bem estritos, tantos remos, timões de reposição, cascos, couraças, lanças, balestras, arcos, setas, máquinas de guerra e... projéteis para estas. No final do século XIII, as galeras venezianas já se equipavam com artilharia, mas o mais provável é que a *Na Santa Coloma* de Arnau d'Estopinyá ainda usasse as velhas catapultas. E estas lançavam rochas arredondadas para destruir as naves inimigas e cântaros com nafta incandescente para incendiá-las. Mas não importa, mesmo que Arnau usasse artilharia nessa época, os canhões lançavam pedras. Elementar!

"Se você quer ocultar uma caverna que se abre próximo da superfície do mar num pequeno sifão, como deve ser este o caso, é só mover algumas rochas grandes para impedir que as menores possam rolar até o fundo do mar e cobrir o resto com os projéteis que lhe servem de lastro no porão. Assim se consegue ocultar a caverna, mas sempre se pode abri-la movendo essas pedras de tamanho manejável para fora da entrada. O que lhes parece?

— Incrível! — exclamei impressionada. — Então o tesouro ainda pode existir?

— Pode, sim.

— E por que você esperou tanto tempo para nos contar isso? — embora a voz de Luis indicasse excitação, ele ainda parecia ressentido.

— Porque tenho medo de Boix e de seus homens. Fiquei atento durante toda a viagem e não vi nada nem ninguém diferente, mas estou certo de que nos vigiavam. Artur Boix não vai se dar por vencido, e achei que seria melhor que eles pensassem que nos retirávamos desanimados. Ainda que eu não entenda por que não notei nada, estou convencido de que ele sabe de tudo o que fazemos. E chego mesmo a ter medo de que ele tenha colocado microfones no carro, e por isso quis falar disso aqui na praia e peço a vocês que não tratemos mais deste assunto, nem no automóvel nem em casa.

— Mas cedo ou tarde teremos que voltar para Tabarca — eu afirmei.

— Cedo — Oriol rebateu. — Fiquei dois dias meditando sobre o próximo passo. E este é o plano: amanhã seguiremos com a vida normal, aparentando retomar nossas atividades cotidianas. Depois de amanhã, você, Cristina, aluga um carro e vai fazer turismo na Costa Brava. E você, Luis, vai para Madri em viagem de negócios. Assim podemos ter certeza de despistar quem quer que esteja nos seguindo. A bagagem de vocês deve ser a mais reduzida possível, uma bolsa de mão ou algo assim. E eu irei, dando muitas voltas, até Salou, onde um amigo me emprestará um barco de quarenta pés, equipado com uma lancha zodiac, e com ele zarparei para Valência. Lá, eu pego Cristina na marina. A minha idéia é que você deixe o carro alugado estacionado com as chaves escondidas dentro dele, próximo da estação de um dos vilarejos que visitar, e volte para Barcelona para pegar a ferrovia do aeroporto e comprar ali mesmo uma passagem para Valência, mas só usando o bilhete de embarque no último minuto, assim ninguém saberá do seu destino até quando for muito tarde para segui-la. E pegarei Luis no porto de Altea. Eu sugiro que você use duas vezes a mesma tática de Cristina, uma para o vôo de Barcelona até Madri e a outra de Madri até Alicante. Se alguém os seguir, e somente em caso de emergência, liguem para o meu celular para modificarmos o plano. Se ninguém chamar é porque tudo vai bem. No barco terá equipamento de mergulho para facilitar o trabalho debaixo d'água.

— Você não está exagerando com tanta precaução? — inquiri.

Oriol ficou me olhando com seus olhos rasgados de azul do mar. Era um olhar profundo e me senti estremecer. Como é que esse homem ainda podia ser capaz de me perturbar apenas com seus olhos?

— Você o conhece — ele sabia que sim e só respondi com um pequeno movimento de cabeça.

— Não. Não o conhece, não — ele continuou. — Não o conhece, mesmo. É esperto, é cruel, é delinqüente, acha que os Bonaplata têm uma dívida com a família dele e quer se ressarcir. Ele não vai afrouxar, não vai se dar por vencido.

As palavras de Artur sobre a dívida de sangue voltaram à minha memória, mas continuei calada.

— É um tipo perigoso, muito perigoso, e qualquer esforço para mantê-lo distante é pouco — Oriol seguiu adiante.

Artur Boix, esse homem perigoso segundo Oriol, me cortejava. E era um galã bastante apetecível. Talvez não para mim, que já estava comprometida, em Nova York, mas certamente o era para quase todas as outras. E ele sabia disso.

Eu já tinha notado nos encontros anteriores. Ele se apresentava com todo seu charme, e com ar mundano e muita classe fazia com que seus elogios chegassem melhor ao outro. Com ele você se sente como uma rainha.

E assim me senti na primeira parte do almoço para o qual ele havia me convidado, justamente um dia após o nosso regresso de Tabarca. Era como estivesse me esperando. Sem mencioná-lo, ambos lembramos do beijo de despedida que ele me deu e eu aceitei, com surpresa, antes de entrar furtivamente pela porta de trás da igreja de Santa Anna.

Devo confessar que na sobremesa eu já sentia uma certa atração por ele. É um sedutor profissional. Não fica bem dizer isso e àquela altura eu já devia ter muito claros os meus afetos, mas desde a minha chegada a Barcelona não pude impedir que os acontecimentos me arrastassem, passando a viver com toda intensidade a estranha vida que me aguardava aqui, sem tempo para pensar muito.

Eu era uma mulher comprometida e formal, acontece que as circunstâncias me levaram a enfrentar o meu primeiro e, por muitos anos, apesar da ausência, único amor. E ficar ao lado dele me alterava. Isto já era suficientemente complicado, e agora me rondava esse outro sedutor, capaz de tocar em todos os pontos sensíveis de uma mulher para despertar seu carinho. Eu estava com tais pensamentos quando Artur estendeu a mão em busca da minha e, capturando-a, beijou-a. Isto terminou com a minha meditação. Fechei os olhos, suspirei e pensei comigo, que se minha capacidade para manejar sentimentos estivera desajustada ultimamente, eu bem que poderia esperar alguns dias mais para repará-la.

— Como é que foi sua busca do tesouro em Tabarca? — esta pergunta inesperada me alarmou. O meu galã tinha um interesse pecuniário.

— Como é que você sabe que eu estive em Tabarca?

— Eu sei — ele sorria. — Eu cuido dos meus negócios. Parte deste tesouro me pertence.

— Você esteve nos vigiando?

Artur deu de ombros e me lançou um dos seus sorrisos fascinantes. Como um menino flagrado numa pilhéria de pouca monta.

— Então você já sabe que não encontramos nem uma miserável pista — eu menti.

— Assim parece. Mas me decepciona, eu tinha posto as minhas esperanças em você.

— Em mim?

— Claro, em você. Somos sócios — voltou a tomar minha mão. — E podemos ser ainda mais, se você quiser. A mim correspondem dois terços do tesouro, como herdeiro legítimo dos dois quadros que Enric roubou da minha família. A terceira parte é sua, mas o teimoso do Oriol jamais quis negociar comigo. Ele é igual ao pai.

Eu o observei para saber se ele afirmava isso com má intenção, mas não percebi ironia alguma, nem no seu tom nem no seu gesto.

— Vamos chegar a um acordo, nós dois — ele disse. — Estou disposto a lhe ceder uma das minhas partes se formos uma equipe. E também daria alguma coisa aos outros dois para ter paz.

— Tudo isso está ótimo — rebati. — Mas não há nada para negociar. Não há tesouro — tomei a decisão de mentir, eu gostava de Artur, mas não queria trair Oriol. Talvez o antiquário tivesse razão, talvez devêssemos chegar a um acordo. Teríamos que falar disso.

— E agora, o que vai fazer? — perguntou-me.

— Aproveitarei para visitar Costa Brava por uns dias. Vou amanhã.

— Sozinha?

— Sim.

— Te acompanho.

Voltei a observá-lo. Ele queria me seduzir ou suspeitava que esse não era o meu verdadeiro destino?

— Não, Artur. Vejo você quando regressar.

Ao sair do restaurante, ele me convidou para ir a sua casa. Confesso que fiquei na dúvida por alguns segundos antes de negar. Tinha duas boas razões. Os outros dois homens. Mas a embrulhada estava feita.

QUARENTA E QUATRO

Desta vez a ilha apareceu na sua extremidade leste. Navegávamos a partir do porto de Altea, onde pegamos Luis e em cujas águas resguardadas passáramos a primeira noite. Era um barco grande com uma cama ampla sob a proa que os primos cederam galantemente para mim. Eles dormiram na antecâmara, uma grande sala que abrigava a cozinha e os catres. Oriol nos fez madrugar e, com uma habilidade que me surpreendeu, mesmo depois de saber que ele tinha licença para capitanear iate, realizou todas as manobras necessárias para zarpar e em poucos minutos estávamos navegando na direção sul.

Quando divisei ao longe sua cor de terra iluminada pelo sol que vinha de nossas costas, o meu coração começou a girar. Lá estava outra vez a ilha do tesouro. E agora conseguiríamos!

Lançamos âncora no lado sudeste, o sonar do barco marcava sete metros de profundidade e o litoral ficava a uns vinte e cinco metros. Ali em frente estava o lugar em que os projéteis de catapulta da galera de Arnau ocultavam seu tesouro.

— É melhor a gente usar trajes de neopreno, sapatilhas e luvas. É para nos proteger de pancadas e raspaduras e do frio — informou Oriol. — O pé-de-pato não é bom porque seria um estorvo para os pés. Usaremos sandálias de plástico em cima das sapatilhas como maior proteção contra as rochas.

Iniciamos o trabalho com entusiasmo. O mar estava sereno e o leito de rochas, tal como Oriol havia dito, arredondadas e de tamanhos iguais, estendia-se ao pé de um farol elevado quase em vertical em uns cinco metros sobre o mar. A primeira coisa que Luis e eu fizemos, depois de ter saltado do barco e nadado até a margem, foi comprovar a constituição diferente daqueles pedregulhos, e alguns eram realmente de granito e basalto e outros pareciam mármore ou quartzo, embora também houvesse rocha vulcânica esverdeada, ou de calcário ocre, autóctones daquela parte da ilha. Ainda que não tenhamos duvidado de Oriol, a nossa comprovação nos encheu de alegria.

Tínhamos alguns vizinhos simpáticos, às vezes ruidosos; no escarpado, bem acima de nossas cabeças, algumas pardelas de papo branco iam e vinham dos seus ninhos em contínua atividade de pesca.

Na maré baixa, as pedras ficavam a uns cinqüenta centímetros de profundidade, e na preamar a quase um metro. Começamos a deslocar as rochas até um declive situado a pouca distância mar adentro; dispô-las ali assegurava que as ondas pequenas não as devolvessem ao mesmo lugar. A fronteira entre o fundo de pedras arredondadas e a área mais profunda era formada por um pequeno arrecife de rochas maiores que, tal como suspeitávamos, talvez tenham sido realmente transportadas pelo homem.

No início nos postamos no limite do arrecife e era fácil lançar as pedras do outro lado, sobretudo quando a água estava baixa e não precisávamos respirar pelo tubo, mas, quando tivemos que mover as rochas para distâncias maiores, tornou-se incômodo andar sobre aquelas pedras e resolvemos fazer uma corrente de trabalho. O que recolhia a pedra passava para o segundo, enquanto o terceiro lançava-a por cima da barreira. Logo os braços e as cinturas se ressentiram e nos demos conta de que seria necessário trabalhar por alguns dias. Fazíamos descansos freqüentes e, na maré alta, um repouso de várias horas.

Oriol mantinha-se em constante alerta e sua inquietude nos contagiou.

— Não acredito que se possa enganar Artur tão facilmente — repetia. — Ele pode aparecer a qualquer momento. E se fizer isso, as coisas vão ficar feias.

Assim, passamos a ter receio de qualquer embarcação que se aproximava, mas felizmente aquela não era uma zona de ancoragem autorizada. Todo mundo ia para a praia no sul, situada a uns quatrocentos metros a oeste de onde estávamos, depois de uma pequena ilha e de uma ilhota. Lá, auxiliados por uma lancha pneumática, ou em alguns casos a nado, os turistas ficam próximos dos restaurantes que margeiam a praia e o vilarejo.

Tal como uma esposa infiel ao marido, eu me sentia culpada por não ter contado para Oriol o meu encontro com o antiquário depois de nosso regresso para Barcelona. Absurdo, eu pensava. Não tenho nada com nenhum dos dois, e se tivesse que me sentir culpada com alguém seria com Mike.

Ao meio-dia deslocamos o barco até a área da praia, descemos da lancha e, como três turistas, fomos comer uma deliciosa caldeirada tabarquina num dos restaurantes.

— Não devemos esquecer do prazer, não vamos deixar que o trabalho excessivo atrapalhe a aventura — Luis advertia Oriol durante a comida, quando surgiu a controvérsia a respeito do seu pedido de uma segunda jarra de sangria. — Lembra da filosofia do seu pai. A vida tem que ser desfrutada ao longo do caminho. Quando se chega a algum lugar, resta pouco para usufruir. O objetivo é a aventura em si, o tesouro é só uma questão de sorte.

— Você tem razão — Oriol concordou. — Mas estou inquieto por causa de Artur, tenho medo que ele apareça sem se anunciar, e não ficarei tranqüilo até entrar nessa caverna.

Como espectadora, a troca de papéis entre os primos me parecia bastante curiosa. O *okupa*, rebelde contra o sistema, preocupava-se com objetivos materiais, e o capitalista, prosaico e escravo da grana, ocupava-se em desfrutar o momento quando tinha uma fortuna ao alcance das mãos. Viver para ver.

Na madrugada do terceiro dia começou a soprar o *mistral*, vento do noroeste, mas estávamos atracados a sudeste, de modo que o corpo da ilha nos protegia e continuamos nosso trabalho sem maiores inconvenientes. Uma entrada da rocha tinha ficado a descoberto, mostrando uma passagem até o centro da ilha, a uns setenta centímetros sob a superfície, em maré baixa. Mas ainda restava muita pedra para ser retirada. Fazíamos turnos em posições diferentes, para evitar uma postura repetitiva, mas, depois que fizemos descer o nível do fundo, o trabalho se dificultou e tínhamos que brigar o tempo todo com o tubo e os óculos de mergulho.

Naquela tarde trabalhamos como nunca, o túnel se abria aos nossos olhos e, apesar do cansaço, a emoção nos fez continuar retirando pedras da entrada. Enquanto isso, o vento tinha mudado para um levante que, chegando do leste, erguia as ondas que se quebravam contra o farol. No fim não restou mais remédio senão usar colete, tanque de ar e lanterna para ver dentro do vão.

Quando o sol se pôs, o túnel já se mostrava praticável, mas decidimos entrar na manhã seguinte. Estávamos muito cansados para terminar nossa aventura naquela noite e as ondas batiam com muita fúria contra as rochas. Era perigoso e mais ainda com o corpo exaurido.

— Dizem que o levante costuma durar três dias — informou Oriol. — E vai piorar. Vamos ter uma noite movimentada. Seria prudente nos refugiarmos no porto.

Não quisemos. Ter um tesouro em nossas mãos e abandoná-lo era demasiado para nós.

A previsão era de ondas com força de dois a três nós, incômodas, mas não perigosas. Oriol resolveu afastar o barco dez metros mais da costa, e ancoramos num ponto que tinha uma profundidade de onze metros. Reforcei a minha medicação contra enjôo e o banho tornou-se um desafio. A água ia de um lado para o outro conforme o barco balançava; era preciso persegui-la e fazer com que chegasse ao meu corpo era uma vitória. Sem falar muito, despachamos a refeição com alguns sanduíches. O mar esgota e mais ainda quando está agitado. E se nas noites anteriores caímos rendidos na cama, nesta muito mais.

Mas eu não podia deixar de pensar que o dia seguinte seria o grande dia, o dia sonhado. O dia do tesouro. Dormi rezando para que o vento acalmasse, para que as ondas reduzissem e que pudéssemos entrar. Mas eu estava inquieta. Era emoção ou pressentimento? Alguma coisa estava para acontecer.

Durante a noite ouviu-se um forte golpe. O meu sono devia estar sendo superficial, inquieto, e eu me levantei com um salto. Procurei a luz para me orientar e vi que tudo se mexia, mais ainda do que quando me deitei. O que estava havendo? Tínhamos chocado com alguma coisa? Antes de deitarmos verificamos a ancoragem e, pelos puxões que o barco dava, eu não acreditava que ele tivesse se soltado, não podíamos estar à deriva. Não se ouvia nada na antecâmara e achei que devia investigar o que estava ocorrendo. Abri a portinhola de dobradiças que me separava da salinha e, ao acender a luz, deparei-me com Luis sentado no chão, tentando averiguar onde estava. Tinha caído da cama com um solavanco e na sua expressão dorminhoca e aturdida eu vi o gordinho da minha infância. As minhas gargalhadas conseguiram despertar Oriol.

QUARENTA E CINCO

O levante continuava soprando, embora tivesse mudado ligeiramente para o sul, e trouxe um amanhecer sem brumas com um sol que apareceu quase sem avisar, elevando-se no horizonte de mar e céu.

Olhei para a ilha e as ondas batiam incansavelmente na escarpa, não eram excessivas e sim perigosas, e decepcionada pensei comigo que não poderíamos entrar na caverna naquelas condições. As pardelas do farol já estavam acordadas e voavam contra o vento, competindo com as gaivotas na busca de comida.

Estranhei ao ver turistas tão cedo naquela parte da ilha. Embora já tivesse começado a temporada, durante todos aqueles dias de trabalho não tínhamos visto muita gente; estávamos num lugar afastado do vilarejo e da praia e, portanto, pouco concorrido. Mas não dei maior importância.

Fui ao banheiro e, enquanto cavalgava sobre o vaso, resolvi tomar outro comprimido contra enjôo e voltar para cama. Não sei por que resolvi olhar de novo para fora. Dois barcos do mesmo tamanho do nosso vinham em nossa direção com uma velocidade que os fazia saltar sobre as ondas. Não me dei conta do que acontecia até que reconheci um dos tripulantes: era Artur.

— Estão nos abordando — gritei para os adormecidos. — É Artur!

Os primos custaram para reagir e os outros chegavam a toda pressa. Manobraram com destreza e o barco de Artur bateu, não com muita força, na popa do nosso.

Imediatamente Oriol pareceu compreender o que ocorria e levantou-se de um salto, e, como se já tivesse vivido aquilo muitas vezes em sonhos, sem parar para pensar, sem nenhuma vacilação, pegou o croque e, saindo para o convés, começou a usá-lo como clava para impedir a abordagem dos homens do antiquário. Teve tanta perícia ao bater na cabeça de um deles que o homem caiu no mar. Mas ele estava na popa e não pôde evitar que dois indivíduos do outro barco entrassem por nossa proa. Estávamos perdidos.

— Chama a polícia — pediu Oriol.

Corri até o rádio, mas Luis, que deixara seu primo sozinho na confusão, pegou-me pelo braço e me fez descer da ponte.

— Deixa pra lá — disse-me. — Se a polícia vier ficaremos sem o tesouro. É melhor negociar com eles.

— Negociar? — repeti surpreendida. — Como você pode... — não terminei a frase, um dos capangas de Artur tinha dado a volta na cabine por estibordo e já chegava a Oriol pelas costas.

— Atrás!

Gritei e ele girou com rapidez enquanto usava o croque como um molinete, mas o sujeito já tinha pulado em cima dele e pôde parar o golpe com os braços. Artur e um outro homem saltavam bem atrás de Oriol que, girando e vendo ali seu inimigo, sem hesitar nem um só instante deu um soco em sua boca. Fiquei surpresa. O *okupa* parecia conhecer as artes marciais. Oriol fazia aquilo como um pacifista, mas fazia muito bem. Os outros dois indivíduos, quase tão altos quanto ele, embora muito mais fortes, agarraram-no ao mesmo tempo que recomendavam calma e lhe davam duas porradas na boca do estômago. O soco dado no antiquário não tinha sido muito forte, mas ele levou a mão aos lábios para ver se sangravam. Como não era o caso, Artur recuperou seus modos mundanos e sorriu para mim:

— A Costa Brava fica mais ao norte — disse-me. — Você sabia, querida?

— Sim, querido — rebati com o mesmo tom cínico. — Mudança de planos.

Ele inclinou ligeiramente a cabeça, aceitando educadamente a explicação de uma dama.

— Senhor Casajoana — disse para Luis. — Vejo que você é um homem de palavra e que cumpre seus compromissos.

Luis! Pensei. Luis é cupincha de Artur. Como pode ser?

— Os acordos existem para serem honrados — Luis respondeu. — Agora, tal como combinamos, cabe a você negociar com meus amigos até que se consiga um bom acordo para todos.

— Já tentei antes, sem êxito. Você acha que agora eles estarão mais receptivos? — Artur sorria, malévolo. Estava desfrutando sua vitória.

— Sim. Estou certo que vão te escutar — Luis afirmou, lançando-me um olhar de súplica.

— Mas como é que você pôde fazer isso? — censurei-o. — Por que nos traiu?

— A minha opinião é que o senhor Boix também tem direito a uma parte do tesouro — ele afirmou, enquanto levantava a barbicha com um gesto que pretendia ser digno.

— Você reconheceu isso? — eu quis saber. — Em nome de todos?

— E ele também me vendeu sua parte — Artur esclareceu. — Faz alguns meses que seu amigo perdeu muito dinheiro com o investimento que havia feito em algumas empresas da Internet, dinheiro que não era somente seu; ele estava apressado, negociamos e eu comprei a parte dele do tesouro. E hoje ele cumpriu sua promessa.

— Mas como é que você pôde...?

— Fui obrigado a fazê-lo! — Luis estava alterado. — Ele me ameaçava de morte!

O tom que usava me fez lembrar do gordinho chorão de nossa infância. Deus, falei comigo mesma, se ele começar a choramingar, quebro a cara dele!

— E agora ele vai matar todos nós — Oriol interveio. — Não está percebendo isso, seu estúpido? Será que você não entende que, mesmo chegando a um acordo, ele nunca poderá vender as peças com tranqüilidade, tendo três testemunhas que podem denunciá-lo?

— Você se acha muito esperto — Artur encarou Oriol, que continuava agarrado pelos braços por aqueles dois indivíduos com cara de facínoras. — Achava que podia me enganar, que o crime do degenerado do seu pai ia ficar impune, que podia se apoderar de tudo... E ainda por cima se atreve a me dar um soco... — levantou o punho direito e deu uma cacetada na boca de Oriol, que não pôde defender-se. O golpe soou amortecido como se algo se partisse. Corri para me interpor entre eles e Artur me empurrou para o lado.

— Afaste-se! — ele rugiu. — Isto é entre nós dois...

Como advogada nunca aconselharei a ninguém que procure essa situação, e menos ainda que a provoque, mas, se uma mulher oscila entre dois homens, não existe melhor forma de aclarar seus sentimentos do que vendo seus pretendentes enfrentando-se... a sério. O coração toma partido de imediato. Ver Oriol subjugado por aqueles dois brutamontes, com os lábios cobertos de sangue, e um Artur triunfante o agredindo, mesmo reconhecendo que Oriol tinha sido o primeiro a agredir, fez com que eu sentisse uma grande ternura pelo rapaz de olhos rasgados e ódio pelo seu oponente. E assim, como era previsível, o meu coração decidiu-se por Oriol e de passagem fiz valer o dinheiro empatado no curso de defesa pessoal que eu jamais havia usado por falta de agressor. Foi instintivo. Acabei dando um chute preciso entre as pernas de Artur. Foi um impacto seco seguido de um resfôlego e um grito que não terminava de sair de sua garganta. Ele caiu sobre os joelhos protegendo, embora tardiamente, suas partes com as mãos e logo virou um novelo no chão. Devo reconhecer que até mesmo isso ele era capaz de fazer com estilo e elegância.

Oriol aproveitou o desconcerto e, safando-se do tipo que segurava seu braço direito, deu-lhe uma cotovelada na cara. O sujeito caiu para trás enquanto o meu amigo desferia um murro no outro, que, na intenção de esquivar-se, também o soltou. Oriol não pensou duas vezes e sem deter-se saltou pela borda. Imediatamente eu soube o que ele ia fazer e senti pânico. Sem nenhum tipo de equipamento ou proteção, Oriol nadava na direção da entrada da caverna que as ondas golpeavam sem descanso. Era suicídio. Não sabíamos o que havia do outro lado. A caverna podia estar obstruída por algum desmoronamento ou inundada, ou ele podia estar sem forças para atravessar o sifão pelo seu cansaço por causa da briga e por ter nadado naquele mar agitado, ou as ondas poderiam esmagá-lo contra a parede, ou mil coisas mais. Se saísse vivo dessa seria um milagre.

Desde a nossa conversa da noite no vilarejo, em nossa primeira viagem, eu não parei de pensar na promessa templária que Oriol propôs para nós dois e que foi interrompida pelo seu primo, talvez esperando o momento oportuno para selar aquilo e algo mais com um beijo, o beijo que Luis frustrou. A promessa da legião sagrada de Tebas e dos cavaleiros da Têmpera que juravam nunca abandonar o companheiro, sacrificando por ele sua vida. A mesma jura que fez Enric matar quatro homens para vingar seu amante.

Em mim vibrava a mesma emoção, a mesma força que me fez defender o meu amigo, chutando entre as pernas de Artur sem qualquer preocupação com as conseqüências. E, naquele momento, vendo o rapazinho magro e tímido que tanto amei lutando contra as ondas, aquele que me deu o primeiro beijo, saiu do fundo do meu coração:

— Eu te prometo.

Na noite anterior, já esgotada, eu tinha tombado na cama sem cumprir uma regra básica com os equipamentos de mergulho.

Desmontá-los e limpá-los. Lá estavam o meu traje neopreno e as sapatilhas em cima dos pesos e o colete com o tanque adaptado e o regulador ajustado. Eu só havia fechado a passagem de ar. Aproveitando a confusão e o fato de que todos estavam atentos em Oriol, precipitei-me na direção do equipamento e, abrindo a válvula, verifiquei que restavam pouco mais de cem atmosferas. O suficiente para salvar nós dois. Calcei as sapatilhas, pus os óculos e o tubo no pescoço e, apoiando o colete e o tanque num dos leitos, consegui vesti-los. Não havia tempo para trajes nem para pesos. Naquele mesmo momento ouvi o primeiro disparo e logo outro. O meu coração acelerou. Eles iam matá-lo! Miseráveis! Atiravam num homem indefeso que lutava contra as ondas.

— Parem, seus estúpidos! — ouvi Artur gritando e me alegrei por não ter batido nele mais forte. — Não façam barulho! Maldição! Vocês não estão vendo que ele não pode escapar? Temos a ilha cheia de gente.

Não me agradou nem um pouco a confiança que ele mostrava ao nos ver realmente enrascados e menos ainda o fato de que sua única preocupação com os disparos fosse o barulho. Mas isso não mudava nada. Não mudava a minha promessa. E, já a ponto de pular na água, olhei a linha do litoral e realmente ali havia vários homens, mais do que eu tinha visto antes, vigiando.

Nesse instante me agarraram forte por trás, perguntando-me com ironia dissimulada:

— E você, bonitona, aonde vai? — era um dos valentões.

Eu me debati para me soltar, mas ele me agarrava pelas costas de tal maneira que percebi que não ia conseguir. Desesperada, tentei atingi-lo com coices. Foi inútil, ele me apertou com mais força ainda.

Desde pequena sempre fui acossada por este pensamento: Luis gostava de mim. Aliás, era mais do que gostar, ele era apaixonado por mim. E isto o levava a ser difícil comigo, ele me aborrecia para provar a si mesmo que não era este o caso, que não era amor, e sim ódio. Talvez naquele momento ele estivesse sentindo por mim o que eu tinha sentido segundos antes pelo seu primo e que me fez dar um chute em Artur; o fato é que o vi surgir à minha direita, brandindo uma dessas bóias que protegem os barcos de golpes laterais. E foi isso que ele descarregou em cima do indivíduo que me agarrava: uma tremenda pancada com um som oco e maciço.

— Pula, maria mandona! — ordenou-me, ao mesmo tempo em que ajudava com o equipamento. Pus meus óculos de mergulho e logo eu já estava ajeitando o colete para boiar melhor enquanto caía na água.

Eu nadava e era invadida por uma estranha felicidade. Por ele, por Luis, por aquilo que ele tinha feito. Pela sua dignidade recobrada. Não sabia se a ação dele nos serviria para alguma coisa, talvez já estivéssemos todos condenados à morte, mas o gordinho tivera o seu momento de glória. E sua proeza generosa e heróica o redimia. Eu e Oriol passaríamos por máus momentos. Mas agora, sem dúvida, Luis estaria bem pior. Ele era o único de nós que os piratas tinham nas mãos para desafogar suas frustrações.

QUARENTA E SEIS

Nadei e nadei. Sem barbatanas, nadar com o equipamento de mergulho é extenuante e tive que liberar ar do colete para poder usar os braços melhor. Por um instante achei que tinha visto Oriol adiantado alguns metros na corcova das ondas; ele devia estar diante da arrebentação. Não voltei a vê-lo. Enquanto me aproximava, eu ia estudando a cadência dos vagalhões, mais violentos que os da noite anterior. Teria que aproveitar o empuxo de alguma onda e submergir antes que ela retrocedesse e me arrastasse para trás. Havia pouca profundidade, que sob a força das vagas reduzia-se ainda mais, e talvez eu pudesse encarar o túnel com êxito. Tirei todo o ar do colete, soltei o tubo de respiração, coloquei o regulador na boca e respirei um tranqüilizante bocado de ar comprimido. Funcionava! Submergi justamente na hora em que uma onda estava no seu ápice, fazendo um jogo de cintura para descer. Abaixo tudo era confusão. Apesar do fundo rochoso, fragmentos de folhas mortas de posidônia e mil outras partículas em suspensão mesclavam-se com a espuma e as borbulhas que eu soltava. Fiquei presa na corrente ao regressar à superfície e me mexia para frente e para trás sem poder ver quase nada. Pensei em Oriol. Ele não dispunha de ar nem de nenhuma visão. Não pôde passar! Disse para mim mesma.

Nadei desesperadamente para baixo e para frente com a mão adiante a fim de me proteger dos golpes até que apalpei as rochas do chão. Continuei dando braçadas e vi os contornos da entrada da caverna. Curiosamente, foi exatamente nesse momento, pela primeira vez naquele dia, que senti medo de verdade. E se Oriol não tivesse sido capaz de entrar na gruta? Ou pior, e se dou de cara com seu cadáver lá dentro? Por um instante imaginei seu corpo bloqueando a passagem, flutuando contra o teto do túnel. Estremeci. Mas não havia como voltar atrás e encarei a escuridão. Maldição, pensei comigo, esqueci de pegar a lanterna! Mas isso não me deteve. Logo depois notei que a corrente do interior do túnel me empurrava alternadamente para frente e para trás, mas com esforço eu seguia avançando e o refluxo indicava que pelo menos havia uma bolsa de ar em algum lugar.

Estava pouco mais de um metro adiante quando fiquei enganchada. Meu coração disparou. Eu não podia ir para a frente. Com as mãos no solo me empurrei para trás e tampouco pude me movimentar. Fiquei aterrorizada e entrei em pânico. Lutei desesperadamente sem nada conseguir. Você já sentiu claustrofobia alguma vez? É horrível. Teria dado qualquer coisa para sair daquela tumba escura, fria e úmida. Eu estava presa, não podia me mexer e com os braços tocava as paredes laterais a uns trinta centímetros de mim. Que angústia! Fiz um esforço desesperado para a frente. Nada. Para trás aconteceu o mesmo. Já estava meio sufocada apesar de ter ar, e comecei a rezar depois de outra sacudidela histérica e infrutífera. Lembrei do conselho dos mergulhadores: nunca se deve entrar num lugar fechado, debaixo da água, sem treinamento especial. E eu não o tinha.

Eu só tinha o juramento, que acabara de fazer minutos antes, de morrer antes de abandonar um companheiro. E ia cumpri-lo. Já o estava cumprindo. Morreria de uma das mortes mais horríveis; presa no escuro com os minutos contados. Esse pensamento fez com que eu me esforçasse desesperadamente outra vez. Terminei ofegante, sem avançar um centímetro, no mesmo lugar daquele tétrico sepulcro, expelindo borbulhas múltiplas que escapavam, roubando-me segundos de vida.

Quanto tempo me restava? Talvez meia hora de ar? Já tinha começado a morrer. Na minha hora de ir embora, eu notaria que seria difícil sugar. E logo não haveria mais ar.

Prometi a mim mesma que, quando isso acontecesse, eu não me debateria, pois largaria minha boca de lado e respiraria profundamente... água.

É estranho. Esta idéia, a de afrontar a morte com dignidade, a de aceitar o meu destino, ajudou-me a acalmar. A respiração. Se me acalmasse, eu usaria menos ar. Fui me controlando pouco a pouco. Estava presa. Ou melhor, o meu equipamento estava enganchado. Sem ele certamente eu teria passado. Eu podia soltar as correias, dar uma respirada profunda e nadar para a frente, certa de que a saída do outro lado do sifão estava próxima. Caso contrário, ninguém teria podido entrar e menos ainda sem equipamento. E no século XIII entrava-se apenas com os pulmões. Então lembrei que na noite anterior estivemos trabalhando até acabar a luz. Usávamos lanternas. Onde é que pus a minha antes de voltar para o barco? Talvez, sim, depois de tudo, eu a tivesse... No bolso do colete! Apalpei-o e ali, à direita, senti um contato duro. A luz! A primeira coisa que olhei foi o medidor de pressão. Setenta atmosferas! Ainda me restava um pouco de vida. O passo seguinte foi avaliar a minha situação. Ali, rodeada pelas rochas, a visibilidade era melhor que lá fora e descobri que, justo alguns centímetros acima da minha cabeça, o teto do túnel elevava-se e até acreditei ter visto por um momento um feixe de luz do outro lado. O problema é que talvez não tivéssemos retirado todas as pedras da passagem e que o meu tanque de ar estivesse engastado num vão do teto. A minha própria flutuação me impedia de abaixar os centímetros necessários para sair. Tracei um plano e o repeti mentalmente uma, duas, três vezes, revisando os possíveis contratempos, até que decidi agir. Soltei todas as fivelas do colete, enfiei a lanterna acesa dentro da calcinha, aspirei profundamente e soltando o ar fiz o movimento de nadar para frente e para baixo. O colete desprendeu-se com relativa facilidade. Somente dois metros percorridos me fizeram ver a superfície do outro lado, acima de mim. Eu não queria abandonar o equipamento, ele ainda podia salvar a minha vida e, quando tive espaço de manobra, dei meia-volta, entrei pela passagem e puxei o colete para baixo. Precisei de um tempo que me pareceu uma eternidade, mas por fim encontrei o cabo para enchê-lo e, com a mão erguida para não bater com a cabeça, cheguei à superfície, que estava surpreendentemente próxima. Enfim, salva! Por ora.

Era um lugar singular. Eu estava numa caverna com um teto relativamente alto que parecia subir e baixar conforme o nível da água empurrada pela corrente do túnel. Essa corrente era um produto do efeito sifão que transmitia as subidas do mar externo, por causa das ondas, através do conduto por onde eu havia entrado. De algum ponto do teto era projetado um pequeno raio de sol que me causou uma alegria difícil de explicar. Em um dos lados daquele laguinho secreto de sobe e abaixa, avistei uma área onde a rocha se elevava gradualmente e ali me empoleirei, tirando o colete.

Em seguida, pude vê-lo. Estava estendido com a boca para cima, fora do alcance das subidas da água. Meu coração saltava no peito de alegria. Ele estava vivo! Inerte, mas, se tinha chegado àquele lugar, era porque estava vivo. Enfoquei-o com a minha lanterna e ele não reagiu. Dava pena. Ao sangramento do seu lábio inferior juntavam-se múltiplas escoriações por todo o corpo. Fiquei surpresa por ele ter conseguido chegar até ali. Estava com a calça do pijama que usara para dormir, rasgado numa das pernas. Ajoelhei-me ao seu lado e acariciei sua fronte.

— Oriol — disse-lhe baixinho. Não houve reação. Temi que ele não respirasse.

— Oriol! — gritei.

Não sei se foi o frio que havia penetrado pouco a pouco em mim ou o medo, mas comecei a tremer como vara verde. Ele não reagia. Teria morrido com o superesforço? Tentei verificar a pulsação na sua carótida e não a encontrei.

— Oriol! — gritei.

Nesse momento entrei em pânico pela segunda vez. Tentei fazer respiração boca a boca e senti outra vez o sabor de sal nos seus lábios. Como naquele dia da tormenta. Só que agora também tinha gosto de sangue.

Mas respirava. Estava respirando! Que alívio! Dei graças a Deus quando o abracei e me pus em cima dele, com cuidado para não impedir sua respiração, e com a intenção de lhe dar meu calor e pegar o dele.

E de novo busquei o calor dos seus lábios.

Talvez tenham sido as minhas carícias que lhe deram forças, porque pouco tempo depois ele abria os olhos; aqueles olhos que eu tanto amava e que mal enxergava na penumbra. Eu não disse nada; unida a ele e evitando roçar em seu corpo para não agravar suas feridas, esperei.

— Cristina! — ele disse por fim.

— Sou eu, sim.

Olhou novamente ao seu redor e, como se tivesse compreendido imediatamente a situação, exclamou:

— Mas o que você está fazendo aqui?

— Estou contigo.

— Mas como você entrou?

— Pelo túnel, como você — eu o acariciei, afastando o cabelo de sua testa.

— Você está louca?

— E você, está louco?

— Eu tinha me prometido que quem encontraria o tesouro do meu pai seria eu e não esse tal de Artur.

— Pois eu também jurei, como os jovens nobres tebanos da legião sagrada, como os cavaleiros da Têmpera, nunca abandonar meu companheiro.

— Jurou? — afrouxou ligeiramente o abraço para olhar nos meus olhos.

— Fiz a promessa quando vi você pulando na água.

Ele não respondeu e ficamos um tempo em silêncio; achei que ele avaliava a situação.

— Cristina, obrigado — disse por fim. Sua voz estava embargada pela emoção. — Mas ele vai nos matar de qualquer forma.

Não consegui deixar de lhe dar um outro beijo. Dessa vez ele correspondeu. E outra vez o sal, o mar bravio, os lábios dele e também a gruta e o frio, como na primeira vez. Embora agora o presságio sinistro do sabor de sangue marcasse a diferença. A mim não importava e me deixei levar pela lembrança do que foi e pela ausência do que poderia ter sido e jamais seria. Os meus sonhos de adolescência, nos quais nós dois partíamos de mãos dadas para descobrir o mundo, aquelas cartas enviadas, repletas de poemas de amor, que nunca chegaram e que jamais chegariam. Tudo aquilo não mais iria acontecer. Oriol tinha razão, Artur nos assassinaria.

E logo o tesouro me veio à mente. O tesouro! Eu o tinha esquecido completamente, e ficou claro. Não entrara na caverna por nenhum tesouro. Entrei por ele.

Oriol tampouco parecia estar apressado em procurar a fortuna. A verdade é que, quando alguém sabe que vai morrer ou que as possibilidades de sobrevivência são escassas, o seu sistema de valores muda. Um tesouro, para quê? Nossa amizade, nosso carinho, os minutos que desfrutamos juntos eram os únicos que podiam valer alguma coisa dentro daquela caverna. Bem. Talvez Oriol ainda tivesse necessidade de encontrá-lo. Mas pelo seu pai. Isto, sim, é que tinha valor.

E assim ficamos, não sei quanto tempo, mas a mim pareceu

pouco, a nos acariciar e a nos beijar suavemente, embora com a intensidade de quem sabe que o faz pela última vez. Estávamos num lugar seco e nossa troca de carinhos fez diminuir um pouco o frio que eu sentia. E então aconteceu o inesperado. Comecei a sentir uma pressão familiar no meu baixo ventre.

— Oriol! — exclamei surpreendida.

Ele não disse nada, mas a pressão continuou crescendo.

— Oriol! — repeti, agora de propósito e afastando-me apenas o suficiente para olhar nos olhos dele. Mesmo com o aspecto trágico da situação, nem por isso era menos divertido.

— Como você pode ver — disse-me —, estou recuperando minhas forças.

"Eu não achava que você tivesse esse tipo de força", pensei comigo.

— Tem certeza? — eu quis saber.

— De quê?

— De que é em minha homenagem.

— Absoluta.

E assim terminou o diálogo. Nós o selamos com um beijo, esquecidos do seu lábio sangrando, das escoriações de nossos corpos, dos tesouros e também da morte que nos aguardava fora daquela guarita de amor. Nem sequer nos demos conta das pedras no chão. Frio? Passou quando tirei a roupa molhada.

Fizemos amor com intensa paixão. Não lembro de nada igual em minha vida nem antes nem depois, e se alguma dúvida ainda havia sobre os gostos sexuais de Oriol, naquela manhã se dissipou. Era óbvio que ele não estava fazendo uma exceção devido à emergência das circunstâncias, e que aquela não era a primeira vez que se deitava com uma mulher. Ele sabia o que fazer em cada instante, e manejava tudo com o estilo de um amante especialista.

Fizemos amor com desespero. Com a urgência acumulada nos quatorze anos de espera. Como se fosse a primeira vez. Como se fosse a última. Sem nenhuma preocupação, sem nenhuma precaução. Não tínhamos um amanhã.

Eu não sou assim. E tais furores reprodutores não me são freqüentes. São até bastante escassos. Serei tão diferente assim? Será que as situações críticas me colocam no topo? Como na tarde de 11 de setembro, na minha casa com Mike. Ou é a reação própria da nossa espécie, de qualquer espécie animal, que ao cheirar a morte procura gerar a vida, perpetuar a raça? Talvez tenha sido apenas uma tentativa de combater o medo, afastá-lo por alguns segundos, refugiando-me no amor, na paixão.

E ali ficamos, no corpo-a-corpo, abraçados, palpitando enquanto o fogo se extinguia e tomávamos consciência de nossas múltiplas escoriações. Busquei de novo em seus lábios o sabor do mar, da infância tornando-se adolescência, do primeiro beijo. Vivi alguns instantes de felicidade intensa seguida de uma pena maior. O meu peito inspirou duas vezes, foi curto, quase um soluço, e me esforcei para não chorar. De fato, morrer era terrível, mas pior seria morrer sem ter vivido. Eu jamais poderia desfrutar esse amor. Era terrivelmente injusto descobrir que o nosso caso tinha futuro justamente no momento em que já não o tínhamos. Mas prometi a mim mesma aproveitar cada segundo do que nos restava.

QUARENTA E SETE

Passaram-se alguns minutos sem que tivéssemos afrouxado nosso abraço e o fizemos pouco a pouco.

— Precisamos ver se a caverna tem outra saída — Oriol murmurou no meu ouvido.

Levantamo-nos e exploramos a gruta. A lagoa interna continuava seu movimento de vaivém; as vagas externas não tinham cessado. O seu murmúrio incansável chegava até nós.

Estávamos numa plataforma relativamente lisa, embora salpicada de pedrinhas, e o raio de sol que entrava pela greta uns três metros acima de nossas cabeças havia abaixado, girando da esquerda para a direita sobre a parede rochosa no lado de terra.

E lá estava, um metro além do lugar iluminado: uma cruz pátea vermelha pintada sobre a parede. Como a do meu anel.

— Olha! — assinalei para Oriol.

— Está colocada para que o sol esteja nela ao meio-dia —

ele comentou depois de observá-la. — Esta caverna é um esconderijo perfeito.

Então aquele raio de esperança apagou-se e olhamos sobressaltados para a fenda.

— São as pardelas que fazem ninhos na greta — informou-me Oriol ao observar. — Aqui elas têm um bom refúgio — um sobrevôo veio referendar suas palavras.

Depois, abraçando-me pelo ombro, ele acrescentou:

— Não se preocupe. Não se atreverão a entrar, não com este mar. Vão esperar que a gente saia.

Olhou-me nos olhos. Agora, sim, eu podia ver o azul deles.

— Sinto muito por ter colocado você nisso.

— Não foi você — respondi. — Já sou maior de idade, e inteiramente responsável pelo que me possa acontecer.

Abracei-me a ele e nossos corpos nus ganharam calor, energia nova. Foi outro abraço longo, sem pressa, e ao nos soltar recuperamos nosso interesse por uma possível saída. A fenda por onde entrava a luz estava acima da água sobre uma parede quase lisa, era inacessível e pequena. Impossível sair por ali. À esquerda do escolho onde estávamos, a gruta era barrada por grandes blocos de pedra. Irremovíveis. Seguindo até a direita, pelo caminho que recebia o raio de sol, a caverna continuava num fundo de pedras arredondadas que penetrava na água e depois de uns dois metros retornava à parte seca. Seguindo por essa senda, à altura de um metro e meio sobre a superfície líquida, abria-se um escolho paralelo, mais profundo. Era escuro e o focalizei com minha lanterna. Havia um cofre!

— O tesouro! — exclamei sem grande entusiasmo.

Oriol não disse nada e, sem pararmos para averiguar a descoberta, continuamos naquela direção à procura de uma saída. A parede da rocha se estreitava e o solo subia até que restou uma passagem curta fechada por grandes rochas. Não se podia continuar.

— Isso é tudo — ele suspirou. — Não há via de escape.

— Nós, o tesouro e a morte — eu falei pensativa.

— Pelo menos morreremos ricos — ele quis brincar.

— Não quer vê-lo?

— Claro que sim.

Enfoquei o facho da lanterna no baú. Era um cofre de dimensões medianas, de madeira reforçada com tiras de metal rebitado e que surpreendentemente se conservava em bom estado.

— Não tem fechos nem cadeados — Oriol comentou.

— Não precisa.

Pôs sua mão sobre a tampa e a levantou sem dificuldade.

A luz da lanterna nos permitiu ver... pedras. Pedras comuns. Um montão de pedras, pedras vulgares, pedras arredondadas... daquelas que havia aos milhares naquela parte da ilha.

Oriol começou a retirá-las, atirando-as no chão; parecia ter ficado louco.

— Não há tesouro! Não há tesouro! — ia gritando à medida que alcançava o fundo sem encontrar nada mais que pedregulhos.

Girou, olhando-me com um sorriso feliz. Tinha algo na mão.

— Estamos salvos! — exclamou. — Não há tesouro!

— Artur — disse-lhe como uma tonta. — Ele não vai nos matar?

— Agora, não! Pra quê? Artur é um tipo racional, um homem de negócios. Não, não vai fazer isso, não vai se expor em troca de nada. Talvez gostasse de fazê-lo, mas para ele isto é um jogo de probabilidades e recompensas. Se não houver benefícios não se assumem riscos.

Eu não estava tão certa. Para o antiquário aquilo era mais que um negócio; lembrei de suas palavras sobre a dívida de sangue, mas não quis desanimar meu amigo.

— O que você tem na mão? — perguntei.

— Parece um bilhete. Um bilhete protegido por um plástico.

Era de Enric e dizia:

Meus queridos. Espero e confio que algum dia vocês leiam isto. Vocês encontraram o tesouro! Já são grandes demais para recompensas de caramelos e chocolates, mas espero que não sejam nem tão jovens nem tão velhos para que possam desfrutar a experiência. Se vocês chegaram até aqui, terão vivido dias que jamais esquecerão. Este é o tesouro da vida. Que vocês saibam viver o restante dela.

De quem os quer, Enric.

Ficamos em silêncio, pensativos. Tudo não passara de um jogo, uma brincadeira. A mesma do tempo de nossa meninice, mas para adultos.

— *Carpe diem* — murmurei.

Bendito o jogo que salvava a nossa vida. Agora eu já podia pensar mais além daquelas paredes de rocha, mais além do mar e do oceano. Ainda não estava muito segura a respeito da reação de Artur, mas nossa sobrevivência era mais do que provável. E tudo começou a mudar. Percebi que, afora as sapatilhas, eu estava completamente nua, e senti um pudor do qual já havia me esquecido. Procurei meu pijama com a lanterna e fui até ele para me cobrir. Sentia-me culpada. Eu é que tinha tomado a iniciativa, talvez até tivesse forçado Oriol. Eu, a mesma que exibia na mão o anel de comprometida. Aquilo era ruim, muito ruim. Uma coisa era desejá-lo e outra, partir para as vias de fato. Talvez Oriol tenha lido o meu semblante culpado, mas a verdade é que ele me pegou pelo braço, puxou-me contra seu corpo e me beijou. Deixei-me levar e fizemos amor outra vez. Ficou muito claro: ele estava gostando daquilo. Fiquei bem, mas não como antes; dessa vez reparei nas pedras.

Ficamos sentados um ao lado do outro, tocando-nos, e quando passou o segundo acaloramento comecei a sentir frio.

— Havia detalhes bem estranhos — Oriol começou a falar, enquanto fiava idéias. — Mas eu estava tão obcecado com a aventura que não queria ver. Mensagens antigas ocultas debaixo da pintura. Que bobagem! Isto é coisa de novela, pouco original e nada realista. Hoje, em pleno século XXI, nós temos meios para trazer à luz desenhos deixados de lado e logo cobertos por outras pinturas. Mas no século XIII não ocorreria a ninguém esconder mensagens dessa forma, a não ser que se tivesse a intenção de ocultá-las para sempre — a decepção soava em sua voz.

"Somos seres estranhos", pensei. "Há poucos minutos estávamos estourando de felicidade por saber que tudo era uma invenção e porque tínhamos salvado nossa vida, e agora, esquecido o medo, Oriol se lamenta."

— Mas os quadros são autênticos. Não é assim?

— São, realmente, mas o meu pai era um grande restaurador e os manipulou. Fez as inscrições com tanto estilo que enganou todo mundo. E também teve um grande trabalho escrevendo aqueles documentos.

— São falsos?

— O engodo dos quadros faz supor isto. Embora haja detalhes surpreendentemente realistas e o que esteja descrito ali coincida exatamente com os fatos históricos, ele bem que pode ter inventado tudo.

— Você acredita que Arnau d'Estopinyá é um personagem fictício? — agora eu também me sentia decepcionada. — E o anel? De onde saiu o anel?

— Não sei de onde saiu o anel. Mas Arnau, sim, eu sei que existiu; o nome dele aparece nos documentos da comenda templária de Peñiscola e nos informes da Inquisição. O que não posso precisar é que parte da história é verdadeira e que parte foi inventada pelo meu pai.

— Mas Enric estava convencido de que havia um tesouro. Matou por ele.

— Não creio que ele teria matado por dinheiro. Talvez o tenha feito pela sua ética particular, pelo seu próprio código de honra. Andava atrás de um tesouro, sim, mas tudo indica que não foi capaz de encontrá-lo e em seu lugar montou um dos seus jogos, o póstumo — calou-se por um momento, para exclamar:

— Eu devia ter percebido!

— O quê?

— Meu pai nos trouxe várias vezes a esta ilha, suas fontes marinhas o encantavam. Ele a conhecia bem, e fazia aqui mergulho livre e com o tanque. É muita coincidência.

— E o que isso importa agora? — o sol já iluminava a cruz na parede e sua claridade me permitia vê-la sem lanterna. Sorri para ele. Devolveu-me o sorriso. — Vamos viver! Você se dá conta disso?

Eu sentia uma sede terrível e isso evidenciava que devíamos sair daquele lugar irreal, daquela gruta das maravilhas, antes de perder mais forças. O mar lá fora, a julgar pelos altos e baixos do lago interno, continuava revolto. Oriol queria sair primeiro, com seu pulmão e sem equipamento, e eu o convenci a aguardar até meia hora depois de minha própria saída. Artur acreditaria mais em mim e não levaria tanto a mal se fosse eu a contar o que houve. Eu esperava que a sua parte dolorida estivesse melhor e que ele não fosse demasiadamente rancoroso.

Minha saída foi fácil. Com o colete sem ar, nós dois descemos até a altura do túnel submarino, com cada um respirando por um dos bocais, e quando eu já estava praticamente do lado de fora, ele me passou o colete. Deixei-lhe a lanterna; a partir daquele ponto a luz exterior marcava o caminho.

Eu estava respirando bem e nadei para o fundo, e mar adentro, para me esquivar das ondas e do seu choque na escarpa. Quando me senti a uma distância razoável e o refluxo do fundo diminuía, enchi o colete, saindo à superfície agarrada nele. Comecei a respirar o ar exterior pelo tubo enquanto me orientava. Ali, a poucos metros, estavam os barcos. Fui nadando com um ritmo relaxado, e ao mesmo tempo me perguntava como Artur me acolheria.

Ele levou a mal, muito mal. Mas havia recuperado os seus modos elegantes e soube comportar-se com uma cortesia forçada. Quem não tinha sido tratado nada bem era Luis. O meu herói do último minuto pagou pela raiva daqueles homens. Sua cara estava arroxeada, mas pelo menos estava vivo; sorriu feliz ao me ver, e muito mais quando compreendeu o significado da notícia que eu trazia.

Oriol tinha adivinhado bem. Dissimulando o seu desgosto de um modo admirável, Artur acabou acreditando na minha história. Concordou em enviar uma lancha pneumática que se manteve presa por um cabo a um dos barcos, para evitar que ela se chocasse contra a parede de rocha com dois homens equipados para mergulho. Oriol teve o cuidado de deixar o bilhete do pai onde o havia encontrado e foi recolhido sem problemas.

Nó nos convertemos, à força, em convidados de Artur até que seus homens regressassem do interior da caverna depois de tê-la investigado pedra por pedra. Isso durou até a metade da manhã do dia seguinte.

Não foi um tempo desperdiçado. Oriol agora estava disposto a negociar, e mostrou-se bem persuasivo frente a um Artur desanimado. Disse reconhecer que havia uma dívida impagável entre as famílias Boix e Bonaplata, mas que essa dívida devia ser cobrada dos mortos. Cabia a estes responder ante Deus. E que aqueles que podiam saldar as contas materiais eram os vivos, e que ele, Oriol Bonaplata, reconhecia que seu pai roubara os dois quadros laterais do tríptico. Estava disposto a comprá-los, como recordação, por um valor que incluísse a dívida do seu primo com o antiquário. O quadro central sempre fora propriedade de Enric, mas agora era meu e sobre este ponto eu não ia aceitar polêmica alguma. Não me escapava que na cifra que discutiam havia um sobrepreço importante para fazer Artur renunciar a qualquer vingança. Foi uma negociação dura que não se concluiu até a manhã seguinte. Depois que eles fecharam o acordo num documento privado, impressionou-me a pouca importância que Oriol parecia dar ao dinheiro e a generosidade que demonstrou com seu primo.

Durante a viagem de volta eu não sabia o que fazer e como agir com Oriol; tanto ele quanto eu nos comportamos como se nada tivesse acontecido dentro daquela gruta. Por um momento cheguei até a duvidar se tinha sido sonho ou realidade, e somente a dor nas minhas costas e os ferimentos que as pedras me infligiram eram testemunhas do ocorrido.

Comentei de forma casual que ao chegar a Barcelona eu teria que começar a fazer as malas para voltar a Nova York. E observei a reação de Oriol. Ele não disse nada, parecia distraído, como se tivesse coisas mais importantes em que pensar. Eu esperava dele pelo menos alguma sugestão amável, um convite para que eu ficasse mais alguns dias. Ele não o fez, e isso feriu minha vaidade. Ou algo mais. Cheguei à conclusão de que ele não dava muita importância ao que tinha acontecido entre nós, mais ainda, que ele desejava esquecer o incidente.

Em relação a Luis, Oriol não quis escutar desculpas. Disse que tudo estava em paz. Agora o quadro de *sant* Jordi também era dele e não importava se o preço tinha sido alto ou altíssimo; para isso havia a outra herança que seu pai lhe deixou. E lhe deu um abraço.

QUARENTA E OITO

No dia seguinte eu me dei conta de que tudo havia terminado. Oriol desapareceu na noite anterior sem dar sequer um boa-noite, talvez temendo que eu o seguisse até seu quarto. Desci bem cedo para fazer o desjejum na esperança de vê-lo, mas Alicia me disse que ele havia madrugado ainda mais e já tinha saído. Fiquei decepcionada. Tive que conversar com ela e responder a diversas perguntas que ficaram pendentes no relato que lhe fiz na noite anterior durante o jantar; a mulher estava ávida de informação. Ocultei o que havia ocorrido entre nós na caverna, é claro. Mas ela fazia jus à sua fama de bruxa e parecia adivinhar. Talvez tenha sido o desânimo de minhas explicações. Houve um momento em que as lágrimas quase me escaparam e me desculpei dizendo que estava com dor de cabeça. Não pude enganá-la. Oriol nem sequer estava ali para se despedir, eu não tinha nenhum valor para ele?

Já era hora de fazer as malas. Abri o armário, quase desejando que tivessem desaparecido, mas lá estavam. Só em vê-las, desmoronei. Tombei na cama soluçando. Era o fim. A aventura do tesouro terminara. Aquele amor possível morreu enclausurado numa caverna marinha e só as minhas escoriações impediam-me de pensar que eu havia sonhado. E então prestei atenção no que havia em cima da mesinha, dois discos velhos de vinil que alguém talvez tenha deixado durante a noite. Um deles era *Viatge a Itaca* e o outro, Jacques Brel. Estremeci. Deus! Eram os discos que Enric escutava quando morreu. Quem os teria deixado ali. Alicia ou Oriol?

Talvez tenha sido Oriol. Era uma mensagem para mim. O ensinamento da viagem, a experiência da busca. Disso se tratava. Eu não havia aprendido a lição. O caminho era em si mesmo a meta. A vida era o objetivo final. Eu custava a assimilar isso.

Quando ocupei aquele quarto, fiquei surpresa em ver que ele conservava um aparelho de som moderno e um outro de vinil. Era automático e então coloquei ambos os discos, o aparelho funcionava perfeitamente e me estendi na cama para ouvir. O meu desejo era encontrar sentido para aquela aventura, um significado que eu não estava sendo capaz de achar.

Abracei-me às capas dos discos e, estendendo-me na cama, fechei os olhos. Ouvi o vento e o mar ao fundo enquanto a música se impunha. Veio-me a imagem verde dos bancos de posidônia sobre a areia branca em Tabarca, e entre eles os cardumes de percas nadando a pouca profundidade com a luz solar cintilando nos seus dorsos em franjas douradas e prateadas. O mar plano e doce do início, e o mar bravio dos últimos dias. E outra vez fui até a caverna e encontrei Oriol estendido no chão e tudo começou novamente. Era disso que se tratava, não é? De viver o momento. E de logo recordar. Às vezes, sempre, constantemente, por toda a vida. Como o primeiro amor, a tormenta, o sal, e o primeiro beijo.

Mas será que Konstantinos Kaváfis, o sábio poeta, teria algum conselho para quando a prática do *carpe diem*, de viver o momento intensamente, fizesse doer depois o coração de alguém? Acredito que deixei de soluçar no instante em que adormeci.

E outra vez sonhei:

— Polícia. Às suas ordens — a voz soava enérgica ao telefone.

— Boa tarde — respondi. Eu me sentia rígido, um nó de emoção prendia a minha garganta, mas estava decidido a viver aqueles instantes com intensidade.

— Boa tarde. Às suas ordens — o agente insistiu, categórico.

— Vou acabar com a minha vida.

Fez-se um silêncio de surpresa e tratei de imaginar a cara de pasmo desta voz jovem.

— O quê? — o policial balbuciou.

— Eu disse que vou me suicidar.

— Você não está falando sério.

— Claro que sim — sorri. O desconcerto dele me divertia, o rapaz devia ter esquecido a parte do manual sobre como tratar os prováveis suicidas.

— Mas, por quê? Por que você quer se matar? — a angústia soava em sua voz.

Soltei a tragada de fumaça do Davidoff que eu fumava. Da poltrona, através da varanda aberta, eu podia ver de lado a lado o verde-escuro das folhas dos plátanos do passeio naquela tarde ensolarada e doce de primavera. Era um dia diáfano, transparente, e a vida brotava com um vigor que ano após ano voltava a me assombrar.

Jacques Brel cantava sua canção de despedida... *"Adieu l'Emile je vai mourir. C'est dur de mourir au printemps tu sais..."*. [1]

Realmente, era difícil morrer num dia como aquele, com tudo gritando vida na velha cidade de Barcelona: as pombas, a brisa, as árvores da rua, inclusive essas pessoas, as de sempre, que, movimentando-se nas calçadas, exalavam uma energia exuberante.

[1] Adeus, Emílio, eu vou morrer. É duro morrer na primavera, sabe?

Mas aquele era o dia de minha morte.

— Despachei quatro indivíduos.

— O quê?

— Isso, eu matei os quatro a tiros.

— Céus! — o policial exclamou e depois houve um silêncio, até que ele disse: — Certo, você está curtindo com a minha cara. Não acredito.

— Dou minha palavra.

—Então me diz onde e quando foi, para que a gente possa comprovar.

— Isso já faz alguns dias e agora não resta tempo para comprovações, vou estourar meus miolos em poucos minutos. E se eu lhe contar tudo, o seu trabalho vai ficar tedioso.

— Você não quer morrer, não — o jovem parecia ter recobrado a calma. — Está ligando para pedir ajuda, se quisesse mesmo se matar, já o teria feito.

— Estou ligando para que ninguém seja acusado pela minha morte — pensei que talvez estivesse ligando porque queria companhia, eu não queria morrer sozinho. Tomei um gole de conhaque e meu olhar foi até o quadro favorito de Ramón Casas. Um homem e uma mulher da burguesia catalã do final do século XIX, com terno e vestido brancos de verão, se refrescando debaixo de uma videira. Eram os meus avós, eles foram belos. Jogo de luzes reverberantes, sombras, tons pastéis esmaecidos, decadência preguiçosa e prazerosa. E acrescentei: — É mais prático do que escrever bilhetinhos.

— Senhor, me dê seu nome e endereço. Vamos conversar. Por mais que a sua situação seja complicada, com certeza existe uma saída.

Esperei para responder, eu escutava pela última vez aquela canção que podia repetir de memória, palavra por palavra.

Je veux qu'on rie
Je veux qu'on danse
Quand c'est qu'on me mettra dans le trou... [2]

[2] Quero que se ria, quero que dance. Quando me meterem na sepultura.

— Enric Bonaplata, no passeio de Gracia — eu disse por fim. — E se vocês se apressarem e mandarem uma viatura com rapidez, poderão ouvir o disparo em frente à Manzana de la Discórdia — depois falei para ele com doçura: — Que idade você tem, rapaz?

— Vinte.

— Qual é a cor dos seus olhos?

— Ora, meu senhor! Por que a pergunta? — replicou irritado.

— É pra puxar conversa. Você não está tentando localizar a chamada? Então, me diz, qual é a cor?

— São verdes.

— Humm... — dei outra tragada antes de continuar. Imaginei um lindo rapaz com olhos de gato. O complemento adequado para a bebida e o charuto.

— Meu rapaz de olhos verdes, você já viu alguém morrer?

— Não.

— Pois agora você vai ouvir.

— Espera!

— Que você tenha uma vida longa e feliz, meu amiguinho. Desculpa por cortar o papo, mas não é educado falar com a boca cheia.

— Espera! Espera um momento!

Pus o fone em cima da mesinha, junto ao charuto ainda fumegante. E escutei:

C'est dur de mourir em printemps tu sais.
Mais je pars aux fleurs la paix dans l'âme... [3]

Eu não sentia a paz que Brel cantava na sua canção, as emoções se agitavam no meu peito, as imagens de toda uma vida lutavam para ser a última na minha mente. Mas eu tinha que fazer, por minha família, por minha dignidade. Contemplei o quadro de Picasso dependurado numa das paredes. Uma janela abria-se para uma cidade mediterrânica, talvez fosse Barcelona de um lugar ele-

[3] É duro morrer na primavera, sabe? Mas me vou até as flores com paz na alma.

vado; casas, palmeiras, vegetação... e mar... Tons vibrantes, explosão de cores, traços longos.

Bebi um último gole do meu conhaque, mantendo-o na boca por uns instantes, provei seu sabor, respirei seus eflúvios. Depois botei o cano frio do revólver na minha boca, na direção do palato. Vi dois rapazes, um já morto e o outro com muito por viver: meu filho Oriol! Meu Deus! Faça-o a superar isto! Respirei fundo e desejei que os meus olhos, que olhavam a rua, se enchessem até não poder mais da luz e do verdor daquela força sem fim: a energia da vida, a primavera. Esta seria a última imagem.

O estampido chegou até o jovem agente Castillo pelo telefone e o fez saltar da cadeira. Os pombos na rua levantaram vôo, todos ao mesmo tempo, formando uma nuvem, como se estivessem esperando o disparo, e os transeuntes olharam alarmados para aquele formoso edifício modernista com uma varanda aberta de lado a lado.

Abri os olhos e olhei o teto. Jacques Brel cantava a canção seguinte e me sentei com um pulo. Outra vez! Tinha acontecido outra vez! Eu devia estar bastante alterada por causa de Oriol para que o maldito anel me fizesse reviver de novo essas histórias de mortos! Arranquei o anel da cruz de sangue e o deixei junto do meu anel de comprometida sobre a mesa. Eu não sabia qual deles me pesava mais.

Desci para encontrar Alicia, falei para ela o que acabara de me ocorrer e fomos para o seu gabinete. Lá, com a cidade radiante e ensolarada aos nossos pés, contei-lhe tudo.

— Vai ajudá-la a superar a impressão — disse-me, ao me servir um conhaque. E ficou me olhando com atenção.

— É, é... — balbuciei ao primeiro gole. Era o sabor do meu sonho.

— É, sim. Eu bebo o mesmo conhaque que Enric bebia.

Eu me senti como uma cobaia e levantei para sair.

— Desculpe — ela disse. — Não foi de propósito, não me dei conta até que vi sua cara.

Não acreditei nela e fiquei em pé na frente da porta sem saber se devia mesmo sair. Ela se levantou e, pegando a minha mão com sua mão cálida e grande, que me lembrava a do seu filho, me fez sentar numa poltrona.

— Sinto muito, querida — sua voz soava profunda e persuasiva. — Fica comigo, farei você me perdoar contando uma história que lhe interessa. Você merece.

Fiquei na expectativa e um pouco tensa, achando que ela tentaria alguma outra jogada. E Alicia começou a falar, pausadamente...

— A esta altura você já deve ter percebido que Enric não gostava de mulheres e que eu não gosto de homens. A nossa união foi por causa das famílias e porque queríamos ter um filho, e era a única maneira naquele tempo. Cada um vivia sua própria vida, mas éramos amigos. E Oriol acabou sendo um esforço que valeu a pena — olhou-me sorridente. — Você não acha?

"É um rapaz maravilhoso", pensei, mas ela continuou sem esperar minha resposta:

— No caso de você ainda ter alguma dúvida, ele é *hetero*. Enfim — suspirou resignada —, ninguém é perfeito — voltou a sorrir.

"Enric e eu contávamos um para o outro as nossas coisas, e ele fez com que a ordem templária, fundada pelo avô dele e pelo teu bisavô que também eram maçons, mudasse os estatutos para que eu pudesse ser admitida. Mas, quando Arnau apareceu com a história dos quadros e do tesouro, tudo se complicou. Enric era um romântico e uma de suas paixões era ressuscitar a tradição templária. Imagine, então, como ele ficou quando soube do tesouro. Passou a ser sua obsessão. E nessa ocasião iniciou-se a disputa com os Boix. Ele também fez com que fosse admitido como cavaleiro em nossa ordem templária o seu amigo Manuel, que na época era seu parceiro e a quem ele amava loucamente. Eles haviam se unido com o juramento templário, o dos gregos tebanos de Epaminondas — olhava-me como que para adivinhar se eu sabia sobre o assunto e, com o sinal que fiz de compreensão, continuou seu relato.

— Quando assassinaram Manuel, Enric entrou em desespero.

Lembro dele chorando desconsolado, aqui mesmo, no sofá em que você está sentada. Achei que podia acontecer algo trágico e lhe pedi tranqüilidade. Fiquei surpresa quando alguns dias depois ele disse que matara quatro homens e que Manuel estava vingado. O seu padrinho não era um pistoleiro. Deve ter tido sorte — não lhe falei nada, mas pensei que ninguém melhor do que eu conhecia essa parte.

"Mas a polícia começou a estreitar o cerco ao seu redor. Muita gente sabia da sua inimizade com seus competidores e antigos confrades templários, os Boix. E sua relação com Manuel e a morte violenta deste também eram conhecidas.

"Houve um tempo em que deixei de ter notícias dele e em que a polícia andou ligando e até vieram aqui a sua procura para interrogá-lo. Não tinham ordem de prisão, mas era óbvio que suspeitavam dele. Ele nunca me contou o que fez durante esses dias, mas acredito que procurou pelo tesouro sem êxito. Uma noite esteve aqui em casa, jantou conosco, falou um pouco com Oriol e, quando Oriol foi deitar, subimos até aqui para tomar um conhaque. Ele quis que eu lesse as cartas. Concordei, naquela época eu fazia isso por divertimento. Mas nessa noite, justamente nos primeiros naipes desenhou-se uma combinação de morte. Lá estava o esqueleto olhando para ele com sua foice. A mensagem era bem clara, mas eu disse que os signos eram contraditórios. Ele me olhou sem falar nada. Embaralhei e lhe pedi para também embaralhar e cortar. Estremeci quando surgiu imediatamente algo parecido. A caveira sorria para ele. Eu estava angustiada, desfiz o jogo e na terceira vez já estava rezando para que saísse outra coisa qualquer. Deu a mesma combinação. Como as cartas são obstinadas quando querem dizer alguma coisa! Não sou uma pessoa de chorar, mas recolhi aquele maldito baralho com lágrimas nos olhos. Não sabia o que dizer e ficamos em silêncio. Enric tomou um trago do conhaque, sorriu para mim e disse que eu não me preocupasse, que minhas cartas tinham razão e que logo ele ia morrer. Parecia muito tranqüilo. Disse-me que haviam diagnosticado que ele estava com aids e que já começava a sentir os sintomas da decadência. Naqueles anos ainda não havia remédios para a enfermidade e a ciência nem sequer podia oferecer qualidade de vida. Disse que estava sendo seguido pela polícia e também pela máfia de contrabando de arte à qual pertenciam os Boix, que chegaram a ameaçar seqüestrar ou ferir Oriol. Falou que não morreria na prisão de jeito nenhum e que não queria deitar toda noite com um revólver debaixo do travesseiro. E que se eles não tivessem a quem fazer chantagem, Oriol não correria perigo. Imagino que foi nessa ocasião que ele planejou e pôs em marcha esse último jogo do tesouro para vocês — ela ficou em silêncio, pensativa, e, olhando nos meus olhos, disse:

— Enric era uma pessoa de opiniões e atitudes muito firmes. Viveu e morreu segundo suas próprias regras e seu próprio estilo. Acredito que ficou em paz consigo mesmo.

Alicia calou-se e bebeu seu conhaque contemplando a cidade com nostalgia. Fiz o mesmo e, ao sentir seu sabor, pensei no que tinha ocorrido pouco antes.

— Alicia.

— O quê?

— Enric usava o meu quarto quando dormia aqui?

— Sim.

— Foi você que pôs os discos na minha mesa de cabeceira?

— Fiz isso, sim.

— Então você queria que isso acontecesse comigo — não creio que a minha voz refletisse aborrecimento nem outra coisa qualquer, senão curiosidade.

Ela não disse nada e, tomando seu conhaque, voltou a contemplar a cidade. Depois me dirigiu seus olhos rasgados com este azul que só ela e Oriol possuem, e perguntou:

— Ele morreu em paz, não é verdade? — havia uma súplica no seu tom.

— Sim — menti, depois de uma pausa pensativa.

QUARENTA E NOVE

Não me restava mais nada para fazer na cidade e a melancolia se apoderava de mim. Entrei no meu quarto e abri a janela. Apoiada no parapeito, repassei a minha situação e acabei compreendendo que restava, sim, uma coisa pendente antes de abandonar Barcelona para sempre. Para sempre, para nunca mais voltar, tal como tentou minha mãe.

Arnau d'Estopinyá. Houve um tempo em que, com medo de encontrá-lo, eu o procurava entre as pessoas à minha volta. Mas nos últimos dias o frade havia sumido.

Alicia sabia onde encontrá-lo.

Desta vez a sorte mudou e fiquei a esperá-lo numa taverna na calçada oposta à entrada do seu prédio. Era uma rua estreita da Barcelona velha, localizada na zona que antes era chamada de Bairro

Chinês, depois, Quinto Distrito, e agora, Raval. O aluguel ali é barato e a zona é ocupada por imigrantes. A locação é um negócio florescente e uma multidão colorida e multirracial falando línguas diferentes, muitos vestindo roupas típicas de seus países, enchem as ruas. Alicia me disse que ele vivia aí, numa pensão ou num quarto sublocado, e pensei que a quantia que ela pagava para esse homem não devia ser muita.

Eu o vi a uns quinze metros antes da entrada de sua casa. Estava vestido como sempre, uma camisa negra sob um terno cinzento tão escuro que se perdia no indefinido. Andava ereto, marcial, firme, e algumas pessoas pareciam evitá-lo, mudando de calçada ao vê-lo chegar. Tinha cortado a barba e agora seu cabelo grisalho não se erguia mais do que meio centímetro em sua cabeça.

Atravessei a rua correndo, mas, quando cheguei, ele já estava de costas, introduzindo a chave na porta.

— Arnau — disse-lhe, e apoiei a mão no seu ombro.

Ele se voltou com uma expressão enfurecida, enquanto sua mão apalpava a adaga nas suas costas. Cravou seus olhos esvaídos nos meus e mais uma vez senti medo do seu olhar de louco.

— Frei Arnau. Sou eu, a moça do anel — apressei-me em dizer. — Sou amiga — o semblante dele suavizou um pouco ao me reconhecer.

— O que você quer? — disse com sua voz rouca de pronúncia lenta.

— Falar com você.

Reparei que seu olhar buscava a minha mão e lembrei que o anel era um símbolo de autoridade para ele, e, como não obtive resposta, procurando usar as palavras corretas e um tom que me pareceu militar, disse-lhe:

— Frei sargento D'Estopinyá. Convido-o a comer.

Pude ver que ele hesitava, seu olhar voltou a fazer um percurso dos meus olhos até o anel e no fim ele aceitou com um grunhido.

Era um bar restaurante familiar, com prato do dia; rodelas de lulas fritas, com condimentos; não havia muito a escolher nessa região. Consegui uma mesa afastada da televisão, da máquina caça-níqueis e do ruído de pratos e talheres que ecoava por cima do balcão, mas, apesar dessa relativa intimidade, eu não conseguia estabelecer uma conversa com o frade. Quando nos trouxeram o pão, ele abençoou a refeição e pôs-se a orar com um murmúrio audível. De repente parou e me olhou, esperando que eu fizesse o mesmo, e então o imitei. Ao terminar suas orações, não concedeu um só instante de cortesia e pôs-se a comer o pão sem aguardar a chegada do primeiro prato. Eu tentava puxar conversa, mas só obtinha respostas monossilábicas. Arnau não era um grande conversador nem devia estar habituado a falar com pessoas, embora se destacasse em sua voracidade. Era evidente que não costumava desfrutar de boas refeições ou então ele fazia jejum, fosse por convicção religiosa ou por falta de recursos. O vinho lhe dava, no entanto, um bom ar, de modo que pedi uma segunda garrafa na esperança de que ele soltasse a língua.

Logo que terminou o segundo prato, ele começou a falar, pegando-me de surpresa:

— A minha estirpe é de frades loucos. E sei muito bem por que o mestre Bonaplata se suicidou.

Fiquei olhando para ele. Eram as duas primeiras frases seguidas que o homem pronunciava em toda a refeição, e percebi que até então ainda não o tinha ouvido falar tanto.

— Você não deve acreditar naquilo que lhe contam. O frade que me fez herdar o anel também se matou, e muitos outros antes dele. Todo mundo na congregação acreditava que ele estava louco. Menos eu. Ele me deixou o anel em confiança e depois acharam que eu também era um demente. A coisa começa com as visões. Você sofreu torturas? Os inquisidores a interrogaram? Viu os muros de São João de Acre sendo destruídos? Foi ferida pelas estocadas dos sarracenos? Quantos assassinatos você viu por causa do anel? Quantas mutilações? Muitas vidas, muitas dores, isso é o que ele guarda. E logo eles passam a viver junto de você, e não o deixam nem de dia nem de noite.

— Quem são eles?

— Quem são eles? — repetiu inquisitivo, como que surpreso por eu ter perguntado algo que já devia saber. — Os espíritos dos frades; estão no anel. E em cada aparição eles vão entrando um pouco mais em você. Hoje eu já não sou o que fui. Um dia tive um sonho diferente. Já tinha tido muitas visões do frei Arnau d'Estopinyá antes, mas foi naquele dia que o seu espírito sofrido ficou em mim. Para sempre. Desde então, eu sou Arnau.

"É uma alma do purgatório e sofre pelos crimes que cometeu. Mas esta não é a sua maior pena; ele sabe que sua missão não foi cumprida, que o tesouro ainda não voltou para os cavaleiros da Têmpera."

Olhava-me com seus olhos esbugalhados e não me atrevi a contradizê-lo.

— Eu sou Arnau d'Estopinyá — repetiu elevando a voz. — Eu sou o último templário. O último de verdade — e, calando, pôs seus olhos nos meus, talvez esperando que eu questionasse sua afirmação. Tomei muito cuidado para não fazer isso.

Depois suavizou o tom, para continuar em voz baixa:

— Vai com cuidado, senhorita. O anel é perigoso. No dia em que finalmente topei com a nova ordem da Têmpera e conheci o mestre Bonaplata, eu soube que havia achado a minha casa. Quando lhe entreguei este anel, senti um grande alívio. Dizem que o papa Bonifácio VIII exibia um bem semelhante a este e que Felipe IV, da França, o Belo, afirmava que o diabo habitava nele.

"O rei queria caluniar o papa e recorria a qualquer expediente para acusá-lo, mas tinha uma boa rede de espiões e construía suas infâmias baseando-se em fatos reais. Esta pedra tem algo que vive nela, no seu luzeiro de seis pontas... Ninguém é capaz de conservar este anel sem sofrer...

— Você também entregou alguns documentos para o senhor Bonaplata? — interrompi-o. Não queria escutar mais sobre o anel.

— Não. Eu relatei para o mestre a vida do frei sargento Arnau d'Estopinyá, uma parte me foi contada pelo meu predecessor, o portador do anel, e o resto vivi através dessas visões.

Olhei-o, enquanto ele esvaziava seu copo. Se antes eu já tinha reservas com o anel, agora estava com medo. Que aquele alienado estivesse possuído ou não pelo espírito do velho Arnau, isso me importava pouco. Eu já os identiticava como sendo a mesma pessoa. Ele era o frei Arnau d'Estopinyá, o último dos verdadeiros templários.

— E os quadros? — inquiri.

— Junto com o anel e a tradição oral sobre Arnau, os quadros eram o legado que se transmitiu de frade para frade durante centenas de anos, e foram roubados no ano de 1845, quando Poblet foi saqueada e incendiada nos motins anticlericais. Sabíamos que não tinham sido destruídos pelo fogo, pois os frades saíram atrás dos ladrões, embora a turba os tenha impedido de alcançá-los. Muitas obras de arte foram queimadas nesses dias, mas não os quadros. Aqueles que os levaram deviam ser conhecedores da história.

— Por que você andou me seguindo?

— Mestre Alicia ordenou que eu contasse para ela o que você fazia. E quando eu soube que você portava o anel, fiquei vigiando para protegê-la. Como naquele dia do assalto.

— Se você queria me proteger, por que não o vi nesses últimos dias?

— Porque vocês saíram da cidade. E é aqui que está o perigo. Por isso não a segui.

— Como assim?

— Está aqui, em Barcelona.

— Que coisa? — insisti. — Que perigo?

Não me respondeu. Tinha o olhar perdido e murmurou ao ver alguns homens mal-encarados no balcão do bar:

— Está vendo? Estão voltando — havia raiva na voz dele. — Um dia ainda vou degolar alguns deles — e logo fechou-se no mutismo anterior.

Estremeci. O frade falava sério.

CINQÜENTA

Quando voltei pela tarde, enfrentei outra vez as malas. Elas me deprimiam e achei que era melhor arrumá-las de uma droga de vez e deixar de angústias. Mas algo acabou vindo à minha memória. Eu sabia que Oriol não estava em casa e me acerquei cuidadosamente da porta do quarto dele, separado por uma parede do meu. Girei a maçaneta, não tinha ferrolho por dentro e deslizei furtivamente para o seu interior.

Cheirava a Oriol. Não porque ele usasse perfume, assim como não acredito que ele tenha um odor especial, mas eu queria me fazer essa imagem. Aquele lugar estava impregnado da presença dele. Contemplei a cama, o armário, a mesa de estudo diante de uma janela que também olhava a cidade. Achei que não podia me entreter e, como não queria ser surpreendida, comecei a verificar as caixas da escrivaninha. Ali bisbilhotei um montão de fotos suas com amigas, entre elas a moça da praia, e com amigos. Tive que me chamar à ordem. Continuei com a mesinha de cabeceira, logo o *chifonier*... eu não o encontrava. Fui no armário. Na gaveta de roupas íntimas. Ali o achei. O revólver de seu pai. O que acabou com os Boix, aquele que achamos no buraco da guarnição do poço.

Coloquei-o no meu cinto e me encaminhei para o desvão. Ali não tive dificuldade para encontrar a pintura. A cópia da minha. Rasguei a cartolina que cobria a parte traseira e vi que o interior não era maciço como no meu quadro, embora a grossura fosse maior por causa de umas ripas laterais que formavam a borda do quadro. Elas também estavam no centro, algumas reforçavam a estrutura e outras formavam um apoio elaborado. Pus o revólver naquele fundo de madeira e vi que encaixava perfeitamente. Alojava-se sem cair, mesmo sacudindo o quadro, mas saía com facilidade se fosse empunhado pela culatra e retirado com alguma força. Repeti o gesto, ensaiei-o diversas vezes rememorando o meu sonho do assassinato dos Boix. Era verdade, sim. Aconteceu dessa forma. Eu havia resolvido o enigma de Castillo, ainda que ele nunca viesse a saber disso. Mas a lembrança do meu padrinho naquele sonho sangrento, a evidência de que tudo realmente ocorrera da forma que vi, não fez com que eu me sentisse melhor. Pelo contrário. Eu estava farta daquelas visões amedrontadoras. Resolvi voltar à minha tarefa enjoativa.

Mas antes liguei para o meu escritório em Nova York e pedi para ser reincorporada no meu trabalho na semana seguinte. Meu chefe disse que isso devia ser tratado pelo conselho. As minhas longas férias não haviam agradado nem um pouco aos sócios da firma, mas achei que tinha o emprego garantido pelo tom positivo que ele usou.

Depois liguei para Maria del Mar para anunciar o meu regresso. Isso a deixou encantada. Mas, quando lhe disse que estava pensando em romper com Mike, ela gritou aos céus. Contei-lhe o ocorrido com Oriol e ela, sem se surpreender em demasia, disse-me que isso não era motivo para romper com um rapaz como Mike, e que em todo caso ninguém devolvia anéis por telefone e que eu esperasse um pouco, que eu transferisse as decisões para quando voltasse, e que logo veríamos como tudo ficaria.

A aventura havia chegado ao fim. Foi linda, mas minha vida continuava em Nova York. Com ou sem Mike. Eu tinha viajado pelo tempo, pelo espaço, e por dentro de mim.

A minha ânsia por Oriol, reprimida por tantos anos, estava satisfeita, a ferida do passado estava fechada e agora eu não desejava mais ser um amor de verão, consumado e consumido. Voltei para Barcelona, para minha meninice mediterrânica truncada aos treze anos de idade, e a recuperei por alguns instantes, e fui capaz de emendá-la.

Minhas viagens, a física, a temporal, a interior, tinham mudado a minha forma de ver o mundo as pessoas. Não, eu não era mais aquela de quando cheguei. Eu já podia, já sabia andar descalça pela vida.

Era injusto que logo agora, chegando de novo ao porto, por mais que me parecesse um final vazio e decepcionante, eu me lamentasse por ter encontrado uma Ítaca pobre. Aprendi durante o caminho, desfrutei os momentos. A vida é justamente isso.

Nada mais me reteria aqui, meu futuro estava em Nova York.

Quando Oriol bateu à minha porta, minha cama estava coberta de roupas, duas malas abertas descansavam no chão e havia uma confusão de coisas espalhadas por todo o quarto.

— Minha mãe falou que você vai embora — ele disse.

— Vou, sim. A aventura terminou e preciso regressar. Você sabe, a família, as responsabilidades...

Ele olhou minhas mãos, o anel de Mike estava novamente comigo depois da conversa com minha mãe.

— Onde é que está o anel do meu pai?

— Deixei na cabeceira da cama. Ele me dá medo.

— Alicia já me contou... — me deu um corte. — Quando você vai?

— Amanhã.

— Quero comprar o seu quadro.

Olhei-o com tristeza.

— O quadro não está à venda, é presente de alguém de quem gosto muito.

— Faça o preço que você quiser.

A insistência dele me ofendeu.

— Eu já sei da sua generosidade, Oriol, você provou tirando Luis do aperto — estava com vontade de chorar. — Mas eu não preciso de dinheiro e também posso ser generosa. Se você o deseja tanto, é seu. Dou de presente.

A cara dele iluminou-se com um grande sorriso.

— Muito obrigado.

— Se isso é tudo, vou continuar arrumando — eu queria que ele se fosse, queria me lamuriar a sós.

— Por que você não fica mais um pouco?

— Para quê? Não há nada aqui que me retenha.

— Eu não posso aceitar um presente tão valioso e se você não quer vender seu quadro será minha sócia. Isso vai obrigá-la a ficar mais alguns dias.

Tanto o seu olhar seguro quanto o seu tom, que interpretei como prepotente, feriram o meu amor-próprio já bastante alterado naquele momento. Mas a curiosidade impediu-me de me mostrar ofendida.

— Tua sócia em quê?

— Na busca do tesouro templário.

Eu o escutei tentando adivinhar se ele estava curtindo comigo. Mas Oriol estava excitado e começou a me contar:

— Ao ficar sozinho na caverna de Tabarca, comecei a pensar, e desde então não parei de fazer isso. O fato de o meu pai ter posto pistas falsas nos quadros não quer dizer que não sejam autênticos, nem que a história do tesouro não seja verdadeira. E, se ela o for, os sinais deveriam estar à vista, embora só pudessem ser decifrados pelos iniciados. Se nós não percebemos nada foi porque nos equivocamos na procura de inscrições ocultas debaixo da pintura, sem reconhecer as pistas verdadeiras. Ontem à noite quase não pude dormir, e logo de manhã peguei o seu quadro e os meus e os levei para a melhor oficina de restauração da cidade. As análises e consultas feitas aos especialistas me deixaram ocupado durante quase todo o dia. Vem!

E, pegando-me pela mão, levou-me até seu quarto.

CINQÜENTA E UM

Em cima da cômoda do quarto, apoiados contra a parede, estavam os quadros.

— Preste atenção neles.

Vi o que sempre tinha visto. O quadro da esquerda, dividido em dois retângulos de uns quinze centímetros de base por vinte de lado; acima, sob uma arcada decorativa de estuque pintado, Jesus Cristo saindo de sua tumba mostrava-se triunfante, e, abaixo, são João Batista, o precursor do Messias na prédica da mensagem divina, vestindo pele de cordeiro. No quadro central, também coberto por um arco pontudo, estava Maria, a mãe do Senhor, com a inscrição latina *Mater* em letras góticas aos seus pés. Olhava de frente, sua expressão era triste e ela fitava o Menino no seu colo. A parte metálica da auréola continuava desprendida e ainda se podia ler *Illa Sanct Pol*. Com expressão mais alegre, o Menino abençoava com sua mão direita. O terceiro quadro, no quadrado superior, sob um curioso arco lobuloso, mostrava Cristo na cruz, ladeado por são João e a Virgem. Abaixo, *sant* Jordi pisando um ridículo dragão.

— Para começar — Oriol continuou —, hoje eu fiz a investigação das frases no pé dos santos e sob a coroa; sua pintura e a outra que as recobria têm componentes sintéticos. Esses acréscimos são atuais, já que não existiam na Idade Média. Fica então demonstrado que os textos ocultos são muito recentes, certamente feitos pelo meu pai. No entanto, este elemento tão estranho, o anel na mão da Virgem, é medieval. Todo o restante nos quadros também é, sem dúvida, do final do século XIII, princípio do XIV.

— E isso confirmaria que a história tem uma base verdadeira.

— Exato. É a primeira pista autêntica. É algo que está à vista, que hoje parece normal, mas que no seu momento chamava a atenção imediatamente. A Virgem é uma Madona clássica, não exibe coroa real, mas tem um manto e uma auréola de santidade, e isto faz com que seja ainda mais singular, mais estranho, o fato de ter um anel. Como já comentei, eles não eram bem-vistos entre os cristãos, pois apenas as altas dignidades eclesiásticas o usavam.

— Pode ser raro, mas não é falso — concluí.

— Certo. Sendo assim, temos dois elementos que nos chegaram daquela época e que podemos presumir que são autênticos: os quadros e o anel. Somente neles Arnau d'Estopinyá, ou quem quer que tenha sido, poderia transmitir sua mensagem através do tempo.

— E o que me diz do relato de Arnau? Você não acha que tem alguma coisa genuína nele?

— Claramente! Em algumas culturas, a tradição oral é básica, e chega a surpreender como algumas vezes as histórias muito antigas se transmitem através de gerações. Como esse caso obriga os implicados a um segredo vital, é bem possível que tenha chegado até nós um relato genuíno com poucas omissões ou acréscimos.

— Mas jamais poderemos distinguir entre o verdadeiro e o inventado.

— Tem razão; mas eu reivindico a intuição, o não estritamente racional como fonte do saber. Nem todo conhecimento humano é fruto da ciência.

Fiquei pensando nisso. Lembrava do meu estremecimento ao descobrir na água-furtada o suporte do revólver dentro do quadro falso. Mas Oriol já estava falando de novo sobre a pintura:

— Para um iniciado, o signo da Têmpera nos quadros é óbvio. Ainda que a Virgem seja um motivo comum nas pinturas da época, o culto mariano enraizado entre os templários e a presença dos seus santos patronos decapitados antes de perder a cabeça nos quadros laterais são evidências de que este pequeno altar portátil era propriedade dos frades guerreiros. Além disso, temos as duas cruzes que a Têmpera usava: a patriarcal, no báculo de Jesus Cristo ressuscitado, e a cruz aperfeiçoada ou pátea, nas roupas de *sant* Jordi. Esse último fato, sim, é que é singular. A cruz de *sant* Jordi é a dos cruzados: vermelha e fina, como a que figura no escudo de Barcelona. Nunca se representa um santo com uma cruz pátea.

— Fica então demonstrado que os quadros são autênticos e que pertenceram aos templários — disse-lhe. — E aonde isso nos leva?

— Que, se eles contêm alguma mensagem, ela deve estar onde todo mundo possa ver. Não é o caso?

— É, sim, suponho — repliquei não muito convencida. — Mas não acredito que haja algum sinal no anel. Sua superfície é lisa; não apresenta entalhes ou gravações.

— Bem, então nos resta a história de Arnau, se podemos acreditar em alguma coisa nela — eu não queria interrompê-lo, mas tinha motivos para aceitar a veracidade de grande parte do relato —, e as pinturas — Oriol concluiu, observando os quadros com atenção. — Trata-se de olhá-las com olhos de detetive do final do século XIII ou princípio do XIV. Quais elementos chamariam a atenção de um investigador da época?

— Você é que é o medievalista — disse-lhe, dando de ombros. — Creio que a observação está em suas mãos.

— Bem, afora o que já foi apontado, o que me estranha é esta inscrição *Mater* aos pés da Virgem...

— O que é isso?

— Quer dizer mãe em latim e é redundante. Todo mundo sabe que a Virgem Maria era mãe de Jesus. Por que o pintor pôs "mãe", quando era óbvio que a Virgem o era? As inscrições para a identificação dos santos eram bastante comuns, especialmente quando o artista não era capaz de pintá-los de maneira a diferenciá-los; ocorre com freqüência no românico. Mas nos nossos quadros todo mundo pode reconhecer a Virgem Maria, *sant* Jordi, vestido de guerreiro e pisando um dragão, e são João Batista, que está vestido de peles e mostra um pergaminho, uma alusão ao Antigo Testamento, onde estava a profecia do advento de Jesus. Todos são inconfundíveis, não há equívoco, não há necessidade de identificar ninguém.

— Talvez o artista quisesse reforçar a importância da Virgem.

— Não acredito. A presença da Virgem domina o quadro, além do fato de que na pintura antiga os modelos se repetem com freqüência, e jamais havia visto uma inscrição que se refira à Virgem como "mãe"; o que se usa é Maria ou santa Maria. Se o artista tivesse usado "mãe" com referência à Virgem, ele teria escrito *Mater Dei*, mãe de Deus.

— Que conclusão você tira?

— Que *Mater* não se refere a *Mater Dei*.

— A quem, então?

— Se a palavra está no quadro central, tem a ver com alguém que se encontra neste mesmo quadro. E, se não é a mãe do Menino, deve ser...

— A mãe da mãe!

— Isso mesmo, e a mãe da Virgem era...

A religião nunca foi uma das matérias em que eu me destacara, mas a resposta me veio como um relâmpago... talvez fosse minha memória ou a intuição:

— Santa Ana!

Entreolhamo-nos com olhos abertos de surpresa.

— Santa Anna! — exclamei. — A igreja de Santa Anna!

Santa Anna. O templo onde os neotemplários de Enric e Alicia se reuniam. A inscrição no quadro teria realmente relação com essa igreja ou nós é que tínhamos nos empenhado em ver isso? Era muita coincidência. Ou seria outra pista falsa que Enric pôs nos quadros? Descartamos essa possibilidade. Dessa vez Oriol tinha verificado a fundo os pigmentos utilizados em cada uma das partes das pinturas e os da inscrição eram originais do medievo.

Minha intuição dizia que sim, que a Igreja de Santa Anna era a chave. Embora também raciocinasse que talvez eu tivesse me imposto essa idéia, por falta de pistas melhores, como a única esperança de continuar com a aventura.

— Aceitaremos esta possibilidade como hipótese de trabalho — Oriol concluiu depois de uma longa polêmica na qual ele tentou arrefecer o meu entusiasmo. E também o dele.

Eu o reprovei por ele ter defendido a intuição minutos antes, o instinto como fonte de conhecimento, e agora estivesse se valendo da linguagem científica. Sabia que ele tinha razão, que precisávamos de método para trabalhar, mas o debate é um dos meus pontos fortes e me apetecia recuperar a iniciativa, discutindo no plano bizantino por alguns momentos.

Acontece que, com esta capacidade que muitas mulheres têm de manter dois diálogos ao mesmo tempo, enquanto entretinha Oriol numa controvérsia que de antemão já me soava como estéril, eu dava as minhas olhadelas nos quadros, perguntando-me que coisa diferente podia haver neles.

— Os arcos! — exclamei de repente.

Oriol me olhou desconcertado. O que é que os arcos tinham a ver com nosso litígio entre intuição e método?

— Os arcos — eu repeti —, o normal seria que os arcos das coberturas da parte superior dos quadros laterais fossem iguais. Não é? Isto é algo estranho.

— Sim, sim, claro que é — respondeu-me com tanta rapidez

que foi capaz de introduzir o fio de uma nova conversação. — E este arco lobuloso, o do quadro à direita; chamou-me a atenção desde que o vi pela primeira vez.

— É tão estranho assim?

— É, sim, e muito... Acredito que é hora de fazer uma outra visita à igreja maior de Santa Anna. Você me acompanha, não é?

Fechei meus olhos por alguns segundos, tratando de fixar aquele meu momento vivido. Oriol e eu estávamos contemplando os quadros no quarto dele, os quadros que supostamente ocultavam a chave do tesouro, e ao lado, no meu quarto, uma confusão de roupas espalhadas e prontas para serem postas nas minhas malas me aguardavam, para serem enviadas de volta à grande maçã por uma empresa. E justamente agora Oriol acabava de me perguntar se amanhã, no dia da minha viagem de retorno, eu o ajudaria a desvendar aquele mistério. O que eu poderia responder?

— Sim — disse-lhe.

Ao fazê-lo, percebi que, como diria mamãe, eu acabara de jogar outra vez o meu futuro pela janela. Nem o recente compromisso que eu tinha feito com minha firma nem o velho com Mike conseguiram me reprimir de pronunciar esse sim, esse quero, que me fazia casar de novo com a aventura. Mas quem resistiria a tal tentação?

CINQÜENTA E DOIS

O dia amanheceu radiante, prometia ser um desses dias de calor prematuro, no qual a brisa do Mediterrâneo abençoa Barcelona com ar transparente e temperatura benigna. O sol entrava pela minha janela e, ao espreguiçar-me debaixo de sua carícia, lembrei do amanhecer troglodita na manhã de São João, a barafunda, o banho e as outras coisas... Não me importaria repetir tudo. Lá embaixo, a cidade ziguezagueava ativamente, com os azuis do mar e o céu como tela de fundo. E lá em cima vi um avião brilhante, que se me afigurou como uma grande mosca negra quando lembrei de Nova York e de "minhas responsabilidades". Eu me sentia matando aula. Teria que desfrutar isso, disse para mim mesma enquanto corria para tomar banho, já imaginando o meu desjejum com Oriol debaixo da roseira. Café fumegante e aromático, *croissants*, torradas, manteiga, marmelada... e ele; estava com água na boca. *Carpe diem*, gritei como álibi e antídoto contra o remorso.

Entramos pelo pórtico da nave transversal que se abre para o lado voltado ao sul, o braço curto da cruz latina formada pela planta do edifício. Ao contrário das minhas visitas anteriores, quando eu nem sequer reparava nos arcos, agora eles eram motivo de atenção cuidadosa.

Situamo-nos no cruzeiro, sob o zimbório, e logo ficou óbvio que a igreja só oferece uma alternativa com três capelas alinhadas tal como apareciam nos quadros: olhar para a abside. Com efeito, o presbitério, no centro, é muito maior que as capelas laterais, como nos quadros. À esquerda encontra-se a capela do Santo Sepulcro e, à direita, a capela do Santíssimo.

— Tente lembrar dos quadros — Oriol sussurrou. — São três, e cada um, no costume da época, exibe um arco na parte superior como se se tratasse de um oratório. A primeira capela, a da esquerda, a de Jesus Cristo ressuscitando, apresenta um arco ligeiramente pontudo, transição do românico para o gótico. O arco não se assenta sobre nenhum console, pois descansa sobre o pilar sem mostrar descontinuidade.

— Como na capela que vemos aqui à esquerda — comentei excitada. — Olha só como os títulos coincidem! Santo Sepulcro na pintura e Santo Sepulcro no lugar correspondente da igreja.

Sorrindo e concordando com a cabeça, Oriol continuou:

— O quadro central possui outro arco semelhante, mas se apóia num pequeno rebordo, e tem um segundo arco em cima ainda mais pontudo.

— Também coincidem!

— E, por fim, lembre que o quadro da direita tem um estranho arco, com um lóbulo central. Os arcos lobulosos são comuns nos quadros da época, no estilo dos nossos, mas têm vários lóbulos, e não apenas um como o que está ali pintado. E o que vemos aqui, à direita?

— A capela do Santíssimo, mas antes há um par de pequenas cúpulas formadas por arcos rebaixados que descansam sobre consoles, que por sua vez se apóiam nas grossas paredes laterais e no muro central mais fino que as separa.

— Mas, se você quisesse desenhar de frente, estas pequenas cúpulas apareceriam como arcos rebaixados e o muro central como uma coluna. Você não acha?

— Acho, sim.

— Pois, se você retirar a coluna do meio, terá algo muito parecido na igreja e no quadro. Assim sendo, não se tratava de um arco com um só lóbulo central e sim um apoio comum de dois arcos rebaixados no mesmo console. Além disso, lembre que a haste maior da cruz no quadro coincide exatamente com o lugar em que aqui está a coluna. Na realidade, representa esta mureta.

— Será casualidade? — perguntei para provocá-lo.

— Não! Diabos! — ele exclamou entusiasmado. — Casualidade, não! O pintor fez de propósito. Os quadros são como um mapa deste templo! As capelas da pintura reproduzem as capelas reais da igreja, olhando da nave da abside. É aqui, Cristina!

Resolvemos nos prover do maior conhecimento possível sobre Santa Anna; era uma questão de analisar até o detalhe mais insignificante. Fizemos uma divisão de trabalho; eu procuraria informação nas fontes modernas e ele, em função de sua profissão, recorreria aos documentos antigos.

Juntei todos os escritos que mencionavam aquele edifício e sua história, dos guias turísticos da cidade aos sisudos volumes sobre a arquitetura gótica catalã. Em virtude do vínculo de sua família com o templo, Oriol sabia muito a seu respeito e me passou uma jóia: um livro de uma respeitável grossura sobre Santa Anna, recentemente publicado e de distribuição bastante limitada. Ali estaria tudo o que quiséssemos conhecer. Eu acabaria me convertendo numa autoridade sobre a igreja!

O sorriso irônico que meu amigo ofertou à minha arrebatada afirmação sacudiu-me num misto de arroubo e ofensa. "Que bonito está e que pedante é", disse para mim mesma.

Nos dias seguintes, dediquei-me em tempo integral a ler e a visitar seguidamente a igreja, onde eu podia encontrar com certa freqüência Arnau d'Estopinyá, que às vezes nem respondia minha saudação, outras vezes o fazia com um grunhido, e jamais cedeu às minhas tentativas de entabular uma conversa com mais de duas frases.

Embora eu fique tentada, não quero aborrecer com os detalhes do muito que li sobre Santa Anna, mas sua história documentada parece começar no ano de 1141, como resultado do testamento do rei aragonês Afonso I, que doou a totalidade do seu reino para as ordens militares da Têmpera, do Hospital e do Santo Sepulcro. No dito ano, um tal cônego Carfillius veio negociar um acordo, por parte dos cavaleiros do Santo Sepulcro, com o herdeiro da coroa, o conde de Barcelona, Ramón Berenguer IV, que fez o pacto permutando bens e prebendas com as três ordens para recuperar o reino.

Assim o Santo Sepulcro se viu da noite para o dia com amplas posses na Catalunha e Aragão, entre as quais estava a igreja de Santa Anna fora dos muros da cidade, sem dúvida anterior a esse momento e onde eles decidiram estabelecer o monastério, que continuou com o nome da santa e não teve apenas as posses na Catalunha, mas também em Maiorca e Valência. Na sua história agitada e turbulenta, ela passou de alguns primeiros tempos de esplendor e riqueza a séculos de decadência, nos quais deixou de ser monastério para se transformar em colegiada e, no final, paróquia. Suas valiosas posses foram sendo vendidas, incluindo os solares circundantes onde hoje se erguem os edifícios que rodeiam os restos daquele esplendor. A igreja foi saqueada e fechada na invasão napoleônica, profanada por grupos armados e fechada para o público em 1873, durante a Primeira República, e ainda incendiada e espoliada em 1936, na Segunda República. Tal como Artur havia contado, foi nessa ocasião que a nova igreja foi dinamitada. Os únicos restos daquele estilizado edifício neogótico que hoje podemos ver são algumas paredes que limitam um dos lados da praça de Ramón Amadeu.

Oriol alternava suas investigações com o trabalho e nos reuníamos à noite, ou quando encontrávamos um tempo para comparar as anotações.

No nosso primeiro encontro, expressei meu entusiasmo por uma foto que mostrava o interior da igreja depois do incêndio: nos restos de um altar, sem dúvida originalmente oculta por este, aparecia uma gigantesca cruz pátea.

Nossos avós reuniam-se aqui, Oriol afirmou, cortante. E, ao contrário da ordem do Santo Sepulcro, o nosso culto sempre foi secreto.

O conjunto atual foi edificado através dos séculos. Existe documentação que atesta que o presbitério e a nave transversal foram construídos entre os anos 1169 e 1177, a nave central e uma das capelas o foram no século XIII, outras, como a do Santo Sepulcro e o pórtico principal, no século XIV, o claustro e a sala capitular no século XV e a capela do Santíssimo no século XVI, sendo modificada no XX.

Mas logo me dei conta de que havia um anacronismo entre a pintura e a construção. Se a capela do Santíssimo não foi edificada até o século XVI, como é que podia aparecer um oratório no quadro da direita? Estaríamos confundindo de igreja? Além disso, apesar da coincidência do Santo Sepulcro no quadro e no templo, essa capela era do século XVI, já tarde para o pintor dos quadros, e nenhuma das outras capelas coincidia em relação aos santos. No presbitério, no altar-mor, rende-se culto, conforme corresponde à padroeira, Santa Anna, em uma imagem que abre os braços, protetora de sua filha e neto. Esse é o lugar onde deve estar. E, embora as imagens sejam modernas, o que é lógico depois do incêndio do século passado, deve ter sido sempre assim. O altar principal para a padroeira. Além disso, a capela da direita, a moderna, a do Santíssimo, não mostra crucificação alguma. Embora mostre uma Piedade enquadrada em pintura mural contemporânea. Havia pontos coincidentes, mas muitos mais antagônicos, eu me sentia desanimada. Estávamos de novo sobre uma pista falsa.

— Nós acreditamos em nossas próprias fantasias, Oriol — disse-lhe quando nos encontramos. E falei para ele tudo o que tinha pensado.

— Edifícios tão velhos como estes não foram sempre como você o vê agora, nem as coisas estiveram no mesmo lugar — ele retrucou. — Por outro lado, Santa Anna não foi suficientemente estudada.

— Você acredita que os livros sobre a igreja estejam equivocados?

— Em algumas coisas. Para começar, a parte mais antiga do templo não era constituída pelo presbitério e pela nave transversal. Era constituída somente pelo primeiro. Quando a ordem do Santo Sepulcro tomou posse de Santa Anna, esta já existia. Senão teriam lhe dado o nome de convento do Santo Sepulcro e não de Santa Anna. De acordo até aqui?

Afirmei com a cabeça.

— Em que lugar estaria o edifício antigo de Santa Anna?

Dei de ombros.

— Vem comigo!

Fomos até a igreja e, pegando-me pela mão, ele me levou ao presbitério.

— Você vê alguma coisa curiosa nas janelas?

Na parede da abside, atrás do altar-mor, no alto abre-se uma grande janela com vitral gótico e, mais abaixo, duas janelas estreitas de arco pontudo, na mesma altura e semelhantes às três janelas que se abrem no muro da direita, o voltado para o sul.

— Vejo janelas na parte direita e não na esquerda.

— E o que mais?

Antes de responder, dei uma volta para fazer uma inspeção.

— Afora a janela que está no alto — concluí —, nenhuma das outras janelas do presbitério dá para o lado externo, as duas do fundo se comunicam com a sacristia e as outras três da direita com a capela do Santíssimo.

— E o que isso a leva a pensar?

— Quando se construiu a abside, todas as janelas davam para o exterior, e se no lado norte, à esquerda, não há janelas é porque ali havia outro edifício. Talvez a igreja original de Santa Anna.

— Exatamente! O que hoje é a capela do Santo Sepulcro era antes a antiga igreja, que deve ter sido construída durante o século XI, em estilo românico.

— E por que então os investigadores modernos a situam no século XIV?

— Porque não conhecem bem o ocorrido e avaliaram a construção pelo que se pode ver hoje. A antiga capela românica foi destruída no incêndio de 1936. Como muitas outras partes da igreja e o zimbório, que saltou pelos ares, convertendo-se numa gigantesca chaminé. O que foi reconstruído exibe um arco pontudo, semelhante ao presbitério e à nave transversal, mas o primitivo não devia ter tal ponta. E mais, encontrei alguns projetos da igreja assinados em 1859 por um arquiteto chamado Miguel Garriga que mostram uma estrutura de paredes na capela *Dels perdons*, tal como se chamava então, completamente diferente do resto dos muros da igreja. Eram mais grossos e neles abriam-se nichos, certamente contendo imagens de santos.

"E, quanto à parte da direita do presbitério, a capela hoje conhecida como do Santíssimo, ela não existia no século XIII, já que as janelas davam para o exterior. A sacristia é que foi construída ali no século XIV. Em contrapartida, na época havia dois oratórios, cuja estrutura é coberta por duas pequenas abóbadas de cruzeiro góticas que podemos ver hoje na entrada da referida capela e que aparecem na pintura representadas por esse arco rebaixado, que acreditávamos exibir um lóbulo, posto justamente em cima da cruz, mas que na realidade representa os dois oratórios. A entrada principal, com seu pórtico, encontra-se exatamente ao lado; está datada do ano de 1300 e, dado que o seu estilo gótico parece coincidir com o dos oratórios, é de se supor que foram construídos na mesma data.

— Então, se continuarmos acreditando em Arnau, ele deve ter visto quatro arcos e não três como aparecem nos quadros.

— Certo. Os trípticos são comuns na pintura gótica e os conjuntos de quatro quadros simplesmente não existiam. Por isso abreviou para três. A capela situada à nossa esquerda representa a do Santo Sepulcro, com Jesus triunfante e ressuscitando, com um báculo ostentando a cruz patriarcal, a dos templários, no seu extremo. No centro, temos a Virgem, que em tamanho corresponde ao presbitério, no entanto, a palavra *mater* lembra Santa Ana. Seguindo na mesma direção apareceriam os dois oratórios que se mantiveram como tais até o incêndio de 1936. No primeiro encontrava-se então a Virgem da Estrela, uma talha gótica semelhante à Madona do quadro central e o segundo dava acesso para a sacristia. E adivinha a quem estava dedicado este último oratório?

Fiquei em silêncio, esperando sua resposta.

— A Jesus crucificado! — ele disse sorridente. — Havia uma grande cruz com a imagem em tamanho natural.

— Como nos quadros! — sussurrei.

CINQÜENTA E DOIS

Saímos da igreja para conversar com mais comodidade e andando pela rua Santa Anna a caminho das Ramblas, Oriol ia me contando:

— Supondo que o personagem de Arnau tivesse realmente a ver com o anel e as pinturas tal como meu pai conta em seu relato, que achamos estar baseado na tradição oral, e levando em conta que o lugar do pórtico e dos oratórios foram construídos ao redor de 1300, ele deve ter visto a igreja de Santa Anna tal como se retrata nos quadros. Os templários não foram perseguidos até o ano de 1307, e segundo os documentos Arnau d'Estopinyá viveu pelo menos até 1328, um ano depois do falecimento de Jaime II.

— Tudo se encaixa — falei convencida. — Uma pessoa da época que conhecesse a igreja poderia identificá-la nas pinturas.

— A história ficaria assim — ele continuou: — Arnau zarpou com sua galera para o norte em vez de ir para o sul. Ao contrário de como agia a ordem do Hospital, os templários sempre mantiveram boas relações com seus colegas do Santo Sepulcro. Era uma ordem muito menor e não dava motivos para rivalidades como acontecia com a de São João. Além disso, a do Santo Sepulcro não tinha nessa época um braço militar na Catalunha, eram clérigos comuns. Os frades Lenda e Saguardia já haviam feito um acordo com o comendador da ordem do Santo Sepulcro em Barcelona para custodiar os seus tesouros e Arnau d'Estopinyá desembarcou numa praia próxima da cidade, evitando tanto a sede da Têmpera, situada muito próxima dos estaleiros, e sem dúvida sob vigilância, quanto o porto de Can Tunis, localizado no litoral sul da montanha de Montjuïc e protegido por um castelo bem guarnecido pelas tropas do rei. Ele permitiu que somente os seus galeotes sarracenos vissem a quem entregavam o carregamento e depois, no caminho de volta, mandou degolá-los para que não falassem nada ao chegar a Peñiscola. Tinha boas razões para temer que os agentes da Inquisição ou do rei interrogassem a sua tripulação. Em contrapartida, os frades do Santo Sepulcro eram livres de qualquer suspeita e transportaram o tesouro para o seu monastério, guardando-o na sua igreja, que na época já era conhecida como Santa Anna. O monastério ficava fora dos muros de Barcelona, já que possuía defesas próprias, mas precisamente nessa época estava sendo construída a segunda muralha da cidade, que terminaria acolhendo a Santa Anna no seu interior. Não sei se nessa ocasião o muro já protegia a comenda do Santo Sepulcro, mas é certo que os frades tinham o seu próprio obstáculo, pois o seu convento terminaria fazendo limite com as defesas da cidade, ou então eles desfrutavam do privilégio de poder entrar sem se submeter a taxas ou registros. Isso evitou que se dessem explicações.

— Ou talvez não tenha sido assim — eu disse.

— Talvez não. Talvez o tenham trazido por via terrestre a partir do castelo de Miravet. Mas o resultado final seria o mesmo.

— Bem, de acordo. O tesouro templário está na igreja de Santa Anna. E agora, o que fazemos?

Oriol coçou a cabeça como que pensando. Estávamos em plena Rambla de las Flores, e o fulgor, o colorido daquela tarde de verão e da pitoresca multidão nos abrigava. Ele se deteve em frente de um quiosque, pegou um buquê de flores variadas e me deu, selando o gesto com um beijo nos lábios. Eu estava desejando esse beijo intensamente, mas não deixei de me surpreender, em função do desapego que Oriol havia exibido nos últimos dias, mas recuperei os meus reflexos no mesmo instante, envolvendo-o pela cintura e unindo-me a ele em beijos apaixonados.

— Temos que procurá-lo — ele me disse tão logo nos separamos do abraço. — Você não acha? — ele sorria e vi felicidade dentro dos seus olhos azuis rasgados.

— Temos — afirmei.

E de mãos dadas vagamos Rambla abaixo, falando disso e daquilo, rindo por nada, talvez apenas por viver, por aquele instante de felicidade. Que importa o tesouro? Eu me dizia. Mas que tesouro? De que tesouro nós estamos falando?

Desfrutamos da tarde, da cidade, da noite, e a madrugada nos encontrou sentados e desnudos sobre a cama revolta de Oriol, com a janela aberta sobre uma Barcelona noturna e calada, olhando os quadros que duas lamparinas iluminavam.

Ao cabo de um período de silêncio, sem respeitar a meditação na qual havia caído Oriol, que parecia querer extrair todos os segredos dos quadros na base do poder mental, eu quis resumir as minhas próprias idéias em voz alta:

— Já sabemos então que o conjunto pictórico é como o projeto da igreja — eu disse. — Agora é necessário encontrar o itinerário no mapa.

— Sim — ele concordou pensativo.

— Teremos que encontrar alguma coisa pouco freqüente...

— A posição do Menino Jesus sentado à direita da Virgem — ele me cortou. — Eu já lhe disse que não é nada comum. No reino de Aragão, a grande maioria das virgens góticas dessa época, tanto na pintura quanto na escultura, colocam o Menino à esquerda do seu colo, como que para poder atendê-lo com a mão direita. Mas não nesta.

— Outra pista!

— Exato. Além disso, o Menino costuma aparecer em diferentes atividades, segurando um livro, brincando com os pássaros, oferecendo uma fruta à sua mãe. A mais comum é abençoando.

— Isto é o que ele faz no meu quadro.

— Não! Olhe bem! Não abençoa. A bênção se dá com os dedos indicador e médio da mão direita levantados. Como no quadro à esquerda na qual Jesus Cristo sai do Santo Sepulcro.

— O Menino só eleva o indicador.

— Exato, não abençoa, aponta.

— Mas, para onde? Aponta para o céu e ligeiramente à sua esquerda, nada de concreto — e acrescentei pensativa: — Deve estar representando a promessa do reino dos céus ao crente...

— Nada disso! Olhe! Acabo de ver!

Oriol rodou o quadro do Santo Sepulcro sobre algumas dobradiças inexistentes, fechando-o como uma veneziana de janela sobre o quadro principal.

— Onde está o dedo do Menino agora?

Olhei os quadros pelo ângulo que formavam nesse momento.

— Aponta para o interior da tumba, do Santo Sepulcro.

— No interior de uma tumba, na capela da esquerda do altar principal na igreja de Santa Anna, em Barcelona — Oriol recitou. — A capela do Santo Sepulcro, a *Dels perdons*!

Fiquei pensando. Tudo aquilo parecia muito rebuscado, mas tinha lógica. Tentei lembrar da igreja.

— Você tem certeza que o tesouro está ali? — perguntei no fim.

Oriol deu de ombros.

— É a única alternativa que nos resta.

— E o que faremos para que eles nos deixem escavar o chão da igreja?

— Falarei com minha mãe — respondeu Oriol. — Tenho certeza que ela será capaz de convencer o pároco a nos deixar explorar essa capela. Ela e a "confraria" que preside são os principais benfeitores da igreja. E você cancela definitivamente o seu regresso. Não vai me deixar sozinho nessa... Lembre que fizemos um juramento de não nos abandonar.

Que brincadeira de retórica! Deixá-lo sozinho? Mesmo que a bendita igreja estivesse a ponto de desabar com todos os seus arcos, arquivoltas, abóbadas, colunas, consoles, aduelas e as demais pedras suspensas no ar sobre nossas cabeças, a última coisa que eu faria nesse momento era abandonar a aventura.

CINQÜENTA E QUATRO

Passamos aquelas noites maravilhosas no seu quarto, decifrando os mistérios do corpo e do espírito do outro, pois os dos quadros tinham deixado de ser uma desculpa válida. No meu quarto ainda permanecia o caos de malas por fazer... ou desfazer.

E assim falamos do primeiro beijo, do mar, de nossas cartas perdidas... e também dos acontecimentos dos últimos dias. A odalisca que Oriol repeliu na noite de São João era sua aluna na universidade e ele disse que por isso e porque me tinha como convidada fora pouco elegante de sua parte as traquinagens que fizera com ela no bosque. Susi, o travesti, colaborava na saída do bar Pastis com uma obra assistencial promovida por um dos grupos de ação social ao qual Oriol pertence, localizada numa casa que foi ocupada no distrito. Ele tinha feito a brincadeira do amor a três porque queria se divertir vendo minha expressão de susto. Rindo, ele me assegurou que os travestis não o atraíam sexualmente. Depois ficou sério para me dizer que, mesmo se gostasse disso, não faria com Susi; ela estava com aids e o objetivo da obra assistencial era ajudar os infectados com o vírus sem recursos. Fazia isso em homenagem ao seu pai. Fiquei escandalizada e perguntei como é que alguém assim se prostituía, que era um perigo, e que tinha de deixar de fazer o que fazia. Oriol deu de ombros, disse que sim, que talvez eu tivesse razão, mas que, apesar de ter "isso", Susi continuava sendo uma pessoa com todos os seus direitos, que era livre, que sofria e que precisava trabalhar para comer e fazer amor para viver. Reconheci que tudo isso era certo. Mas não me convenceu, todos nós somos escravos dos nossos medos. Tampouco fiquei satisfeita com sua explicação sobre a brincadeira; falei o diabo para ele sobre seu péssimo senso de humor.

Os dias que passamos preparando a nossa busca na igreja foram inesquecíveis. Desfrutamos de uma Barcelona esplendorosa, do verão recém-estreante e do amor. E era o amor que tornava tudo bem mais maravilhoso. Eu deixei de usar o telefone, desligando-me por completo dos Estados Unidos. Antes fiz uma ligação para tentar o impossível, solicitando novamente mais tempo à firma. E uma outra para avisar Mike de que o nosso caso entrara em crise e que lhe enviava o anel por um serviço de entrega. Foi uma longa conversa na qual ele não se deu por vencido.

Por fim, falei com uma Maria del Mar abatida, resignada com esses destinos implacáveis dos quais o simples mortal não é capaz de se safar, por muito que lute, para lhe dizer que não se preocupasse, que eu estava magnificamente bem com Oriol e que ela não sofreria por não saber de mim durante alguns dias; eu ficaria bem, muito bem.

Visitávamos Santa Anna com freqüência, esquadrinhando até mesmo os menores indícios.

— A igreja possui uma cripta — disse-me Oriol, certa manhã.

— Uma cripta? — inquiri. — Uma capela subterrânea?

— Sim, estou certo disso, tem que tê-la. A igreja original de Santa Anna deve ter sido construída em meados do século XI, passados apenas uns cinqüenta anos da época em que Al-Mansur arrasara Barcelona, levando tudo de valor que havia na cidade e milhares de escravos. As incursões mouriscas ainda eram freqüentes e, é lógico, havia o temor de que o saque se repetisse. O normal é que esta igreja, situada fora da proteção da muralha da cidade, tivesse não apenas muros que a defendessem, mas também um esconderijo para os objetos de culto e valor, em caso de ataque.

— Mas isso não é uma simples conjetura?

— Não, não é. Encontrei documentação muito antiga que menciona a cripta de São José.

— E onde estaria?

— Debaixo da capela do Santo Sepulcro — ele afirmou.

— Por quê?

— Por que é a parte mais antiga e também porque foi a mais venerada. No passado, o oratório do Santo Sepulcro tinha no seu exterior algumas conchas de peregrino esculpidas nas pedras dos muros, em referência ao perdão que se concedia nesta capela, semelhante ao obtido com a peregrinação até o Santo Sepulcro de Jerusalém. Imagine a importância espiritual e econômica que esta indulgência tinha para o convento. Todos esses indícios desapareceram. Na reconstrução feita após o incêndio da igreja em 1936, na qual a velha cobertura desabou, as conchas e outras partes estruturais da capela desapareceram. Mas é mais que provável que tudo que se pôde esconder no subsolo tenha se conservado. Hoje em dia ninguém sabe da existência da cripta, nem onde estava localizada, mas nenhum incêndio ou derrubada pôde afetá-la, tudo mais ocultou sua entrada. Estou certo de que em algum lugar debaixo dessas lajes oculta-se uma cripta secreta e aposto que está precisamente sob a antiga capela *Dels perdons*.

Com o auxílio de alavancas de ferro, do sacristão e de uma dessas pequenas gruas de construções menores, conseguimos remover o marco sepulcral da capela que tem um eclesiástico esculpido nele. O resultado foi decepcionante. Ossos. A brilhante teoria de Oriol desmoronava. Ele falou em levantar o solo e o pároco negou-se. O fato de que a confraria sob a qual se escondia a ordem dos Novos Templários de Alicia fosse um sustento econômico muito importante para a igreja tampouco abalou a determinação do cura. Há alguns anos tinham instalado na nave central um sistema de calefação no subsolo e apareceram inúmeros restos humanos. Foi bastante embaraçoso. Não, ele não permitiria escavações.

— Se existia uma entrada por esta capela, deve ter ficado impedida numa das reparações que sofreu — Oriol dizia para si mesmo.

Então, tentamos o mesmo no presbitério.

Para tal foi preciso mover a mobília da abside e descobrimos quatro marcos nas laterais do altar-mor com cruzes de braço duplo e símbolos cardinalícios. Supunha-se que eram tumbas de cardeais que haviam sido párocos na igreja, mas, ao levantarmos os dois primeiros, próximos da capela do Santo Sepulcro, eles estavam vazios. No entanto, ao chegarmos ao terceiro nossas esperanças se reativaram quando uma estreita escada de degraus altos, submergida na escuridão, abriu-se ante nós.

— A entrada da cripta! — exclamei. E os meus olhos procuraram os de Oriol; neles, lia-se a emoção.

O meu amigo acendeu uma vela e se dispôs a descer. A mim pareceu um arcaísmo bobo. E lhe disse que seria melhor apanhar uma das lanternas que já estavam prontas para isso.

— É por causa do oxigênio — ele me informou. — Muita gente já morreu descendo em poços e outros lugares subterrâneos por não tomar tal precaução. O anidrido carbônico ou outros gases mais pesados que o ar tendem a ficar nessas depressões e as pessoas que entram continuam respirando ar sem oxigênio até que acabam asfixiadas. Coloca-se a chama na altura da cintura e se ela se apagar é sinal de que abaixo não se pode respirar e que se deve sair correndo.

Orgulhosamente achei que o meu amante era um tipo realmente preparado e me dispus a segui-lo com uma lanterna. Ele desceu na frente, apoiando-se nas paredes e no teto, mas a escada era tão estreita e empinada que resolvi fazer isso de costas, agarrada aos degraus. Não me apetecia sair rolando naquela sinistra obscuridade.

Era um recinto ligeiramente menor que a abside, com abóbada de berço apoiada numa parede baixa que dava ao espaço uma altura máxima de uns dois metros e meio. No fundo só havia um altar de pedra e, mais além, na parede, uma grande cruz patriarcal pintada em vermelho. A mesma que templários e sepulturistas compartilhavam. A vela que estava com Oriol ainda ardia e ele a deixou em cima do altar, onde descansavam algumas arquetas.

— Talvez sejam as relíquias de santa Ana, santa Filomena, e o *lignum crucis*, que eram conservados na igreja antes da guerra — o meu amigo afirmou. — O pároco da época e alguns outros clérigos foram assassinados. O segredo deve ter-se perdido com eles.

— Não parece que aqui haja algum tesouro — eu disse.

Oriol não respondeu e começou a explorar o solo com sua lanterna em busca de lápides. De vez em quando se detinha para fazer leitura de signos em algumas pedras que não diziam nada para mim.

— Os cardeais devem estar enterrados aqui — disse, por fim, apontando um marco aos seus pés. Parecia decepcionado.

O sacristão e o monge também desceram armados com lanternas e ajudaram na *blitz* sem nada encontrar de relevante. As lápides da cripta só abrigavam ossos. Aquilo parecia o fim da busca.

Oriol propôs que nos resignássemos e pediu permissão ao cura para que nós dois seguíssemos revistando a cripta durante a noite, prometendo-lhe que tudo estaria nos seus lugares para a primeira missa do dia seguinte. Soltando um rosário de advertências, o velho sacerdote concordou com má vontade. Acredito que a ajuda econômica que Alicia dava ao templo pesava no seu ânimo. Oriol me chamou para comer alguma coisa lá fora, mas não me apetecia; bisbilhotar debaixo de marcos funerários não é propriamente um estimulante do apetite e eu não estava lá muito bem com meu corpo. Ele insistiu; devíamos repor as forças.

— Uma concha. Você reparou nela? — Oriol disse logo que entramos no restaurante. — Havia uma concha de peregrino numa das pedras do muro esquerdo da cripta; a laje é quase tão grande quanto uma lápide e um homem poderia passar pelo buraco.

— E o que isso quer dizer?

— Lembre que é o signo da capela *Dels Perdons*, a do Santo Sepulcro — seus olhos brilhavam de entusiasmo. — Igual àquelas da parte externa do oratório que desapareceram na reforma posterior à guerra civil.

— E...?

— Por que esculpiriam uma concha de peregrino numa cripta debaixo da abside, que teoricamente não tem relação alguma com a capela vizinha, a *Dels Perdons*?

— Para sugerir que havia uma relação entre elas? — perguntei insegura.

— Isso mesmo! — um sorriso triunfal dançava na sua boca. — Deve ser entrada para uma outra cripta, a primeira, a mais antiga. A que não conseguimos encontrar a partir da superfície. Deve estar ali!

Passamos pelo trâmite do jantar com a maior rapidez possível para voltar à igreja pela rua Rivadeneyra, entrando pela passagem ao lado da casa paroquial que dá acesso ao claustro. O padre tinha emprestado as chaves para abrir a grade dessa ala. Ao passar em frente da sala capitular, vendo o claustro tão escuro, acabei estremecendo ao me lembrar do encontro que tive ali, dias antes, com Arnau d'Estopinyá.

Dessa vez a sós, graças às alavancas e depois de duas tentativas, a laje com a gravação da concha de peregrino começou a mover-se e não foi muito difícil desprendê-la. Um vapor rançoso exalou da abertura negra e Oriol aproximou uma das velas, depositando-a no solo, na entrada do buraco, e deteve-se por um instante para me olhar. Ele sorriu e nos demos as mãos e um beijo. O meu coração batia loucamente de emoção e achei que devia mesmo desfrutar aquele momento único. O legendário tesouro templário estaria escondido nas trevas que eu vislumbrava através do buraco? Oriol fez um gesto amável de cavalheiro que dá a precedência à dama, mas percebi que apesar da minha curiosidade não havia graça em entrar ali dentro. Olhei a vela que queimava sem problemas aos meus pés, pedi ao meu amigo que entrássemos de mãos dadas e dizendo *carpe diem* para mim mesma abaixei a cabeça para introduzir-me no buraco que descendia como uma escada. Eu carregava a vela à minha frente e abaixo da minha cintura. Fiquei tranqüila ao ver que não apagava e tive que levantá-la acima da minha cabeça para poder enxergar. Oriol me ajudou imediatamente com sua lanterna. Era uma câmara bem menor que a anterior e mostrava no teto arcos de meio ponto que se apoiavam nas paredes e no jogo central de três colunas, sobre as quais Oriol comentou que podiam ser visigóticas. Mas nesse momento um tal detalhe não importava em nada. Ao mirar o conteúdo da catacumba, Oriol exclamou:

— O tesouro!

CINQÜENTA E CINCO

Estremeci de emoção. Nós estávamos efetivamente na parte central de uma cripta de dimensões reduzidas, com um espaço livre, mas rodeado de baús, e mais adiante, nas inúmeras arquetas empilhadas contra as paredes, via-se em algumas o brilho metálico do reflexo da luz da lanterna.

Coloquei minha vela sobre uma das arcas, fixando a base com cera, e perguntei para Oriol se abríamos ou não alguma delas. Ele iluminou a que estava mais próxima de mim e com todas as minhas forças puxei sua tampa rangente. Estava vazio! Oriol abriu uma outra... também vazia! Vazia, vazia, vazia... as seis arcas estavam vazias.

— Não há nada — falei desconsolada para Oriol, que me olhava com expectativa.

— Eu acho que há, sim — ele replicou depois de pensar por uns segundos. — O ouro e a prata não apareceram, mas acredito que o tesouro mais valioso para os templários continua aqui. Reviste as arquetas.

Havia muitas, belas, algumas metálicas com esmalte tipo Limoges, outras esculpidas com figuras de marfim, ou cobertas de damasquinos ou de madeira com estuque em relevo, e com pinturas semelhantes às do meu quadro.

— Com certeza estas ainda estão cheias... — o meu amigo assegurou.

Abri uma delas na expectativa de avistar o brilho do ouro e das pedras preciosas, mas encontrei-me frente ao resplendor dos dentes de uma caveira que ainda tinha no osso pele ressequida e cabelos.

— Meu Deus! — exclamei com apreensão. — São restos humanos!

Oriol, que já tinha aberto outras duas arcas, jogou o foco de sua lanterna em mim e disse:

— São relíquias. Não era fácil traficar ilegalmente no mercado de relíquias — pegou uma caixa de madeira com pinturas de santos no estilo românico. Na tampa havia uma cruz idêntica à do meu anel. Lembrando disso, iluminei a cruz para observar seu brilho e me pareceu sentir naquela pedra de vermelho sangue uma estranha vibração.

— Não há dúvida, acabamos de achar o tesouro perdido da ordem da Têmpera — Oriol falou antes de abrir a arca.

Nela apareceram mais ossos, alguns com a pele de aspecto de pergaminho ainda aderida.

— Nas crônicas que pesquisei sobre a igreja diz-se que no século XV a ordem do Santo Sepulcro foi dissolvida e o convento passou a ser uma colegiada agostiniana. Os frades já não residiam nele, e sim os cônegos regulares sem votos de castidade que ostentavam uma vida dissipadora e de gastos incompreensíveis para uma ordem mendicante. Os hortos, as rendas e as esmolas que recebiam da comunidade não permitiam nem o pagamento de uma centésima parte daquele dispêndio. Ao ler isso eu me convenci de que o tesouro tinha estado aqui e sua parte monetária dilapidada uns cem anos depois de Arnau ter morrido. No entanto, para os templários, as relíquias dos santos tinham muito mais valor do que ouro e prata, e certamente os cônegos que aqui habitavam nutriam respeito e medo por elas. Seria, portanto, bastante improvável que eles fizessem comércio com elas.

— Não me estranha nada que tivessem dado na vista. Vamos sair daqui — implorei. — Isto é um cemitério.

Eu sentia náuseas e meu estômago revirava-se. Não esperava por aquilo e logo me vi com um temor supersticioso, como se tivéssemos violado uma tumba, como se merecêssemos um castigo por isso. Eu já disse que geralmente não sou medrosa, mas aquela velha igreja escura, a cripta com seu odor nauseabundo e aqueles restos de defuntos nas caixas me fizeram sentir uma mistura intensa de perigo e asco. Eu precisava sair, mas queria que Oriol me acompanhasse. Não me sentia capaz de enfrentar de novo sozinha a lúgubre igreja que nos esperava lá em cima.

Mas eu estava equivocada. Não eram as trevas que nos esperavam lá em cima e sim uma luz nos olhos e uma voz conhecida:

— Que coisa, Cristina! Eu já te imaginava na América — reconheci o tom cínico de Artur que amavelmente pegou minha mão para me ajudar a sair daquela catacumba. — Ou na Costa Brava...

Contei um, dois, três dos seus capangas com lanterna e revólver na mão. Oriol, que me seguia, também se viu rendido.

— Você achou que estava me enganando, não é? — Artur deu sua alfinetada com um tom apropriadamente distinto para falar com ele. — Eu sempre desconfio quando alguém paga um preço excessivo por uma peça. E mais ainda se esta pessoa conhece seu valor de mercado. Como é que você pôde acreditar que podia me pegar com esse anzol?

— Não há ouro, somente relíquias — eu fui adiantando.

Pensei que talvez pudéssemos nos salvar outra vez se ele se convencesse de que o valor daquilo que havia lá embaixo não pagava o risco de nos matar.

— Não, querida — ele me disse. — Eu ouvi o suficiente da sua conversa. Dúzias de arquetas, de relicários dos séculos XII e XIII. Metal com esmalte de Limoges, caixas pintadas e com estuque, em românico, em gótico. Cofrinhos com figuras talhadas em marfim. Isto vale uma fortuna. Não seria um tesouro para um rei daquela época, embora as relíquias o fossem para os frades, mas, para um antiquário do século XXI, é uma riqueza incalculável. Existem poucas coisas daquela época, e valem muito.

— O que você vai fazer com as relíquias? — Oriol inquiriu.

— As carniças nós deixaremos onde estão — replicou rapidamente. — E isto inclui você.

Então percebi que dessa vez estávamos perdidos. Quem ele teria subornado para conseguir entrar ali? Ou haveria mais chaves? Não importava, fosse quem fosse que o tivesse ajudado não nos ajudaria agora. Comecei a pensar desesperadamente como poderíamos nos livrar daquilo. Vi meu próprio cadáver junto com o de Oriol, jazendo no escuro sobre os restos mortais meio apodrecidos e ressequidos de todos aqueles santos fora das arcas, amontoados no canto e encerrados para sempre na cripta secreta.

— Eu tenho dinheiro, se é o que você quer — Oriol propôs.

— Não quero seu dinheiro — Artur olhou-o com cara de asco, como se o tivessem ofendido no mais profundo da sua dignidade. — Você não entende? Isto pode ser a maior descoberta da arte medieval deste século. Além disso, seqüestrar não é meu negócio.

— E assassinar é? — inquiri indignada. Não sei como é que pude me sentir atraída por esse tipo presunçoso, esnobe e fútil de merda...

— Sinto muito, querida — ele retrucou, fingindo pena. — Mas às vezes isso vem no mesmo lote.

— Tem que haver outra solução, Artur — Oriol tentou negociar. — Leve o que quiser, e nos deixe em algum lugar até que não sobre mais nada aqui. Ninguém sabia que esta cripta existia, nada do que existe nela está catalogado, ninguém poderá acusá-lo. Nós prometemos, juramos, pelo que você quiser, que jamais diremos nada. Pode pegar tudo.

O antiquário deixou seu olhar se perder na obscuridade, até o teto, fingindo pensar.

— Não. Sinto muito — disse depois de alguns instantes eternos. — Sinto de verdade, não por você e sim por ela, pois tão logo você perdesse o medo iria imediatamente me denunciar. Eu jamais poderia desfrutar com tranqüilidade toda esta arte. Não se trata apenas de dinheiro. Eu mesmo ficarei com as melhores peças, para usufruí-las, para apalpá-las e acariciá-las, somente pelo prazer de possuí-las.

Ele falava baixo; apesar da situação, todos nós sentíamos um estranho respeito pelo templo.

A morte; ele ia nos matar. Eu teria suplicado se não estivesse convencida de que não adiantaria nada, mas agradecia por Oriol ter tentado e me agradou pensar que ele o fazia mais por mim do que por ele mesmo. Talvez eu tivesse dito alguma coisa razoável se tivesse passado pela minha mente, mas o medo começava a me torturar e eu olhava cheia de pânico para o vão sombrio da catacumba por onde tínhamos acabado de sair.

— Lamento não ter mais tempo para conversas. Faça o favor de descer. Se você não tentar fazer alguma cena, ninguém vai sofrer desnecessariamente.

Eu resolvi que só iriam me meter ali embaixo já morta. Minha mão procurou a de Oriol e ele a segurou com força. Sempre gostei da sua mão grande e quente, mas agora estava fria, quase tão gelada quanto a minha. Tínhamos que fazer alguma coisa, não podíamos morrer sem tentar nada, eu me sentia incapaz naquele momento, mas apertei sua mão com vigor e me aproximei dele até que nossos ombros se tocaram. Estava certa de que Oriol reagiria de alguma forma e eu, agora paralisada, o seguiria até o último segundo de vida.

— Não vamos descer — sua voz soava com firmeza, embora já denotasse tensão.

— Compreenda, Bonaplata — Artur retrucou, como se lamentasse a falta de espírito cívico de Oriol. — É apenas para não sujar a igreja.

Não há escapatória, disse para mim mesma enquanto avaliava a situação. Eu estava muito assustada, não via saída. As lanternas dos capangas desenhavam um quadrilátero de luz de lados móveis conforme passavam por uma e outra coisa. E nossas caras eram o branco da luz de Artur.

Achei que o antiquário nos obrigava a descer para não presenciar nossa morte. Talvez ele ainda tivesse um mínimo de consciência...

Mas, justamente quando eu já estava pensando que Artur ia ordenar para nos assassinarem ali mesmo, ouviu-se um grito, vinha da nave da igreja, era um dos capangas. Os focos de luz se voltaram para lá e iluminaram uma cena terrível. Sem soltar sua lanterna nem o revólver, um daqueles homens estava lutando com alguém que agarrava sua mandíbula por trás, e em seguida, com o brilho da lâmina de uma faca, o sangue começou a jorrar aos borbotões pelo seu pescoço. Um disparo explodiu como uma bomba naquele espaço fechado; o sujeito disparava sem atinar, no vazio, e sua própria morte revoluteava por cima de sua cabeça. Eu reconheci o atacante, seus cabelos brancos e curtos e o brilho da loucura nos olhos. Era Arnau d'Estopinyá que acabava de seccionar a jugular do bandido que tombou ensangüentado no chão. Deus! Disse para mim mesma. Ele sabe mesmo degolar, como no sonho da praia. Mas havia pouco tempo para pensar, os outros dois começaram a disparar sobre o velho e Oriol soltou a minha mão para lançar-se em cima de um dos capangas tentando tirar a arma dele. Notei como Artur procurava algo na sua jaqueta. Devia ser outro revólver; com uma boa posição, quase sem pensar, como se fosse uma mola, desferi um pontapé entre suas pernas. Záz! Igualzinho ao que ocorreu em Tabarca. Ele soltou um gemido e tentou proteger as partes lesionadas. Fiquei pensando que eu devia sentir algum tipo de atração freudiana por aquele lugar da anatomia do antiquário. Arnau tentou pegar o revólver de sua vítima, mas caiu no escuro, abatido a tiros a uns dois metros da lanterna que agora iluminava o chão. Oriol lutava, agarrando o revólver do seu oponente que o tinha bem agarrado; sua lanterna tinha caído sobre os ladrilhos.

— Corre, Cristina — ele gritou. — Corre agora! — e entre luzes e sombras, vi seu adversário dando-lhe uma cabeçada na cara.

Fiquei na dúvida por um instante. Eu não podia deixá-lo sozinho! Lembrei do juramento templário que nos unia. Mas entendi que, se eu conseguisse sair dali, não se atreveriam a matá-lo. Então, quase no escuro, já que apenas um dos capangas ainda conservava sua lanterna, saí correndo até a porta da igreja que dá para o claustro com a esperança de que as duas grades que dão para a rua Rivadeneyra estivessem abertas. Por ali havíamos entrado, mas já no meio da nave lembrei que tínhamos fechado as grades e que a porta que ligava a igreja com o claustro estava aberta, e que Oriol estava com as chaves. Por onde eles teriam entrado? Pela sacristia, como eu tinha feito na primeira vez? Era tarde para voltar atrás.

— Não a deixem sair — disse Artur, com voz débil mas audível.

O foco de luz do facínora me procurou e o estampido de um outro tiro ecoou no recinto sagrado. A morte caminhava na minha direção.

— Pára ou atiro! — o homem gritou justamente quando eu já tinha parado.

Senti a penugem da minha nuca eriçando e por um segundo as minhas pernas tremeram, mas continuei a minha fuga na direção daquela ratoeira em que o claustro havia se transformado. Lembrei de um suposto especialista no assunto dizendo que era muito difícil, mesmo para um atirador profissional, acertar com um tiro de revólver uma pessoa em movimento, mesmo a poucos metros, especialmente se ela mudasse de trajetória. Apesar do que os filmes querem nos fazer acreditar, sair ileso nesses casos é mais uma questão de sorte que de habilidade. Pensei comigo que as trevas da igreja estavam a meu favor e repeti para mim mesma que, enquanto não me pegassem, nós dois continuaríamos vivos. Apesar da escuridão daquele ponto extremo do templo, consegui alcançar a porta com uma boa dianteira em relação ao meu perseguidor, mas, ao atravessar o pequeno vestíbulo de madeira para sair do claustro, dei de cara com um homem que me dominou. Artur tinha um outro dos seus sequazes postado nas trevas!

E então, superando até o medo, senti uma grande pena. Que final tão triste! Fiz uma tentativa desesperada de me safar do meu algoz, que tapava a minha boca, até que avistei outras pessoas na penumbra do claustro. Nesse momento, o homem que me segurava me pediu calma, pois eu estava a salvo e ele era da polícia.

Procurei um muro para me apoiar e me dei conta de que estava ao lado de uma das janelas que ligam o claustro com a sala capitular, a dos ritos templários. Definitivamente, eu tive de sentar no chão.

O que aconteceu depois passou-se com muita rapidez. O pistoleiro que me perseguia caiu nos braços do mesmo agente, só que a este se uniram vários policiais e dois revólveres apontando para a cabeça do indivíduo.

Alicia também surgiu da penumbra junto com o pároco. Ela é que havia avisado a polícia e que também tentava entrar pela Porta do Anjo através dos pátios traseiros e pelo acesso da rua de Santa Anna que dá para a praça de Ramón Amadeu, onde está a entrada principal e a do claustro.

Até parecia que a pessoa que estava no comando era a própria Alicia. Sempre me surpreendi com a autoridade dessa mulher. O capitão à frente da operação pediu duas vezes que ela se calasse, mas todos, inclusive eu mesma, acabavam seguindo suas instruções. Ela dizia a cada momento o que devia ser feito.

Oriol estava tombado no chão com o nariz sangrando, mas bem e nos unimos com um abraço. Ao perceber a situação, o bandido que tinha ficado na igreja atirou sua arma para longe e não encontraram outra arma com Artur. Fico desanimada quando penso que ele ganhou liberdade condicional e que só passou aquela noite na delegacia. O julgamento ainda está em curso.

Os cadáveres ficaram da forma que estavam, no corredor central do templo, pouco antes do cruzeiro. Eles não podiam ser removidos até a chegada do juiz.

Lá estava o corpo de Arnau d'Estopinyá, estendido com a boca para baixo, ao lado da sua adaga ensangüentada, do revólver que tinha tomado de sua vítima e de um celular. Não combinava com o velho templário. Mas depois Alicia disse que havia deixado com ele para ser avisada em caso de emergência. Ela comentou que para Arnau aquela igreja era como sua própria casa e que nela ele já tinha passado muitas noites em penitência, rezando de joelhos até que terminava dormindo no chão ou num dos bancos.

Ele não morreu logo. Ainda teve tempo para pintar no chão uma cruz patriarcal com seu próprio sangue, a cruz de quatro braços, a mesma que estava presente em todos os recantos da igreja. A morte chegou enquanto ele a beijava. Nunca consegui deixar de identificar esse homem com o Arnau histórico; para mim eram a mesma pessoa. E para mim o que foi lido por Luis naqueles documentos onde aparentemente Enric escrevera o relato inventado, ouvido, intuído ou tudo ao mesmo tempo continua sendo a história verdadeira de Arnau, o possuído, o velho, o novo, ambos o mesmo. Muitas vezes o seu olhar de louco e o seu aspecto de facínora e de fanático me aterrorizavam, mas, ao vê-lo estendido no charco do seu próprio sangue, os meus olhos encheram-se de lágrimas e um nó de emoção apertou o meu estômago. Era um inadaptado, uma pessoa situada no século equivocado, um tipo marginal, solitário e fisicamente violento, mas conseqüente com sua loucura, com sua fé, com seus ideais. Não vacilou em morrer por sua crença. Talvez sua prioridade não fosse nos salvar, mas o fez e, como Pobre Cavaleiro de Cristo, não duvidou em oferecer sua única posse: a vida. Ele queria evitar que o último dos tesouros da Têmpera caísse em mãos ímpias.

Essa sua existência, como a anterior de setecentos anos atrás, não foi nem doce nem bela, nem sequer edificante, na minha opinião. Foram vidas duras, marcadas pela violência e pela desdita. Mas seus últimos momentos tinham sido belos para um templário. Morreu matando por sua fé, em luta contra os infiéis, salvando a vida dos seus companheiros de armas e em defesa das relíquias dos mártires. O que mais podia querer um Pobre Cavaleiro de Cristo?

Alicia organizou um funeral digno de um herói. O velório foi montado na sala capitular e no féretro quatro cavaleiros com suas capas brancas exibindo a cruz vermelha patriarcal sobre o ombro direito acompanharam o cadáver do começo ao fim. Era a mesma cruz que ele beijou na sua morte. Alicia tocou-lhe o corpo sem vida com a espada para, a título póstumo, nomeá-lo cavaleiro. Eu também fui nomeada dama da Têmpera; o anel me dava esse direito, embora eu já não me considerasse fazendo parte da ordem desde o momento em que, lançando-me ao mar, jurei não abandonar Oriol. Mas a verdade é que todas aquelas cerimônias tomadas tão a sério pelos seus assistentes continuavam me parecendo um teatro de fantoches. O único autêntico ali era o cadáver, o próprio Arnau, ele foi o último dos verdadeiros templários. E era irônico que, logo ele que dedicou sua existência a essa utopia, só tenha podido vestir durante sua vida a capa escura reservada aos sargentos, ao passo que os de procedência nobre ou rica exibiam a capa branca de cavaleiro, sem outro mérito senão a do seu nascimento. Uma palhaçada.

Ainda assim assisti emocionada a cerimônia do funeral ao lado de Oriol e lá me veio esse pensamento. Aquele era o momento em que nossa nave chegava ao fim, a Ítaca. A aventura estava concluída.

CINQÜENTA E SEIS

Vou contar rapidamente esta parte porque ela é triste. Tão triste quanto a distância que separa a realidade dos sonhos.

Já tinham ficado para trás os dias dessa nossa segunda infância, os dias de aventura, o presente póstumo de Enric. Muitas vezes, os amigos, os companheiros, os amantes insubstituíveis em circunstâncias excepcionais, deixam de ser os mais adequados ao planejarmos o restante de nossa vida. Eu ainda o amo e ele a mim. Fizemos um esforço, mas o amor não era tanto a ponto de estender uma ponte suficientemente longa sobre o abismo de nossas diferenças.

Acho que nossa aventura nos havia aproximado; eu já não era uma dondoca fútil incapaz de andar descalça na vida, se fosse preciso. Aceitava que as "Susis", que os infectados também tinham direito de viver e de amar, aceitava que houvesse quem fosse capaz de dar tudo por amor, mesmo que essa pessoa não fosse eu.

Ele também mudou, já não era um tipo radical, anarquista e contraditório. Havia encontrado o tesouro de seu pai e cancelado uma velha dívida pendente. Ainda não sei qual dos dois, pai ou filho, era credor ou devedor. Mas estou certa de que ao fechar esse capítulo Oriol assinou a paz, que tampouco sei se foi com as outras pessoas, consigo mesmo ou com uma lembrança.

Infelizmente, tais mudanças não foram suficientes; ainda estávamos, ele e eu, bem distantes. A vida nos fez andar caminhos divergentes e nunca, por mais que se tente, se volta atrás; o tempo só se movimenta numa direção. A Costa Brava, a tormenta e o beijo ficaram enterrados nas areias do passado.

Que pena.

E vocês devem estar perguntando o que aconteceu com o tesouro. Pois bem, ainda não sei qual foi o seu destino final e certamente isso pouco me interessa, pelo menos pessoalmente. Não quero qualquer dessas peças para nada. Por mais artísticas, históricas ou valiosas que as arquetas possam ser. E muito menos o seu conteúdo. A idéia de ter uma delas decorando o meu apartamento em Nova York me dá calafrios. Já os tive em demasia com aquele outro anel, tão macabro quanto belo, com seus restos humanos enganchados.

Oriol também não parece ambicionar qualquer dessas jóias artísticas, apesar da sua paixão pelo medievo. Ele só quer estudá-las.

Ele está convencido de que o tesouro foi uma aventura vivida; esta, e somente esta, era a herança de Enric. Nada nem ninguém no mundo nos poderá arrebatar. E a minha opinião é como a dele.

Como disse Kaváfis:

Ítaca te deu a bela viagem,
e já não tem nada mais para te dar.
E se a encontras pobre,
sábio como és agora graças a tantas experiências,
saberás entender o que significam as Ítacas.

Mas nem todos pensam do mesmo jeito.

A intervenção da polícia tornou pública a descoberta e isso abriu a caixa dos trovões. A diocese de Barcelona considera que um tal achado, ocorrido no interior de uma igreja, lhe pertence. Mas o templo tinha sido parte do monastério de Santa Anna, do Santo Sepulcro, cuja ordem ainda tem sua sede em Catalunha, e seus direitos... No entanto, as relíquias e as arcas que as contêm pertenciam aos templários dissolvidos pelo papa, que concordou com o rei de Aragão em ceder as posses destes, as poucas que restavam depois da espoliação real, para a ordem de São João do Hospital, que continua ativa em nossos dias com o nome de ordem de Malta e, portanto, também herdeira legal.

Trata-se, contudo, de um tesouro artístico e histórico, e o Estado espanhol tem potestade, mas, como ele pertence ao patrimônio cultural catalão, e isto foi delegado pelo próprio Estado central, a Generalitat tem muito que dizer...

E não falemos dos sucessores autênticos e genuínos dos Pobres Cavaleiros de Cristo... Existem centenas de grupos que se autoproclamam os verdadeiros herdeiros da Têmpera. Inclusive o de Alicia.

Claro que o tesouro só corresponde a uma das províncias templárias, a que agrupava os reinos de Aragão, Maiorca e Valência. E isso limita os possíveis herdeiros templários. Em Valência, por capricho de Jaime II, a ordem sucessora da Têmpera foi a de Montesa, que ele fez fundar. Mas o reino de Maiorca era naquela ocasião independente dos outros dois reinos, e também se estendia através dos territórios catalães e provençais, hoje dentro do Estado francês. Logo, os grupos neotemplários franceses também podiam considerar-se beneficiários...

Alicia é muito esperta e não quis se meter em reclamações por heranças morais templárias... um vespeiro miúdo. E pôs sua demanda em nome dos descobridores do tesouro: Oriol e eu. Na minha opinião, essa mulher tem um inquietante interesse pelas relíquias, maior até do que pelos seus belos conteúdos materiais. Não quero, nem me interessa averiguar por quê...

Como advogada, tenho grande curiosidade em saber como terminará toda essa embrulhada. No entanto, se estou convencida de alguma coisa é de que Alicia obterá uma boa parte do que deseja. Como sempre.

E aqui estou, olhando como uma tonta a minha mão sem anéis, enquanto o avião me devolve para Nova York. Sozinha. Quem disse que a vida é fácil?

O meu anel de comprometida, com o seu impressionante solitário, eu enviei para Mike quando o meu caso com Oriol ficou bem quente. O outro, o belo anel de rubi, o macho, o da violência marciana, no interior do qual brilha a estrela de seis pontas, o da cruz templária, o do osso humano, o do resplendor sangrento, o que guarda almas penadas, este, eu dei para Alicia.

Enric disse em sua carta que o anel era para quem eu acreditasse que mais o merecia. E isso me incluía. "Deve ser alguém muito forte de espírito", dizia seu bilhete, "porque este anel tem vida e vontade próprias." Naquele momento não dei importância a esta advertência, mas pouco a pouco fui conhecendo tudo o que o anel carrega consigo. Ele me dá medo. E quem o merece é Alicia. Mais do que qualquer outra pessoa que eu conheça. Ela merece ser o grande mestre dos Novos Templários. Já o era sem o anel e agora o é com o símbolo histórico de sua posição. Além disso, ela sabe melhor que ninguém o que vai enfrentar, e estou certa de que, se alguém é capaz de ser seu proprietário, esse alguém é Alicia.

Alicia me sorriu quando o dei para ela. Não disse obrigado, nem cortesias bobas como "não, por favor, Enric deu pra você, fica com ele, é seu". Tudo o que fez foi pô-lo no dedo. Como se sempre tivesse sido seu. Mas me deu dois beijos e um abraço. Estou certa de que muitas vezes ela sonhou consigo mesma como um antigo templário. Montada num dos seus corcéis de combate, com seu elmo e sua cota de malha a caminho do campo de batalha, e com os ovos bem presos entre as suas pernas e a sela. E seguida pelo seu escudeiro, também montado, portando suas armas e com um terceiro cavalo de guerra sobressalente. Esse escudeiro poderia ser qualquer um. Qualquer um. Pois ninguém é tão nobre, ninguém tem tanta autoridade quanto ela.

— Obrigada! — disse-me, algum tempo depois de o ter contemplado.

Desse modo o anel da aventura abandonou a minha mão, marcando o tempo mais maravilhoso da minha vida. Acabou-se.

Agora estou de volta para Nova York, onde continuarei, pleito após pleito, a minha ascensão como brilhante advogada. Os meus pais disseram que estariam esperando no aeroporto e... surpresa! Eu também vou me encontrar lá com Mike, feliz por eu já ter superado aquele impulso ruim, com seu anel, o fabuloso solitário de brilhos puros e honestos, promessa de uma vida de luxos sem fim junto ao rebento de uma das famílias mais ricas de Wall Street. As coisas são assim. Nem sempre o final é de cinema, desafortunadamente a vida é como é.

Uma vez encontrado o tesouro, uma vez Arnau tendo recebido sepultura na mesma igreja de Santa Anna, depois daqueles dias de felicidade louca chegou o momento da sensatez e de planejar o futuro.

Eu lhe disse, vem. Ele me disse, fica. Eu lhe disse, tenho uma carreira brilhante em Nova York. Ele respondeu, e eu um emprego em Barcelona. O que você tem aqui pode encontrar em qualquer lugar, respondi, certamente você vai conseguir algo melhor na América. Um pesquisador medievalista em Nova York? Ele riu sem vontade. Você, sim, é que pode ser uma advogada brilhante em Barcelona, acrescentou. Argumentei que na firma onde eu trabalhava estavam os melhores advogados do mundo, que em nenhum outro lugar poderia aprender tanto, chegar tão alto. Vem você, por favor. Atreva-se a ser o senhor da sua senhora, anda, não seja machista, eu supliquei, nunca esperei isso de você.

Ele contestou com lágrimas nos olhos. Não é isso, Cristina. Você tem asas e eu, raízes. Eu pertenço a este lugar. Esta é a minha cultura. Vivo por ela. Não posso ir embora. Fique e chegue comigo, em Barcelona, até o mais alto que você puder.

Foi despedir-se no aeroporto e tivemos uma última sessão de tentativas de persuadir um ao outro. Mas tudo acabou num:

— Adeus, Oriol. Logo nos veremos — eu menti e ainda não sei por quê. — Seja feliz!

— Adeus, meu amor. Voe com suas asas até atingir sua ambição. Chegue até onde ninguém chegou.

Que triste, não é verdade? Passei a viagem toda chorando. Terminei com todos os meus lenços de papel e os do banheiro.

E agora caminho pelo corredor do JFK, o aeroporto internacional de Nova York. Atrás do controle da imigração e da alfândega, os meus pais e Mike me esperam, felizes por verem regressar a sua ovelha desgarrada.

Atrás de mim fica o que pôde ser e jamais será. Um grande amor. Não um "amorzinho". AMOR. Oriol foi o primeiro e, se minha família tivesse ficado em Barcelona, é quase certo que ele também teria sido o último. Mas é preciso ser razoável. É preciso ser prático.

Razoável? Prático? Por quê?

Por que não posso me permitir dar uma segunda oportunidade a essa vida paralela? O meu coração me pedia para voltar, a minha razão se negava a abandonar minha carreira em Nova York. Pensei que talvez também pudesse triunfar em Barcelona. Por que não tentar? Eu teria que ficar pelo resto de minha vida com a dúvida, com a pena?

Carpe diem. Eu não tinha aprendido nada? Perdi negociando com Oriol, bem, mas às vezes aceitar uma derrota a tempo leva a uma vitória. Eu tinha que tentar.

E foi assim que dei meia-volta. Larguei a bagagem, larguei tudo. Tudo. E fui ao balcão comprar uma passagem no próximo avião para Barcelona.

— O senhor não está em casa — respondeu a empregada.

— Sabe quando ele volta? — indaguei nervosa.

— Não sei, mas não será hoje nem amanhã. Saiu de viagem sem dizer quando volta.

Senti o chão desmoronando debaixo dos meus pés e teria desejado que o maldito aeroporto afundasse comigo dentro. Que decepção! Barcelona, tão cheia antes de tudo acontecer, agora era um deserto, um vazio completo. Faltava nela o único que agora eu queria dela. Eu me sentia desolada, abandonada, sem futuro.

Com que rapidez Oriol se consolava pela minha ausência! Uma viagem. Com uma amiguinha? Talvez aquela odalisca da praia? E eu que vinha fazer uma surpresa para ele, oferecer a minha vida para ele, dar tudo para ele, minha carreira profissional, meu amor... tudo. Que estúpida! Sentia um nó na garganta, tinha ficado muda ao telefone.

— Eu acho que ele disse que ia para Nova York — a mulher acrescentou ante o meu silêncio.

Com um fiozinho de voz agradeci e desliguei.

"Nova York", meu Deus! "Nova York", eu me dizia enquanto procurava um banco para me sentar. Outra vez as minhas pernas estavam trêmulas. Ele também quer oferecer tudo para mim!

Olhei minhas mãos por um momento, agora sem anéis, símbolo de uma liberdade que passei a achar que valia muito menos que o amor. Com um profundo suspiro, fechei os olhos e, inclinando a cabeça para trás, me vi abrindo os lábios com um sorriso feliz.

Vi a imagem da nossa nave abandonando o porto de Ítaca, suas velas brancas e plenas de vento nos ajudavam a percorrer, juntos, a aventura da vida e suportar as provas e trabalhos que os deuses nos impuseram. Os poemas de Kaváfis e a música de Llach soavam nos meus ouvidos. Vi o mar azul do meio-dia na Costa Brava, e o de Tabarca; os bancos das salpas cintilando a prata e o ouro de suas escamas ao sol em meio à verde posidônia e à areia branca, e senti o sal na minha boca e lembrei do meu primeiro beijo, e também da tormenta. Lembrei dele, do meu primeiro amor. O último.

Mas esta inoportuna voz dentro de mim acrescentou:

— Talvez...

Este livro foi composto em Minion
para a Editora Planeta do Brasil
em dezembro de 2006.